D0261291

■■■■■■■■ | De uitleentermijn | ■■■■■■■■
loopt af op:

Bloedbanden

Voor Peter

We zijn ballingen, luisteraars.
Ons hart is gericht op de hemel, ver en vreemd.
Horen we al het tromgeroffel dat de komst van Christus, onze
Koning, aankondigt?

Bloedbanden

Susan Bauer

Uitgeverij Mozaïek, Zoetermeer

Ontwerp omslag Studio Jan de Boer
Illustratie omslag Getty Images/Dave Nagel

Vertaling Heleen Wubs
Oorspronkelijk verschenen in 1998 bij Multnomah Publishers, Oregon,
onder de titel *Though the Darkness Hide Thee*

ISBN 90 239 9104 4
NUR 302

© Engelstalige versie Susan Wise Bauer
© Nederlandse vertaling 2004 Uitgeverij Mozaïek, Zoetermeer

Meer informatie over deze roman en andere uitgaven van Mozaïek vindt
u op www.uitgeverijmozaiek.nl

De familie Fowlerand-Humberston

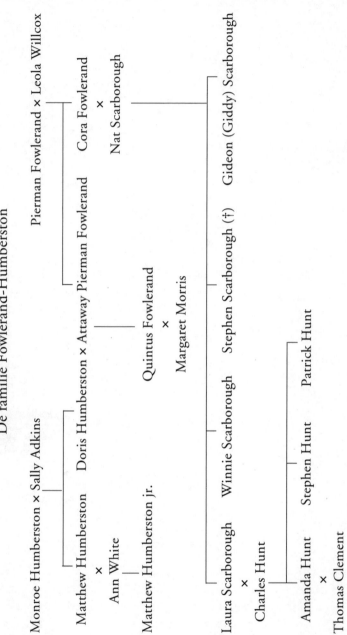

Een

Naar huis!

De gedachte alleen al maakte me gelukkig.

Thomas en ik waren in Philadelphia getrouwd, te midden van zijn vrienden. Zijn studievrienden waren als broers voor hem. Tot de maand mei – dan vlogen ze allemaal uit, weg van de met klimop begroeide campus, als kinderen die aan een heerszuchtige ouder ontsnappen om elkaar nooit weer te zien. Thomas had maar weinig familie, die verspreid over het Midwesten woonde; mijn familie was verhuisd en erg veranderd. Ik was opgegroeid in Little Croft, in de staat Virginia. En als ik aan de landerijen dacht, aan de donkere hemel vol sterren en de oude pijnbomen, voelde ik me behaaglijk als een kind dat heerlijk ingestopt ligt onder de dekens na een lange, vermoeiende reis naar een onbekende plek.

De nacht voor we terugkeerden, droomde ik over Little Croft. Ik zag de stoffige straatjes tussen de oeroude, scheefgegroeide esdoorns, de uitgestrekte omgeploegde akkers en een havik die hoog in de lucht rondcirkelt en schrille kreten uitstoot terwijl hij naar beneden duikt. De beelden van mijn jeugd kwamen in mijn droom terug, als in een spiegel.

We reden Little Croft binnen op een bloedhete avond in augustus. Onze twee sint-bernards hadden we op de achterbank van Thomas' kleine auto geduwd. Het koren stond hoog aan beide kanten van de smalle asfaltweg. Little Croft baadde in het zonlicht. Een ochtendregen had de velden en bomen opgefrist en nu werden we verblind door de rode zon, die in elk glad oppervlak werd weerkaatst.

Thomas draaide zijn raampje naar beneden en zette met een tevreden zwaai zijn zonnebril op zijn haar. Warme lucht stroomde naar binnen en kringelde om ons heen.

'Laten we eerst naar de kerk gaan', stelde hij voor.

'Meneer Whitworth zei dat ze bij het huis op ons wachten. Ze gaan ons helpen de boel bewoonbaar te maken.'

'Even dan?'

Ik glimlachte naar hem. De nieuwe kerk was het begin van een gloednieuw avontuur, de eerste bladzijde van een onbekend verhaal, veel spannender dan het kleine, één verdieping tellende houten huis waarin we zouden gaan wonen. De sint-bernards worstelden om hun natte koppen uit Thomas' raam te kunnen steken. Ik draaide mijn eigen raampje omlaag en Chelsea wierp zich naar mijn kant van de auto.

'Moet ik rechtdoor? De vorige keer kwamen we van de andere kant.'

'Even verder moeten we links, vlak na Fowlerand Road.'

We reden langs het uithangbord dat bungelde bij het pad naar de boerderij van mijn oma. Even verderop leidde een verharde zijweg naar Loop Road, waar Matthew Humberston de scepter zwaaide over een enorm oppervlak landbouwgrond. Bijna twee kilometer na Loop Road maakte een groepje kleine, grijze huizen plaats voor grotere met serres en meerdere schoorstenen. Een stukje bos, een tarweveld en dan een groepje oude esdoorns om het witte kerkje heen: de kerk van Little Croft, tweehonderd jaar oud. De gemeente was geslonken tot een handjevol mensen.

We parkeerden op het onverharde parkeerterrein voor de kerk en klauterden de auto uit. We duwden de honden weer naar binnen en sloegen de portieren vlak voor hun gretige neuzen dicht. Boven de dubbele toegangsdeur van de kerk stond, op een vervaagd wit bord: Kerk van Little Croft, gesticht in 1792.

Thomas bleef stilstaan, hij hield zijn hoofd achterover om de gevel te kunnen bekijken. Hij was lang, mager en blond, type

Ivanhoe maar met een Midwesters accent. De laatste vijf jaar had hij een bruisend programma voor jongvolwassenen geleid in een bloeiende kerk in Philadelphia. Die gemeente kerkte in een majestueus oud gebouw met een enorm pijporgel, ze had een sterke roeping tot liefdadigheid en verspilde veel tijd met politiek gekonkel.

Ik ging de trap op en morrelde aan de deurknop. De deuren zwaaiden plotseling naar binnen open. Helder licht viel door de eenvoudige boogramen op de oude, rode loper tussen de banken. Er waren twintig banken met rechte, notenhouten leuningen en verschoten rode kussens die kleurden bij de loper. Op een kleine galerij waren nog drie rijen zitplaatsen, bereikbaar via een gammele wenteltrap. De geur van net gewreven hout en oude stof deed me onmiddellijk denken aan de vakantiebijbelclub: frisdrank in een plastic bekertje en twee koekjes die vaag naar amandelen smaakten. De doopkapel achter het kleine podium werd door rode gordijnen aan het zicht onttrokken. De kerk van Little Croft was gesticht door Engelse non-conformisten die de staatskerk ontvlucht waren. Zelfs nu ze wegkwijnde, bleef ze onafhankelijk.

Thomas liep door het gangpad en verdween door de deur achter het kleine orgel. Ik kuierde het podium op en gluurde door de gordijnen die voor de doopkapel hingen. Een spin had in een hoek zorgvuldig een web gemaakt. Boven de tegeltjes had iemand een foeilelijke muurschildering gemaakt van een reusachtige Christusfiguur met blauwe ogen, die tegen de achtergrond van de opkomende zon tientallen mensjes verwelkomt in zijn monsterlijke armen. Ik wreef met mijn vinger over het stof op de schildering.

'Amanda?'

Ik liet de gordijnen dichtvallen en haastte me het podium af. Thomas had zijn kantoor ontdekt, aan het eind van een witgepleisterde gang achter in de kerk. De kamer was klein, met boekenplanken die kennelijk bestemd waren voor miniatuur-commentaren en een bureau waar Thomas nauwelijks zijn benen onder kon krijgen. Maar het raam keek uit over een prachtig goudkleurig veld achter de parkeerplaats en een dikke eik wierp zijn schaduw over de trap aan de achterkant van de kerk.

Het raamkozijn was kromgetrokken door hitte en ouderdom. Thomas zette zijn schouder ertegen. Met een schok ging het raam open. De scherpe geur van maïs kronkelde naar binnen; een briesje beroerde het stof op het bureau en tilde de hoeken van een vergeeld tijdschrift op.

Thomas stond midden in de kamer en spreidde zijn armen uit.

'Zondags kan hier een groep van de zondagsschool komen', zei hij, 'en een andere in het koor en de kleintjes in die kamer aan de andere kant van de gang.'

Hij draaide zich om en lachte naar me en opeens had ik dat overbekende gevoel: mijn hart ging sneller kloppen. Net als toen we nog niet getrouwd waren en ik zijn stem hoorde of een glimp opving van zijn lange gestalte aan de andere kant van een gang. Zelfs na drie jaar huwelijk kon ik geen woorden vinden om de overstelpende liefde die ik voor hem voelde te beschrijven. Hij stak zijn hand uit en ik vlocht mijn vingers door de zijne.

'Ben je gelukkig?' vroeg hij.

'Ja', zei ik oprecht. Maar eigenlijk vond ik dat Little Croft er nogal nietszeggend uitzag. Ik had nog niet voorgesteld om langs het huis te rijden waar ik was opgegroeid en dat verkocht was aan een stel advocaten dat de tuin verwaarloosde.

'Ik wil graag dat je hier gelukkig bent.'

'Dat weet ik.'

'Goed', zei hij, 'óp naar het nieuwe huis.'

Hij sloot de deur achter ons en samen liepen we de trap af, zijn schouder tegen de mijne. Daphne en Chelsea wierpen zich kwijlend van blijdschap tegen de autoruiten.

We reden terug over Little Croft Road naar het zandpad van mijn grootmoeder. Achter de brievenbus zwaaide een bruin uithangbord heen en weer; het opschrift luidde: Armoe troef. Een merkwaardige naam voor het almaar uitdijende familiebedrijf, maar het was zo genoemd toen mijn grootvader al zwoegend zijn brood moest zien te verdienen. En hij had geweigerd de naam te veranderen toen de boerderij zich uitbreidde, over Little Croft en omliggende gemeenten. Na zijn dood droeg mijn grootmoeder de leiding van de boerderij over aan haar jongste zoon, mijn oom Giddy. De boerderij werd een bloeiende onderneming, maar het bord bleef hangen.

Mijn oma, Cora Scarborough – haar meisjesnaam was Fowlerand – had ons het witte pachtershuis in de bocht van Poverty Ridge Road aangeboden. We hoefden geen huur te betalen, maar als tegenprestatie moest ik haar helpen met het huishouden, boodschappen voor haar doen, twee maaltijden per dag maken, haar administratie bijhouden en haar haar in de krul zetten. Ik verdiende een aardig salaris bij een reclamebureau in Philadelphia, maar na vijf jaar wist ik dat ik de verkeerde keuze gemaakt had. Reclameteksten schrijven is geestdodend. Het voortdurend bezig zijn met oppervlakkigheid en hebzucht bezorgde me een soort geestelijke schimmel; het voelde alsof ik altijd bezig was een laag vuil van mijn fantasie af te krabben. Het salaris in Little Croft was verre van vorstelijk, maar we dachten dat we het in ieder geval een jaar konden uitzingen en ondertussen kon ik op zoek gaan naar iets anders.

Toen het beroep van de kerkenraad van Little Croft kwam, bracht het vooruitzicht terug naar huis te gaan me volledig van de kook. Ik was tien jaar uit Little Croft weggeweest. Ik herinnerde me wandelingen door de ochtendnevel, de geur van aarde die verwarmd wordt door de opkomende zon, schoonheid die mijn hart liet zwellen tot ik dacht dat het zou barsten van verlangen.

Thuis! Ik zei het woord hardop onder de douche, in de auto, achter mijn computer in het beige kantoortje. Philadelphia werd onverdraaglijk; een grote, vieze wachtkamer, één deur verwijderd van een rustgevend, groen weiland.

Poverty Ridge Road liep ruim twee kilometer bijna pal naar het noorden. De smalle zandweg doorsneed korenveld na korenveld, maakte een scherpe bocht naar rechts bij de Chickahominyrivier en vervolgde zijn weg nog ongeveer vierhonderd meter om te eindigen bij het houten huis van mijn grootmoeder. Het pachtershuis stond bij de bocht. De afstand tussen de zandweg en de veranda was ongeveer vijf meter; aan de achterkant leidde een steile helling naar de rivier. Het was een hoog, ondiep huis: begane grond plus één verdieping hoog, drie kamers breed, één kamer diep en een keuken tegen de zijkant aangeplakt. Twee kinderen, bruinverbrand door de zomerzon, raceten op modderige fietsen het pad op en neer. Bij een bovenraam was iemand bezig een kleed uit te kloppen.

We parkeerden de auto in de kleine achtertuin. Een gezette man zat op de trap aan de achterkant van het huis op zijn gemak een sigaretje te roken. Hij was klein en stevig en had een onbekommerde uitdrukking op zijn gezicht, als een speelgoedpoppetje. Hij kwam overeind, gooide rustig zijn sigaret op de grond en drukte die uit met zijn hak.

'Ik weet niet meer hoe die diaken heet', siste Thomas.

'Ambrose Scarborough.'

'Jouw –'

'Achterneef.'

'O ja.' Thomas stapte uit, gooide de deur behendig dicht voordat Daphne eruit kon springen en stak zijn hand uit. 'Meneer Scarborough?'

'Dominee Clement', zei Ambrose. Hij had een onverwacht hoge stem. 'Fijn u te zien. Goede reis gehad?'

'Ja hoor, prima.'

'De verhuiswagen kwam hier rond de middag. Ze hebben alles op de verkeerde plek gezet. Mijn vrouw en ik hebben alle spullen op de goeie plek gezet en we hebben de boel schoongemaakt. Amelia Whitworth kwam nog even langs en oom Giddy is een uurtje geweest.' Hij glimlachte vriendelijk naar me terwijl ik uit de auto tevoorschijn kwam. 'En er zijn een paar Humberstons die verderop bij de rivier wonen. Harolds vrouw en zijn zuster en een neef. 't Huis ziet er nu best uit. Wilt u die honden er niet uit laten?'

'Ja, waarom ook niet?' zei ik, Thomas' vragende blik beantwoordend. Hij liep naar de auto en deed het portier aan de

12

bestuurderskant open. De sint-bernards schoten de auto uit, renden drie rondjes om het huis, doken toen onder de veranda aan de achterkant van het huis en gingen liggen snuffelen.

'Misschien moeten we ze vastleggen in de tuin', zei Thomas. 'Ze zijn niet gewend aan zoveel ruimte.'

'Laat ze toch', zei ik en wreef het zweet van mijn neus. 'Het is koel daaronder.' In de achtertuin stond een grote esdoorn, hij duwde zijn hoogste takken tegen de ramen van de bovenverdieping en wierp zijn schaduw over de hele achterkant van het huis.

'En vochtig', voegde Ambrose eraan toe. 'Mijn vrouw heeft die diepvries daar voor jullie ontdooid en die heeft overal water gelekt. Er zat een of ander hert in dat nog uit juffrouw Clunies tijd stamde, dus dat water zal wel naar bedorven vlees stinken.'

'Mm', zei ik, 'daar houden ze van.'

De vriezer op de veranda was een ouderwetse vrieskist die aan de randen verroest was. Kluiten modder vlogen langs de trap; Daphne was bezig zich te nestelen. In de schaduw onder de veranda was het koel, daarbuiten was het wel dertig graden.

'Kom binnen en bekijk het huis maar 'ns', zei Ambrose opgewekt, 'en dan zullen we jullie niet langer voor de voeten lopen.'

Hij ging voor ons uit de veranda op en de achterdeur door. We kwamen terecht in een klein portaal dat aan beide zijden uitkwam in een grote kamer. De kamer aan de rechterkant had tegen een muur een oude open haard. Onze bank en stoelen waren schots en scheef midden in de kamer gezet. In de linkerkamer leidde een dubbele deuropening naar de keuken. De trap was aan de linkerkant van het portaal. Bruine kartonnen dozen stonden tegen de muren opgestapeld.

'Herken je het huis?' vroeg Ambrose.

'Niet echt', zei ik.

'Dit was de woonkamer en daar was juffrouw Clunies slaapkamer, die met de open haard.' Hij wees met zijn duim naar boven. 'Twee kleinere kamers en een badkamer, boven. Die kast daar, naast de haard, die is nog uit juffrouw Clunies tijd. Net zoals de kleine tafel in de slaapkamer op het oosten. In de keuken stond niks meer, maar Amelia heeft wat van jullie keukenspullen uitgepakt voor ze weg moest. Fluitketel, koekenpan – dingen waarvan ze dacht dat jullie die meteen nodig hadden. Daar is mijn vrouw, ze komt net beneden.'

Ida Scarborough was een forse vrouw met een indrukwekkende boezem. Ze was gehuld in een overgooier van spijkerstof, waarop een roze broche prijkte. Ze kwam heel voorzichtig de smalle trap af, hoofdschuddend en de leuning stevig vasthoudend tot ze weer vaste grond onder de voeten had.

'Goeiemiddag allebei', zei ze. 'Ik zag dat Giddy die slaapkamer boven heeft laten verven. Dat is de kamer waar juffrouw Clunie gestorven is, dus het is maar goed dat die geverfd is. Ziet er weer mooi uit. Ik heb jullie lakens en dekens uitgepakt zodat jullie vannacht kunnen slapen. En Ambrose heeft de airco boven aangesloten, dan worden jullie tenminste niet gebraden. Het was machtig warm daarboven.'

'Dank u wel', zei Thomas welgemeend. 'Dat is het enige dat ik vanavond wilde doen. De rest kan wachten tot morgen. Heel erg bedankt.'

Ida Scarborough glimlachte minzaam naar hem. Ik kende Ida al van jongs af; ze had een paar keer bij ons opgepast. Ze deed nooit spelletjes met ons, maar ging lekker zitten en vertelde urenlang verhalen. Ik bespeurde een zekere terughoudendheid in haar verwelkoming. Toen Ambrose Thomas meenam om de verwarming te inspecteren, leunde ze naar voren zodat haar boezem mijn schouder raakte. Haar adem rook naar pepermunt en de geur van warme talkpoeder golfde me vanuit haar vouwen en plooien tegemoet.

Ze prevelde: 'Mandy, lieverd, ik wilde er niks van zeggen in het bijzijn van dominee Clement, maar ik heb niet al die dozen uitgepakt. Dat leek me niet gepast. Ik was nogal verbaasd om zoiets te zien, eerlijk gezegd. In het huis van een dominee nog wel.'

In gedachten ging ik koortsachtig alle persoonlijke dingen langs die ik ingepakt had. Zijden ondergoed? Thomas' verzameling Bloom County stripboeken? Anticonceptie? Ida en Ambrose hadden maar twee kinderen, waar drie jaar tussen zat, dus dat kon het haast niet zijn.

'Allemaal sterkedrankdozen', zei Ida, terwijl ze nog iets zachter ging praten. 'Ik bedoel, als een man een biertje drinkt, is dat volgens mij iets tussen hem en God. En ik zal niet zeggen dat Ambrose niet af en toe voor de verleiding bezweken is, in zijn jonge jaren. Maar dit! Allemaal whiskydozen, ik weet niet hoeveel! Drinkt hij dat allemaal zelf op?'

'O, mevrouw Scarborough, dat zijn alleen maar boeken. Bij ons in Philadelphia zat op de hoek een slijterij, dus daar hebben we lege dozen gehaald. Ze hebben precies de juiste afmetingen voor boeken.'

'O, zit dat zo! Nou, ik ben blij dat te horen. Sjonge, jullie hebben wel een grote verzameling boeken, hè? Giddy had wel wat meer planken mogen maken. Maar hij heeft het druk met de begraafplaats, neem ik aan. Goed, ik zal mijn man opsnorren en al die Humberstons wegjagen en jullie met rust laten. Dan kunnen jullie naar bed gaan voordat je instort.'

Ze kreeg Ambrose met enige moeite bij het ketelhuis vandaan en de Humberstons – drie vrouwen van wie de gezichten me bekender voorkwamen dan de namen, getrouwd met mannen die ik me vaag herinnerde – verzamelden hun kinderen. Ze hobbelden weg over het zandpad in pick-ups en gezinsauto's en Thomas en ik bleven achter in het pachtershuis.

'Ik weet alles wat er te weten valt over ketelhuizen', zei Thomas.

'Je hebt een spinnenweb in je haar.'

Hij boog zijn blonde hoofd naar voren en ik ontdeed zijn haar van de dikke, witte draden. Hij vroeg met gedempte stem: 'Wat gaan we nu doen?'

'Onze opwachting maken bij mijn oma.'

'Nu direct?'

'O, ja.' Oma Cora was de matriarch van de familie en je moest wel heel overmoedig zijn om haar niet op de gepaste manier te behandelen.

Thomas pakte mijn hand en vlocht zijn lange vingers door de mijne. Er stonden lichtjes in zijn heldere, bruine ogen. De avondzon bescheen hem door het keukenraam en liet de korte haartjes in zijn nek oplichten; het leken wel straaltjes goud.

'Voor het eerst', zei hij, 'heb ik het idee dat ik me ergens thuis kan voelen. Laten we naar oma Cora gaan.'

Twee

We lieten de honden achter – ze lagen behaaglijk onder de veranda te snurken – en wandelden over de zandweg naar het huis van mijn grootmoeder. Langs het weggetje liep een gammel houten hek dat begroeid was met klimop. De bladeren reikten tot boven aan het hek. Halverwege de weg was de klimop afgeknipt en kwam een doorgang vrij naar een pad met diepe sporen, dat afboog naar rechts: door het korenveld, een heuvel op, naar de oude begraafplaats van de familie. De stenen stonden boven op de heuvel, bleek in de opkomende schemering. Roerloos, midden op de begraafplaats, stond oom Giddy.

'Wat doet hij daar?' mompelde Thomas.

Ik schudde niet-begrijpend mijn hoofd. We liepen verder, langs het kippenhok en de jachthondenfokkerij van oom Giddy, door het complex van bijgebouwen dat oude boerderijen omringt. Het oude huis, gelegen op de hoge oever van de Chickahominy, boven het smaragdgroene moeras, was beroemd vanwege het uitzicht. Op ons kloppen barstten oom Giddy's honden uit in gejank.

'Binnen!' beval oma's stem.

We stapten meteen de woonkamer in. Oma Cora had zich geïnstalleerd in haar favoriete leunstoel, met haar rug naar de rivier. De ramen waren gesloten tegen de warmte. 'Zo', zei ze. 'Welkom terug, Amanda. En jij ook, natuurlijk.'

Thomas boog zich voorover en kuste haar op de wang. Ze had

hem een paar keer ontmoet op onze uitstapjes naar Little Croft, maar van een matriarch kon je niet verwachten dat ze alle namen van de uitgebreide familie onthield. Oma Cora was groter dan ik, ze had brede schouders en was nog kras op haar eenentachtigste. Haar dunne, witte haar was in golven op haar hoofd vastgezet. Ze keek me met haar staalblauwe ogen indringend aan en voegde eraan toe: 'Je bent wel wat magertjes.'

'Dank u wel, oma.' Ik gaf haar een zoen op het voorhoofd. Ze gebruikte nooit make-up en haar oude huid was zuiver en droog. 'Wat is oom Giddy aan het doen?'

'Hij jaagt op een bosmarmot. Schuif dat kattenvoer opzij en ga zitten.' Ze gebaarde met de vliegenmepper in haar rechterhand naar de bruine bank tegenover haar. Thomas verplaatste de glibberige kom met kaantjes en ging behoedzaam zitten. Mijn grootmoeder leefde in het verleden, in de tijd dat het water nog in emmers uit de rivier gehaald moest worden.

Een dikke, oude hond kroop vanonder de stoel tevoorschijn en liep langzaam naar het midden van de kamer. Oma zei bits: 'Ga liggen, Hond!' Het dier waggelde trekkebekkend terug naar de stoel en plofte luidruchtig op de grond. Hond moest minstens twintig zijn; hij was er al toen ik nog klein was, en werd met het jaar dikker en trager.

'Hij zit de hele week al achter die marmotten aan', ging oma verder, 'en heeft er nog niet één geschoten. Straks gaan ze weer met die botten slepen.'

'Met botten?' vroeg Thomas.

'Giddy heeft een stuk van de oude begraafplaats omgeploegd. Die neemt te veel land in beslag. Allemaal oude graven waar hij elk jaar omheen moest maaien. De jongere graven heeft hij met rust gelaten. Op de plek van de andere heeft hij tarwe gezaaid. Maar de marmotten hebben de botten opgegraven. Hij probeert ze af te schieten.'

Uit schuldgevoel, stelde ik me voor. Archeologen zouden zich een rolberoerte schrikken. De Scarborough-Fowlerandbegraafplaats stamde uit de tijd voor de Burgeroorlog.

'Het pachtershuis ziet er goed uit', zei ik vriendelijk.

'Attaway heeft Giddy opgedragen het voor jullie te schilderen. Maar dan nog', zei oma Cora, terwijl ze met de vliegenmepper naar Thomas wees, 'wie van Philadelphia naar het pachtershuis afzakt, helemaal onder aan mijn oprijlaan, gaat er niet bepaald op vooruit. Waarom je hiernaartoe gekomen bent, is mij sowieso een raadsel. Was je niet goed genoeg voor een baan bij een van die mooie kerken in de stad?'

Ik wist nooit zeker of oma's stekeligheden voortkwamen uit geestelijke aftakeling of uit kwaadaardigheid, maar een fonkeling in haar ogen duidde op het laatste. Thomas glimlachte haar onverstoorbaar toe.

'Ik had een baan bij een van die mooie stadskerken', zei hij. 'Mijn tijd ging voornamelijk heen met papierwerk en het aflopen van feestjes. Philadelphia heeft tientallen kerken en Little Croft heeft één kleine kerk zonder predikant. Ik dacht dat ik me hier nuttiger kon maken.'

'Little Croft maakt kerken kapot', zei oma. 'Zuigt het leven eruit en spuugt ze uit.'

'Bent u ooit hier naar de kerk geweest, mevrouw Scarborough?'

'O, lang geleden, toen ik vier kinderen had tussen de twee en de acht, en een man die veertien uur per dag op het land werkte. Ik was nog jong. Dominee zei dat ik m'n mond moest houden, herinner ik me, en dat ik het eten warm moest houden zodat mijn man niet zou afdwalen.'

'Is hij afgedwaald?'

'Wat zeg je?'

'Het warme eten – werkte dat?'

'Dat gaat je niks aan', zei oma. Haar oren werden een beetje rood. 'Ik hoop dat het goed uitpakt voor jullie. Maar tot nu toe heeft geen enkele dominee iets voor deze regio betekend. God is ons hier vergeten en het gaat prima zo.'

'U moet eens komen luisteren als ik preek.'

'Hm', zei oma. 'Ik moet eerst nog zien of je het hier volhoudt. Als je over een jaar nog preekt, dan zou het iets om het lijf kunnen hebben. Zo gauw je alles uitgepakt hebt, Amanda, kun je mijn administratie komen doen en de kelder schoonmaken. Allebei een puinhoop. En er is al twee dagen lang niemand bij me geweest. Ik had net zo goed dood kunnen zijn.'

We kwamen in het schemerige augustuslicht terug bij het pachtershuis. De honden waren verdwenen, op ontdekkingstocht in hun nieuwe domein. Boven wierpen de lampen een verblindend wit licht onze slaapkamer in: dozen en pakpapier en tassen die volgepropt waren met allerlei spullen. Maar Ambrose had ons bed in elkaar gezet en Ida had de doos met linnengoed gevonden en een schoon laken op het matras gedaan. Ze had zelfs onze handdoeken opgediept en ze keurig opgevouwen op het voeteneind gelegd.

We gingen om de beurt douchen; om het oude, porseleinen bad in de badkamer hing een ronde stang met een versleten gordijn eraan. Thomas moest zijn hoofd buigen om onder de douchekop te kunnen staan. Jaren van mineraalrijk bronwater hadden een diepe kring achtergelaten rond de afvoer. Toen we eindelijk schoon waren, deden we de lampen uit en lieten ons op het matras vallen in de stroom koude lucht van de airco. Aangename, donkere stilte omringde ons.

'Zullen we het vieren?' stelde Thomas voor.

'Na negen uur in de auto en een halfuur bij oma Cora?'

'We hebben beide overleefd. Een reden te meer om het te vieren.'

Ik lachte. Zijn huid gloeide aangenaam in de koude lucht. Ik zette oma's knorrige scepticisme en de nauwe, muffe gangen van het pachtershuis uit mijn hoofd. Dit was ons eigen huis, een plek voor onszelf. De maan kwam op; de ruiten glansden zilverachtig en wierpen vierkante schaduwen op de muren.

Ik werd wakker, iets na middernacht, van het bekende geluid van oom Giddy's jachthonden die jankten tegen de wind. Naast me draaide Thomas zich om, trok het kussen over zijn hoofd en viel weer in slaap. Ik lag te luisteren naar de honden, naar het zachte, monotone geluid van de kikkers in het Chickahominymoeras, naar het schuren van de takken van de esdoorn tegen de houten gevel. Ik was klaarwakker en rusteloos.

Uiteindelijk stond ik op, deed een korte broek en een T-shirt aan en slenterde in het maanlicht door het huis, peinzend over onze meubels. Als we een logeerkamer wilden inrichten, hadden we een nieuw bed nodig, maar misschien konden we juffrouw Clunies oude ladekast voor de gasten gebruiken. Het was een mooie kast van notenhout met een schuin staande spiegel er bovenop; toen ik de bovenste la opendeed, kwam de geur van stof en verwelkte lavendel me tegemoet. De spiegel was in een vreemde hoek vastgezet. Een prop papier was in het scharnier geduwd om de spiegel naar beneden gekanteld te houden. Ik peuterde het papier eruit en zette de spiegel recht zodat ik de vage weerspiegeling van mijn gezicht kon zien.

Ik vouwde het papier even later open, terwijl ik in de keuken stond te wachten op het koken van het water in de fluitketel. Het was een bladzijde uit een notitieboekje, en de letters die erop geschreven waren, waren verkleurd tot lichtgeel.

Wanhopig. Wanhopeg. Je hebt me wanhopig gemaakt. Je hebt nooit van me gehouden, en ik hield alleen van jou uit wanhoop omdat hij nooit naar me keek, me nooit aanraakte. Wanhopeg.

De letters waren rond en kinderlijk; het was het handschrift van iemand – een vrouw? – die niet vaak schreef. Ik vormde me een beeld in mijn hoofd. Juffrouw Clunie, jong en met donker haar, zat een laatste, wanhopige brief aan een minnaar te schrijven, zich afvragend hoe ze een woord moest spellen; ze pakte een stukje papier, schreef het woord op, maakte er een zin van om te zien hoe het er in de context uitzag. Ze had de brief verstuurd, het kladje in de la geduwd en er later een propje van gemaakt om de spiegel mee vast te zetten. Het beeld bevredigde me niet; juffrouw Clunie was een magere, zwijgzame, verbitterde vrouw, voorzover ik me kon herinneren. Het water kookte. Ik legde het papiertje neer en zag in het schuin invallende licht letters die nauwelijks zichtbaar waren, onder aan de pagina. Ze waren dwars over de regels gekrast alsof ze ongemerkt over de rand van de voorgaande pagina gegleden waren.

...*zal me vermoorden.*

Drie

Ik werd de volgende ochtend laat wakker en ontdekte dat Thomas al was opgestaan. Toen ik de smalle trap afging, kon ik hem door de ramen aan de voorkant van het huis zien; hij zat op de bovenste tree van het trapje naar de veranda en keek naar de groene akkers die glansden in de ochtendzon. Ik ging naar de keuken en begon in de dozen te rommelen tot ik ons koffiezetapparaat en het half-volle koffieblik vond. Ida Scarborough had een zelfgebakken cake met echte roomboter en veel eieren voor ons achtergelaten. Mooi, dacht ik, terwijl ik royale plakken sneed. Het eerste ontbijt in een nieuw huis moet luxe zijn.

Ik schonk koffie in en nam alles op een dienblad mee naar de veranda. Thomas draaide zijn hoofd om. Hij had zitten lezen in Thomas à Kempis, zoals hij vaak deed in de stilte van de ochtend; de dag openen met de christelijke mystieken was een gewoonte die hij tijdens zijn studie had ontwikkeld, als tegenwicht voor de rationele, presbyteriaanse opleiding.

'Cake!' zei hij, vergenoegd.

'Heb je de honden vanochtend al gezien?'

'Ja, ze liggen te slapen op de achterveranda. Tot over hun oren bedekt met modder uit de rivier.'

Ik zette het dienblad op de bovenste trede en ging naast hem zitten. De koele ochtendlucht vormde pluimpjes boven de koffie-kopjes. Er voeren boten op de rivier; het gebrom van motoren in de verte werd vergezeld door een startende tractor, een ratelende maaidorser die moeizaam over Poverty Ridge Road rolde en Giddy's haan die zich liet horen in het kippenhok.

'Ik bedacht dat ik vanmorgen wel naar de kerk kon gaan om mijn boeken uit te pakken', zei Thomas.

'Oké.'

'Heb je er bezwaar tegen als ik de auto een paar uur meeneem?'

'Nee hoor, ik ga beginnen met het leegmaken van de dozen.'

'Ik kan haast niet wachten om hier aan de slag te gaan', zei Thomas. Hij steunde met zijn ellebogen op zijn knieën en liet zijn blik over de landerijen gaan. *De navolging van Christus* lag naast hem op de veranda.

'Meen je dat?'

'Ja, natuurlijk. Hoezo?'

'Ik ben nog steeds verbaasd dat je hier naartoe wilde.'

'Waarom?'

'Nou ja, dit is niet echt een wereldbaan. Weet je nog, toen we bezig waren met je cv, dat ze bij het arbeidsbureau zeiden dat kerken bij elke vacature zestig tot zeventig sollicitatiebrieven kregen? En Ambrose vertelde me gisteravond dat de kerk van Little Croft twee andere kandidaten had. Eén van tachtig en één van eenentwintig die net van de universiteit kwam.'

'Ik ben erachter gekomen dat er iets niet goed zat in Philadelphia', zei Thomas. 'Toen we begonnen, probeerden we allemaal, iedereen die bij de kerk werkte, te leven als Christus. Maar er gebeurde iets in die kerk; in onze gedachten veranderden we Christus, we maakten een beeld van Hem dat het meest aansloot bij onze behoeften. Mike wilde zijn als Christus de wonderdoener, Joshua wilde zijn als Christus de rechter... en ik wilde zijn als Christus die Jeruzalem binnenreed terwijl iedereen "Hosanna" stond te roepen. Ik moest weg van grote groepen mensen, Amanda, uit de buurt van mensen die me vertelden hoe goed ik het deed en wat een mooie toekomst mij te wachten stond. Ik dacht dat ik hier misschien kon begrijpen wie Christus echt is; niet de Christus die ik ervan wilde maken.'

Hij keek de andere kant op, opeens verlegen, en nam een hap cake.

'Dat wist ik helemaal niet', zei ik.

'Ik ook niet, ik handelde intuïtief. Toen jij van je familie over deze baan hoorde, besefte ik dat het goed zou zijn om te proberen een plek te vinden waar we ons thuis zouden kunnen voelen. Maar daarnaast dacht ik: Little Croft zou goed voor me zijn. Ik wist eigenlijk niet goed waarom. Tot dit moment, nu ik de gelegenheid heb gehad om na te denken.'

Hij ging staan en veegde de kruimels van zijn handen.

'Als ik terug ben, zal ik de meubels voor je op de goede plek zetten', zei hij.

Ik stond ook op en sloeg mijn armen om hem heen. Hij boog zijn hoofd voorover en kuste me. Over zijn schouder kon ik een rij glanzende, zilverkleurige silo's zien en het groen-gouden korenveld achter de witte bocht van de weg. De lucht was onvoorstelbaar blauw. Het hele landschap leek iets uit een middeleeuws boek over wapenkunde, een kleurig wapen van een adellijke familie: blinkend goud en zilver tegen een hemelsblauwe achtergrond.

Hij reed naar de kerk; ik ging terug naar de keuken om de ontbijtboel af te wassen. Een pick-up reed langs het huis, maar ik schonk er geen aandacht aan totdat de telefoon in de keuken begon te rinkelen. Toen ik opnam, hoorde ik oma Cora's stem zeggen: 'Amanda? Kom hiernaar toe. Ik wil je even spreken.'

De ingesprektoon klonk in mijn oor. Ik hing met een grijns op. We hadden afgesproken dat ik volgende week zou beginnen met werken voor oma, nadat we alles uitgepakt hadden. Maar een arm familielid vlakbij was vast veel te verleidelijk voor haar. Ik ging met mijn vingers door mijn haar en besloot niet meer de moeite te nemen om te douchen.

Een zwerm kraaien in de toppen van de eiken kwetterde en ruziede boven mijn hoofd terwijl ik de trap naar oma's huis opstapte. Binnen was de airconditioning aan. De kamer was koel en hoopjes hondenhaar dwarrelden over het linoleum. Hond kwam omhoog van de mat en kreupelde naar een slaapkamer.

Giddy zat somber weggezonken in een groene pluchen stoel. Mijn oom, Gideon Scarborough, had mijn grootvaders magere figuur en onverzettelijke gelaatstrekken en oma Cora's blauwe ogen. Hij was tien jaar ouder dan zijn jongste zus, mijn moeder; de kleur van zijn ogen was vervaagd tot een mat, waterig blauw.

Oma had zich op de bank geïnstalleerd en tegenover haar zat haar oudere broer, Attaway Pierman Fowlerand, de patriarch van de familie. Oudoom Attaway was een Little-Crofticoon; achter hem lag een hele onzichtbare wereld, een labyrint van genealogische verbanden en oude verplichtingen en vijandschappen. Op familiebijeenkomsten hoorde ik af en toe gemopper over Attaways meedogenloosheid bij het opbouwen van zijn imperium in Little Croft; hij wilde steeds meer land, uit aangeboren hebzucht en – volgens mijn moeder – vanwege de minachting van zijn vader die altijd had beweerd dat hij nergens voor deugde. Attaway was een dikke man met een gladgeschoren gezicht vol vouwen en dun, strak achterover gekamd haar. In zijn lichtblauwe, toegeknepen ogen lag een achterdochtige blik. Hij droeg nooit een overall; al zestig jaar lang deed hij elke ochtend een schoon overhemd aan met vlinderdas voordat hij het land opging. De Little-Crofters lachten hem er achter zijn rug om uit.

Hij zat met zijn handen gevouwen over de knop van een wandelstok en zijn blauwe pet lag op zijn knieën. Vandaag was zijn overhemd lichtblauw en het bruin-met-beige strikje zorgde voor een smaakvol contrast. Zijn donkergroene pick-up was achter die van Giddy geparkeerd, zichtbaar door het zijraam boven het aanrecht.

'Ken je Amanda nog?' vroeg oma. 'Laura's dochter. Is net met haar man hiernaartoe verhuisd. Clement heet hij. Thomas Clement. Werkt bij de kerk.'

Oudoom Attaway knikte. Hij deed geen moeite om overeind te komen. ''k Heb je niet meer gezien sinds je op school zat', zei hij. 'Je lijkt op je moeder. Hoe gaat het met 'r?'

'Heel goed', zei ik.

Attaway snoof sceptisch. Mijn ouders waren twee jaar geleden verhuisd om bij mijn broer Stephen in de buurt te kunnen zijn. Hij was alleen achtergebleven met een tweeling van twee jaar oud toen zijn vrouw ervandoor ging. Stephen had hen meer nodig dan ik en ze konden zich daar nuttiger maken dan op de oude hoeve met het zinken dak aan Fowlerand Lane. Ze hadden hun deel van het familiebezit voor veel geld verkocht en een huis aan de voet van een berg gekocht. In Little Croft stond dat ongeveer gelijk aan diamanten in het moeras gooien en verhuizen naar Nepal.

'Althans, dat zegt ze tegen jou', zei hij. 'Ik heb gehoord dat je man het zout in de pap niet verdient.'

'Nou, net genoeg ongeveer. We hopen dat de kerk zal groeien.'

'Hm', zei Attaway. 'Niet zolang die Humberstons de lakens uitdelen.'

Ik wreef over mijn neus, die begon te jeuken vanwege de aanvallen van hondenhaar en stof. Oudoom Attaway was lichtelijk gestoord wat de Humberstons betreft. Hij was jaren geleden met een van hen getrouwd en na haar voortijdige dood waren de Humberstons en de Fowlerands elkaars aartsvijanden geworden. Matthew Humberston was oudoom Attaways persoonlijke Lucifer. En hij was ook een van de kerkenraadsleden die ons in dienst hadden genomen. Ik zei: 'U moet eens naar de kerk gaan, oom Attaway en hun laten zien hoe het hoort.'

Attaway snoof verachtelijk. 'De laatste keer dat ik naar de kerk ging, is dertig jaar geleden. Die dominee bleef maar praten over de rijke man en de arme Lazarus. Halverwege ben ik opgestaan en weggegaan, en ik ben nooit weer geweest. 't Is niet moreel om schooiers op Abrahams schoot te zetten en hardwerkende mensen in het vuur te gooien. Ik weet wel zeker dat Jezus dát niet bedoeld heeft.'

'Ha!' zei Giddy opeens. Twee bruine stippen bewogen behoedzaam tussen de stenen van het kerkhof in de verte. Giddy kwam omhoog uit zijn stoel en greep zijn geweer.

'Zo gauw je de deur opendoet, verdwijnen ze weer onder de grond', waarschuwde oom Attaway.

'Ik ga door de achterdeur', zei Giddy. Hij klepperde door de kleine keuken naar de achterveranda. We hoorden de hordeur krakend opengaan, heel langzaam. Even later schoof zijn pet stilletjes voor het keukenraam langs. De bruine spikkels zaten op hun achterpoten, snuffelden in de lucht en doken onder de grond. Oom Giddy uitte een krachtterm. De pet maakte rechtsomkeert.

'Hij moet die beesten vergiftigen en d'rmee ophouden', zei Attaway. 'Goed, ik ga maar eens, Cora. Ik ben de hele dag in Richmond. Bij mijn advocaat. Heb je nog iets nodig?'

'Stuur Quintus hier maar heen, met zijn geweer', stelde oma voor. 'Giddy's ogen zijn tegenwoordig zo slecht dat 'ie nog geen olifant kan raken.'

De hordeur klapte dicht en Giddy verscheen weer. 'Rotbeesten', zei hij en liet zich somber in zijn stoel zakken.

'Ik zal tegen Quintus zeggen dat hij hier langs moet gaan', zei Attaway.

'Niet nodig', snauwde oom Giddy.

'O jawel', wierp oma tegen. 'Jij bent stekeblind.'

'Vorige week heb ik die spreeuw nog in de vleugel geraakt!'

Ik waagde te zeggen: 'Ik moet verder met uitpakken –'

'Giddy, jij sprong midden tussen die spreeuwen en besproeide de tuin met genoeg hagelkorrels om de hele zwerm uit te roeien. Er móést wel iets naar beneden komen.'

'Nou, ik weet zeker dat ik het zonder Quintus wel af kan. Ik heb in elk hol een val gezet.'

'Oma –' begon ik weer.

'Die bosmarmotten komen echt niet in de buurt van jouw vallen. Ze zijn slimmer dan jij.'

'Mama, u bent al twintig jaar niet meer op het land geweest. Die bosmarmotten hebben zoveel ontsnappingsroutes –'

'Zeg tegen Quintus dat ik hem warm eten zal geven als hij komt', zei oma tegen Attaway.

'Maar mama –'

Ik gaf het op en trok me terug via de achterdeur. Naar het oosten liep een smal voetpad over een lage heuvel naar een dicht bos. Als kinderen hadden we dat pad gebruikt om over te steken van Fowlerand Lane naar de boerderij. Voor me glinsterde de Chickahominy; het pad kronkelde naar rechts. Er waaide een zachte wind van de rivier. Na een poosje liep ik van het beschaduwde pad terug naar het warme, witte stof van de zandweg, in de richting van het pachtershuis.

Vier

Ik liep door de kamers in het gedempte daglicht en vroeg me af waar ik zou beginnen met uitpakken. Ik was vlak na mijn afstuderen voor het laatst in het pachtershuis geweest, toen het bewoond werd door een oudere nicht van mij, die door iedereen juffrouw Clunie genoemd werd. Haar mintgroene gordijnen hingen nog steeds voor de ramen op de bovenverdieping, en in de kamer met de open haard, waar zij haar dagen had gesleten, hing nog vaag de lucht van ziekte. Ik propte de gordijnen in de vuilnisbak in de achtertuin en deed alle ramen open. Oude huizen op het platteland roken anders dan oude huizen in de stad; in Philadelphia bleef de geur van mottenballen en lang gekookte kool in de huizen hangen. Hier werd de gebruikelijke mufheid overvleugeld door decennia van wervelend graanstof en de scherpe geur van kunstmest.

Ik besloot alle boeken in de kamer met de haard uit te pakken. We konden naast de haard boekenplanken maken; de schoorsteenmantel was een oude balk van eikenhout en het raam aan de voorkant keek uit op de mooie landerijen van 'Armoe troef'. De verhuizers hadden Thomas' oude houten bureau, onze stoelen en de boekenplanken midden in de kamer opgestapeld. Ik schoof met meubilair, rolde ons verschoten rood-met-blauwe vloerkleed uit de studeerkamer uit en begon boeken uit te pakken. Al onze oude favorieten: mijn schrijvers uit het Zuiden, de christelijke mystieken van Thomas, de Victoriaanse dichters, Jane Austen en Charlotte Brontë. Ik zat met gekruiste benen midden op het vloerkleed met boekenplanken overal om me heen en pakte lukraak wat boeken. Zonlicht viel schuin door het raam naar binnen en veranderde het oude vloerkleed in een prachtig diepgekleurd vierkant. Een warme wind blies door het raam. Bij de grote schuur, halverwege de zandweg, waren een paar mannen met gereedschap in hun handen bezig op een oogstmachine te klimmen. Toen ik naar voren leunde, kon ik oom Giddy zien die met lege handen terugsjokte over de weg langs het kerkhof.

Ik ging weer rechtop zitten en voelde iets verkreukelen in mijn zak. Ik had het stukje papier van juffrouw Clunies kast gisteravond in de zak van mijn korte broek gedaan en het er niet weer uitgehaald. Ik streek het papiertje glad boven op de verzamelde korte verhalen van Eudora Welty en las de slordig geschreven woorden nog eens: ...*zal me vermoorden.*

Even ging er een vreemde tinteling langs mijn ruggengraat, alsof twee gescheiden werelden op het punt stonden gevaarlijk dicht bij elkaar te komen. Ik schudde geërgerd mijn hoofd en terwijl ik dat deed, kreeg ik het gevoel dat er iemand achter me stond. Ik draaide me snel om en hoorde Ida Fowlerands stem in mijn hoofd: 'Dat is de kamer waarin juffrouw Clunie gestorven is, dus het is maar goed dat die geverfd is.' Maar de fundering van het pachtershuis stamde uit het tijdperk van de Burgeroorlog; ik vermoedde dat juffrouw Clunie niet de enige was die hier was gestorven.

Ik kwam huiverend omhoog en ging naar de keuken om een pot koffie te zetten. Er kwam weer een pick-up over de zandweg aanrijden. Hij minderde vaart bij de bocht en reed het erf van het pachtershuis op. Ik liep naar de achterdeur en zag Quintus Fowlerand zijn lange lijf achter het stuur vandaan wurmen.

'Ha, die Quintus!'

'Hé, Amanda!' riep hij terug.

Ik liep over het gras naar hem toe om hem te omhelzen. Door de spijkerbloes voelde ik zijn schouders, harde spieren en botten, en niet veel anders. Hij was altijd al mager, maar volgens mij was hij sinds mijn laatste bezoek nog magerder geworden. Hij keek met toegeknepen ogen op me neer, half glimlachend. Quintus was Attaways enige zoon en dus – dacht ik – mijn achterneef. Hij was halverwege de dertig, lang en somber en had een droog soort humor; de grove Fowlerandtrekken waren bij hem gladgestreken, zijn gezicht was verfijnder. Zijn haar was gebleekt door lange zomerdagen en zijn grote handen waren gebruind. Quintus en ik waren altijd goede vrienden geweest. Hij had me geleerd bovenhands te gooien toen ik zeven was en hij een imposante jongen van vijftien. Tien jaar later mocht ik in zijn auto rijden, heen en weer op Poverty Ridge Road tot ik het onder de knie had. Ik had hem nog maar een paar keer ontmoet sinds hij vijf jaar geleden getrouwd was. Hij had gestraald van geluk en had zich niets aangetrokken van Attaways onvriendelijke gezicht en onuitgesproken afkeuring.

'Ik ben blij je te zien', zei ik. 'Kom binnen en werp een blik in mijn huis.'

'Tja, eigenlijk moet ik op een stel bosmarmotten jagen voor tante Cora. Maar dat zal niet op een halfuurtje aankomen.'

'Je krijgt er toch niet een te pakken. Oom Giddy is vanochtend al bezig geweest en heeft ze allemaal de stuipen op het lijf gejaagd. Heb je zin in koffie?'

'Graag', zei Quintus, terwijl hij achter me aan liep het pachtershuis in. 'Papa zei dat hij Giddy de les had gelezen over het schilderen van het huis. Ziet er goed uit. Ruikt ook beter.'

'Hoe rook het eerst?'

'Vooral naar juffrouw Clunie.' Quintus ging aan mijn keukentafel zitten, een oude eettafel die ik opgedoken had op oma Cora's zolder en opgeknapt, lang voordat ik Thomas ontmoette. Ik gaf hem een kop koffie en zei: 'Weet jij ook of het hier spookt?'

'Heb je nu al de kriebels?'

'Af en toe een rilling. Waart juffrouw Clunie hier rond?'

'Hm', zei Quintus. 'Volgens mij had juffrouw Clunie al genoeg van dit huis toen ze nog leefde. Ik heb nooit gehoord dat er spoken in Little Croft zijn. Behalve de dame van de Loop Road natuurlijk, en de soldaat van Fowlerand Road.'

De geest van Loop Road was een vrouw in het wit, die in 1920 vermoord was door haar echtgenoot, omdat die haar betrapte met een minnaar. De minnaar sloeg op de vlucht; de echtgenoot sneed zijn vrouw de keel door en ging te voet op weg naar Richmond. De broers van de vrouw kregen hem anderhalve kilometer voor de rechtbank te pakken, sleepten hem terug naar de Loop en hingen hem op aan een oude eik naast het huis. Het huis was allang ingestort, maar de oude eik stond er nog. De tak waaraan de man hing, stak uit over de eerste bocht in de weg.

'Ik heb haar één keer gezien', zei Quintus ernstig.

'Vast. Handenwringend en jammerend, zeker?'

'Nee, ze stond naast de boom en keek omhoog. De soldaat heb ik nooit gezien, maar Peggy zag hem een keer toen ze uit haar werk kwam. Hij liep met een zwarte hond achter zich aan. Ze zei dat hij liep te fluiten en er zo gelukkig uitzag als een dode man maar kan zijn.'

'Hoe gaat het met Peggy?'

'Met Peggy gaat het wel goed', zei Quintus. 'Ze is alleen… niet echt gelukkig. Ze wil graag een baby en er is in vijf jaar nog niets gebeurd.'

'Wat naar', zei ik.

'Ja.' Hij draaide afwezig de koffiemok rond. 'Hoe lang ben jij nu getrouwd, Amanda?'

'Drie jaar.'

'Dan zul jij het binnenkort ook wel op je heupen krijgen.'

'Wie weet.'

'Ik had nooit echt over kinderen nagedacht, toen we trouwden. Wist ik veel. Maar Peggy wilde altijd al kinderen. Ze is bij drie specialisten in Richmond geweest en heeft twee operaties achter de rug en nog steeds niks.'

Hij nam een slok koffie. Ik ging zitten en kon hem van de andere kant van de tafel rustig observeren. Zijn jukbeenderen staken uit onder de huid en zijn mondhoeken waren diepe, naar beneden gebogen lijnen.

'Wat zit er in dit spul?' vroeg hij.

'Engelwortel. Het is hazelnootkoffie.'

'Je bent te lang weggeweest', zei Quintus.

'Hoe staat het met de boerderij?'

33

'Druk. Papa heeft de helft vorige maand aan mij overgedragen.'

'Dat is goed nieuws, of niet?' Ik was verbaasd. De relatie tussen Quintus en Attaway moest een stuk verbeterd zijn sinds de laatste keer dat ik hier was.

'Hij wil geen successierecht betalen, dat is alles.'

'Maar hij heeft vertrouwen in je.'

'Hij heeft geen keus. Hij is vijfentachtig en niet meer de snelste. Hij heeft Roland en Pierman twee jaar geleden naar de boerderij gehaald –'

'Harolds zonen?'

'Ja, en een stel luie donders dat het zijn, net als Harold. Ik denk dat papa me het nakijken wilde geven, maar Roland en Pierman kunnen de boerderij niet leiden. Ze zijn het grootste gedeelte van de dag bezig met onderhoud aan de schuren in gezelschap van een paar blikjes bier. Echt waardeloos. Hij weet het wel, maar geeft het niet toe.'

'Hier', zei ik onhandig. 'Neem een koekje.' Ik schoof de schaal naar hem toe; hij grijnsde een beetje en nam er twee.

'Ach, zo is het nu eenmaal.' Quintus hees zichzelf overeind terwijl hij het laatste stuk koek in zijn mond propte. 'Goed, ik denk dat ik maar 'ns moet gaan. Tante Cora is niet meer zo geduldig als vroeger.'

Zijn grote hoofd schuurde bijna langs het lage, oude plafond. Met het licht achter hem leek hij ongelooflijk dun, een man van karton. Hij voegde er ineens aan toe: 'Ik ben blij dat je terug bent, Amanda.'

'Ik ook. Ik wilde graag weer terug.'

'Jammer dat je hier moet wonen in plaats van aan Fowlerand Road. Mis je je ouderlijk huis?'

'Ik ben nog niet wezen kijken.'

'Ik geef je geen ongelijk. Het is niet altijd goed voor je om te kijken naar wat je zou kunnen hebben, maar niet hebt.'

'Quintus, is er iets dat ik voor je kan doen?'

Quintus haalde zijn schouders op. Zijn stem was nonchalant, maar er klonk diep verdriet in door.

'Je zou bij Peggy op bezoek kunnen gaan', zei hij. 'Ze heeft vorige maand ontslag genomen.' Hij aarzelde en voegde er haastig aan toe, terwijl hij uit het raam keek: 'Ze heeft van die buien, dan zit ze maar en staart voor zich uit en wast haar haren niet, zegt niks, en eet niet.'

'Ik zal haar vandaag bellen', zei ik.

'We wonen in het ouderlijk huis, dat weet je toch?'

'Met Attaway?' vroeg ik geschrokken. 'Nee, dat wist ik niet.'

'Ja. Ik zou zelf nog liever in een moeras wonen en muggen vangen. Maar ik heb geld opzij gelegd. We kunnen ons eigen huis bouwen zonder een lening af te sluiten als het land van mij is. Toen we gingen trouwen, heb ik Peggy beloofd dat ik nooit schulden zou maken. Goed, ik ga. Tot ziens, Amanda.'

Ik stond voor het raam en keek hem na terwijl hij de zandweg afreed. Hij parkeerde voor het oude huis, klom uit zijn pick-up en ging de trap van oma's huis op, zijn geweer in de hand en zijn blonde hoofd beschenen door de warme augustuszon.

Laat in de middag belde ik Peggy. Het huis van de Fowlerands stond bij de rivier, helemaal aan het eind van de lange, kronkelende weg die vanaf de asfaltweg door tientallen hectaren landbouwgrond van de Fowlerands liep. Het was een aan alle kanten uitgebreide, armoedige hoeve met een heleboel grote, stoffige kamers. Attaway had altijd in de keuken geleefd en liet de rest een bouwval worden. Ik stelde me voor hoe de telefoon rinkelde in die donkere, lege ruimtes en Peggy zich de lange, kale trap af haastte om op te nemen, haar blonde haar glanzend tegen de achtergrond van het vieze behang.

Maar na een poosje hoorde ik het antwoordapparaat. Peggy's heldere, melodieuze stem zei: 'Dit is het antwoordapparaat van de Fowlerands. Als u wilt spreken met Quintus, Peggy of Attaway, spreek uw boodschap in, dan bellen we u terug.'

Ik zei: 'Hallo Peggy, dit is Amanda Clement – vroeger Amanda Hunt, Quintus' nicht. We zijn net verhuisd naar Little Croft en het leek me leuk om eens af te spreken. Lunchen in Richmond of zoiets. Wil je me terugbellen als je gelegenheid hebt?'

Ik sprak mijn telefoonnummer in en hing op. Ik besloot dat ik het later nog eens zou proberen als ik niets hoorde. Peggy kwam uit een welgestelde familie en haar vrome katholieke moeder had haar feitelijk verstoten omdat ze trouwde met een protestantse boer die de middelbare school niet had afgemaakt. Peggy had bij een bank in Richmond gewerkt, maar als ze ontslag genomen had, zoals Quintus zei, dan zou het haar goeddoen om eens een middag uit Little Croft weg te zijn. Attaways voortdurende aanwezigheid zou zelfs het evenwichtigste mens een depressie bezorgen.

Even later kwam Thomas thuis. Hij had zijn boeken uitgepakt en de preek voor morgen voorbereid. Hij zag het helemaal zitten en stond te popelen om het pachtershuis gezellig te maken. De rest van de dag waren we bezig het meubilair op de juiste plek te zetten en dozen uit te pakken. Ik dacht er pas aan dat ik Peggy wilde bellen toen het allang donker was. Ik zat op de rand van het bed en dacht: het is nu al veel te laat, ik zal haar morgen na kerktijd bellen.'

Thomas viel bijna onmiddellijk in slaap. Ik lag naast hem met mijn ogen wijd open. Doodmoe was ik en mijn spieren deden pijn van de inspanningen, maar het niet-gepleegde telefoontje zat me dwars. Ik hoorde de esdoorntakken tegen het huis tikken en in de verte zwol het zachte gejank van Giddy's honden aan en zwakte dan weer af. Ik knipte het bedlampje aan en las Jane Austen tot de woorden vervaagden en dansten voor mijn ogen. Toen ik eindelijk sliep, kwamen de woorden uit die oude, bijna onleesbare brief steeds terug in mijn dromen.

Vijf

Thomas stond die zondagochtend om zes uur op en ging naar de kerk om zijn preek te houden voor de lege banken. Zo had hij het ook gedaan de enkele keer dat hij in Philadelphia op de kansel mocht staan. Ik hoorde hem weggaan, wierp een vluchtige blik op de klok en draaide me dankbaar nog eens om.

Toen de deur weer met een klap dichtviel, dacht ik slaperig: zeker iets vergeten. Ik hoorde hem de trap opkomen.

'Amanda! Het is vijf over tien!'

Ik zat meteen rechtop in het felle daglicht. Thomas stond in de deuropening met een mengeling van geamuseerdheid en irritatie op zijn gezicht. Hij had zijn zondagse pak aan en zijn blonde haar glansde.

Ik sprong uit bed en stormde naar de douche. Terwijl ik onder het stromende water stond, hoorde ik de badkamerdeur kraken.

'Er is koffie in de keuken', zei Thomas.

'Geen tijd!'

'Heb je de wekker niet gehoord?'

'Nee, ik ben er dwars doorheen geslapen. Ik heb een afschuwelijke nacht gehad. Kon niet in slaap komen.'

'Waarom niet?'

'Juffrouw Clunie zat me dwars, denk ik. Wil jij m'n blauwe jurk opzoeken?'

Zijn voetstappen keerden weer terug naar de gang. Ik waste als

37

een razende mijn haar. Een hand verscheen boven de gordijnrail en Thomas' stem informeerde: 'Deze?'

'Nee, nee, die heeft een split aan de achterkant, veel te hoog voor Little Croft. De blauwe, met witte bloemetjes bij de kraag.'

Hij trok zich weer terug. Ik schoor mijn benen zo snel dat het meer villen leek en droogde me af.

'Kan hem niet vinden', zei Thomas, terwijl hij binnenkwam.

Ik holde door de gang naar de slaapkamer en begon in de dozen met kleren te graven. De blauwe jurk lag helemaal onderin, veel te kreukelig om aan te doen, en het strijkijzer had ik nog niet gevonden. Ik probeerde drie verschillende outfits – te kort, te strak, te bloot – en uiteindelijk wurmde ik me in een zwarte rok en witte bloes; onberispelijk, onflatteus en onelegant. Ik liep achter Thomas aan en zat ondertussen geërgerd aan mijn ceintuur te rukken. Rond zijn mond speelde een onderdrukt lachje.

'Je ziet er heel mooi uit', zei hij en startte de auto.

'Ik zie eruit als tante Winnie.'

'Misschien moeten we eens uitzoeken waarom jouw onderbewustzijn niet naar de kerk wil.'

'Dat was mijn onderbewustzijn niet. Volgens mij hebben we spoken.'

'Ja, tuurlijk.' Thomas ging langzamer rijden aan het eind van Poverty Ridge Road en sloeg linksaf de asfaltweg op. Ik plukte ijverig een paar pluisjes van mijn rok. We passeerden Loop Road, waar de weg omlaag liep van een lage heuvel. Ik ving een glimp op van de eik die als galg gediend had en onverzettelijk in de aarde stond. Aan de horizon begonnen wolken op te komen. Het was windstil en de lucht was vochtig; er was een zomerse onweersbui in aantocht.

De gemeente van Little Croft telde ongeveer veertig leden. Ze zaten verspreid over de banken die plaats boden aan wel twee-honderd mensen. Ambrose Scarborough en de andere twee kerkenraadsleden – een lange, rustige man die John Whitworth heette, en Matthew Humberston, de broer van oom Attaways overleden vrouw – hadden ons hiervoor gewaarschuwd. Achter het vriendelijke gezicht van de vorige predikant was een bittere geest schuilgegaan en zijn gehoor was geslonken tot een handjevol mensen, nog voordat hij zijn laatste, bijtende preek hield. Maar er waren nieuwe gezinnen naar Little Croft gekomen. Het lag tussen Richmond en Williamsburg in – ideaal voor tweeverdieners die in die plaatsen werkten. De gemeente moest kunnen groeien.

Een groep bekende gezichten bezette de banken: Fowlerands, Humberstons, Watkinsen, Scarboroughs en Milesen. Ik had half en half gehoopt Quintus en Peggy te zien, maar Quintus was nooit zo'n kerkganger geweest en als Peggy al ging, zou ze wel naar de katholieke kerk in Northend gaan. Ida Scarborough, gehuld in een wolk van citroengeur, kwam vroeg en deelde mededelingenblaadjes uit. Matthew Humberston en zijn zoon kwamen vijf minuten voor het begin van de dienst binnen, ze droegen allebei een donker pak zonder stropdas. Ik zat op de voorste bank links, in eenzame glorie. John Whitworth liet zichzelf zakken op de voorste bank aan de rechterkant; hij zat rechtop tussen zijn vrouw en haar zus en viel onmiddellijk in slaap.

De vijfenzeventigjarige organist was van goede wil. We werkten krakend twee gezangen door en gingen weer zitten voor de koorzang: een niet helemaal zuivere vertolking van 'Werk, want de nacht valt'. Het koor bestond uit drie bedeesde mannen en zeven vrouwen. Ik had het gezang nooit eerder gehoord. In Philadelphia hielden ze meer van het zegevierende en optimistische repertoire.

> Werk want de nacht zal komen, werk van de morgen aan;
> Laat niet in wufte dromen 't ochtenduur vergaan.
> Tijd weet van slaap noch rusten; zie 't zonlicht op zijn baan.
> En laat u niets gelusten voor gij het hebt gedaan.

De zwaarmoedige regels kronkelden om me heen. Thomas zat op de domineesstoel, op de verhoging; een sierlijke troon met houtsnijwerk en mosgroene kussens. Ik kon zijn gezicht niet zien. Ik boog me over het blaadje en las de mededelingen om me af te sluiten voor het gezang. Wolken hadden de lucht bedekt; het licht in de kerk was grijs geworden door de naderende storm. De donkere fluwelen gordijnen van de doopkapel absorbeerden het licht van de peertjes in de zoldering van het koor, zodat de zangers één werden met de schemering.

> Werk, want de nacht zal dalen, en eer uw hart 't vermoedt;
> werk door dan, ook bij 't stralen van de middaggloed.
> Uit al uw macht gedurig volbracht wat gij ook doet;
> Een geest, getrouw en vurig, maakt uw arbeid zoet.

Ik was ondertussen van de gebedsbijeenkomst halverwege de week, via de lijst van zieken, bij de laatste mededeling beland. 'De nieuwe predikant en zijn vrouw zullen vergast worden in de ontmoetingsruimte, direct na de dienst. Neem allemaal zelf wat mee en blijf eten!' Ik verbeterde de zin in gedachten terwijl de laatste akkoorden zich in mineur naar het einde sleepten. Het koor deed de liedboeken dicht en ging zitten. Ik huiverde en probeerde het hardnekkige gevoel dat er een ramp op komst was, van me af te schudden. Ik had mijn hele leven zulke voorgevoelens gehad en ze waren nooit uitgekomen.

Thomas ging weer staan. Hij had besloten een serie preken over het evangelie van Lucas te maken. Aan Thomas was in het jeugdwerk een talent verloren gegaan; een geslachtsregister leek bij hem opeens een tekst vol symboliek. Ik luisterde aandachtig hoe hij uitlegde, helder en overtuigend, hoe God de mensenwereld binnenkwam. Toen hij zijn hoofd boog voor het laatste gebed, wierp ik steels een blik over mijn schouder. Her en der gloorde op de gezichten van de toehoorders een sprankje begrip.

'De Here zegene en behoede u', zei Thomas. 'De Here doe zijn aangezicht over u lichten en zij u genadig. De Here verheffe zijn aangezicht over u en geve u vrede. Amen.' Een verdwaald straaltje zon bescheen zijn haar en de witte kraag van zijn overhemd en liet zijn trouwring schitteren.

De ontmoetingsruimte, uit 1959, was een gebouwtje van witte planken achter de kerk. Het was met de kerk verbonden door een pad van bakstenen. Er vlak achter lag de begraafplaats. Kinderen renden rond het gebouwtje, vlak langs de graven, terwijl binnen de vrouwen het eten uitstalden.

Thomas en ik stonden samen op het pad, glimlachend en handen schuddend. Het wolkendek was dikker geworden en in de verte, bij de rivier, rommelde het. De bladeren van de esdoorns zwaaiden heen en weer en lieten hun bleke onderkant zien. De middag had twee gezichten gekregen: het gras licht en droog, de lucht steeds donkerder vanwege de naderende najaarsstorm. In de ontmoetingsruimte deed iemand haastig de ramen dicht.

We stapten de deur binnen en kwamen terecht in een aangenaam geroezemoes. Een airco stond op volle kracht te blazen. Mensen liepen al heen en weer met kartonnen bordjes vol eten; op een klaptafel langs de muur stond een rij gerechten: aardappelpuree, snijbonen, gebraden vlees, macaroni met kaas, schalen met broodjes, gegrilde tomaten, kip uit de oven, liters ijsthee. Dwars op een andere muur stond nog een tafel, versierd met crêpepapier en overladen met keukenspullen: bloem, suiker, bakvet, conserven, jam en perziken, en een emmer vol splinternieuw schoonmaakgerei. De Little-Crofters hadden niet op een cent gekeken. Er was genoeg voor weken.

'Tast toe', zei John Whitworth vlak achter ons. 'We hebben daar een plekje voor u vrijgehouden.'

Hij wees naar de andere kant van de kamer. Daar stonden een paar tafels voor de haard, die niet brandde. Ambrose en Ida zaten er al stevig te bunkeren. Weer rommelde de donder langs de rivier, dichterbij nu.

'Ik zou maar snel gaan zitten', zei John, 'voordat iedereen binnenkomt.'

Hij liep verder, voor ons uit, pakte een bordje en begon het vol te scheppen. John Whitworth was slungelig en bedachtzaam; hij praatte langzaam en bewoog langzaam. Zijn vrouw Amelia had de maaltijd georganiseerd en had het nu druk met het regelen van de boel; ik kon haar schelle, gedecideerde stem duidelijk horen door het kalme geroezemoes. De vertrouwde stemmen van Little Croft gaven me een prettig, soezerig gevoel van geborgenheid. Terwijl we verder liepen en eten op ons bord schepten, zag ik voortdurend bekende gezichten, die glimlachten en ons begroetten. Oude buren, schoolvrienden, bekenden uit mijn kindertijd; ik had met de helft van de mensen hier in de Chickahominy gezwommen of wilde verjaardagsspelletjes gedaan. Drie keer meende ik mijn moeders stem te horen. Telkens bleek het een achternicht of verre tante te zijn, met die onmiskenbare Scarboroughstem. Ik was nooit eerder zonder mijn ouders op een bijeenkomst in Little Croft geweest: mijn moeder die altijd het middelpunt was van een groepje toehoorders, mijn vader die tegen de deurpost leunde, zijn grijze ogen geamuseerd en afstandelijk.

We droegen onze doorbuigende borden richting Ambrose en Ida Scarborough en even later voegden Matthew Humberston en zijn zoon zich bij ons.

Ik zette mijn bord neer en begroette Matt junior. Hij was jonger dan ik, een lange, donkere jongen, met een stoppelbaardje en onafscheidelijke hoed. Matt gaf een knikje als groet en wijdde zich aan zijn spek en worst. Zijn vader keek hem streng aan.

'Gedraag je, Matt', zei hij.

'Hallo', mompelde Matt.

Ik ging tegenover Matthew senior zitten. Omdat mijn oudoom Attaway getrouwd geweest was met Matthews oudste zus waren we een beetje familie van elkaar, maar we kenden elkaar nauwelijks. Matthew Humberston was slank, maar zijn onderarmen waren stevig en op zijn armen en handen lagen blauwe aderen. Hij had een dikke bos donkere krullen die zo lang waren dat hij zijn haar achter zijn oren kon strijken, en een verzorgde, donkere baard. Hij had iets van een vrijbuiter en deed me altijd denken aan een zeerover; een ooglapje zou hem niet misstaan hebben.

'Hoe gaat het met dokter Hunt?' vroeg Matthew, terwijl hij boter op een broodje smeerde.

'Met mijn vader gaat het prima. Hij heeft zich aangesloten bij een huisartsenpraktijk in Montana. Hij heeft het naar z'n zin daar.'

'Nou, hier missen we hem', zei Matthew. 'Dokter Hunt vertelde altijd precies hoe het ervoor stond. En sinds hij weg is,

42

hebben we geen huisarts meer. Nou moeten we naar die praktijk in Mercysmith.'

Ambrose nam een grote slok thee en zei: 'Ik ben er één keer geweest, bij die praktijk. Dat was eens maar nooit weer.'

'Waarom niet?' vroeg Matthew.

'Allemaal vrouwen daar. Drie maar liefst. De vrouw die ik sprak, heette Gabriella. Nou vraag ik je! Gabriella Jones-Boston. Met een streepje ertussen.'

'Hm', zei Ida, terwijl ze haar broodje met een dikke laag boter besmeerde. 'Je was zo wit als een doek toen je er heenging en van dat spul dat zij je gaf kreeg je wat kleur en krabbelde je weer op. Ik ga al twee jaar naar haar toe.'

'Doe wat je niet laten kunt', zei Ambrose gemoedelijk. Ze aten verder in harmonie.

Matthew wierp Thomas een brede glimlach toe. 'En, dominee', zei hij, 'heeft u al ideeën om de kerk te laten groeien?'

'Ik ben van plan huis-aan-huis bij iedereen langs te gaan, om een indruk te krijgen van de buurt. Ik zou graag een zomerkamp voor jongeren organiseren. En de kinderclub in de vakantie uitbreiden van één naar twee weken. Misschien de mogelijkheid onderzoeken om drie dagen in de week een peuterspeelzaal te openen in de zalen die voor de zondagsschool gebruikt worden.'

'Dat is echt een goed idee', zei Ida, die helemaal opfleurde. 'D'r zijn hier een heleboel gezinnen met kleine kinderen komen wonen.'

'En ik zou graag een bijdrage willen leveren aan de voedselbank voor armen. Amanda vertelde me dat die hier vlakbij staat.'

Er viel een korte stilte. John Whitworth had zichzelf aan het andere eind van de tafel geïnstalleerd en was bezig een enorm stuk vlees naar binnen te werken.

'Winnville, zo heet die wijk', zei Ambrose uiteindelijk. 'Meest zwarte mensen.'

'Ja, en?' zei Thomas.

'Nou, de zwarte kerken zorgen meestal voor zichzelf. Rising Mount Zion, Little Elam, die gaan heel vaak naar Winnville.'

'Maar als er dan nog steeds hulp nodig is, kunnen de zwarte kerken het blijkbaar niet alleen af.'

'Ik neem aan dat ze iedereen helpen die geholpen wil worden.'

'Denk jij misschien dat er geen blanken zijn die hulp nodig hebben?' vroeg Matthew.

'Dat zei ik niet. Ik wil gewoon niet dat we dominee zijn tijd verknoeien.'

'Laat hem toch', zei Matthew. 'Ik heb een arbeider die in Winnville woont. Zijn zuster heeft vier jongens en zit zonder man. Ik zal u haar adres geven, dominee.'

'Dominee Norris ging nooit die kant op', wierp Ambrose tegen.

'Des te beter', zei Matthew. 'Puur vergif, die man. Hopelijk vindt de dominee nog een luisterend oor. Ik ga een kop thee halen. Kan ik er voor u ook een meenemen, dominee?'

'Graag', zei Thomas. Matthew pakte zijn glas en liep weg.

Ik hoorde een energiek getik van hakken op de vloer achter me. Amelia Whitworth verscheen bij mijn elleboog met één kippenpoot en een kloddertje aardappelsalade op een verder ongerept bord. Ze ging in de stoel naast me zitten: klein, knap en slank; bruin haar dat vastgezet was met een goudkleurige speld, en heldere, bruine ogen.

'Zoveel mensen!' zei ze opgewekt. 'Allemaal voor u, dominee Clement. Sjonge, Amanda, wat zie jij er goed uit! Wil je me een servetje aangeven, John? John!'

John, ruw opgeschrokken, reikte zijn vrouw een servet aan. Zij bette elegant haar mond.

'En, voelen jullie je al een beetje thuis in het huis van je oma?' vroeg ze. 'Ik vind het echt vervelend dat ik gister niet langer kon blijven. Er was vast nog genoeg te doen, de boel schoonmaken en zo.'

'We zijn langzamerhand alles aan het uitpakken', zei ik. 'Het meeste zit nog in dozen.'

'Je zult je ouderlijk huis wel missen, of niet?'

'Ja, mevrouw Whitworth.' Onder de tafel legde Thomas zijn voet tegen de mijne.

'Ziet het huis er goed uit?'

'Oom Giddy heeft het laten verven en schoonmaken voor we erin trokken.'

'Goed zo', zei Amelia, 'maar denk erom dat je de kasten goed lucht voordat je er iets in stopt, hoor. Juffrouw Clunie kon zichzelf op het laatst nog geen tien minuten schoonhouden en de hulp propte alles gewoon weer in de kast in plaats van het te wassen. Dat liet ze aan het eind van de week over aan tante Winnie. Het huis rook als een openbaar toilet na een drukke dag. 't Is vast in het hout getrokken.'

'Melia!' zei John Whitworth, lichtelijk geschrokken.

'Nou, John, Amanda wil vast en zeker alles weten over het huis.'

'Misschien wel', zei Matthew, die terugkwam met twee glazen ijsthee, 'maar vertel het haar na het toetje.'

Juffrouw Clunies ongelukjes hadden de aantrekkingskracht van mijn aardappelen met jus al aangetast. Ik dronk wat ijsthee en probeerde een ander gespreksonderwerp te verzinnen. Nu en dan tinkelde er zachtjes een regendruppel op het zinken dak van de ontmoetingsruimte.

'En, dominee Clement', zei Amelia Whitworth, 'mag u mensen dopen?'

'Jazeker, mevrouw Whitworth.'

'Die kerk waar u werkte – hoe heette die ook weer, John?'

'Weet ik veel', zei John.

'Hoe heette die, dominee Clement?'

'All Saints', zei Thomas.

'Wat voor soort kerk was dat?'

'Interconfessioneel, mevrouw Whitworth.'

Amelia Whitworths lippen bewogen. Even dacht ik dat ze zou proberen het te herhalen, maar tenslotte schraapte ze haar keel en zei: 'Dat is net zoiets als een bijbelgetrouwe kerk, toch?'

'Ja, dat klopt.'

'En doopte u de mensen daar fatsoenlijk?'

'We sprenkelden water op volwassen bekeerlingen, mevrouw Whitworth.'

45

'Net zoals de methodisten?'

'Ja, precies. De manier van dopen is minder belangrijk dan de symboliek. Ze geloofden dat ze begraven waren met Christus en opgewekt tot een nieuw leven, en dat geloofden alle anderen ook.'

'Maar heeft niemand u ooit verteld hoe je iemand moet onderdompelen in water?'

'Ik oefen op Amanda als ik de kans krijg', zei Thomas.

Matthew Humberston grinnikte.

'Laten we ons pas druk maken over het dopen als we mensen in de kerkbanken gekregen hebben, Amelia', zei hij. 'Ik heb nog geen zondaars op de deur horen bonzen om ondergedompeld te worden.'

'Hm', zei Amelia Whitworth. 'Nou, dominee Clement, we zijn in ieder geval heel blij dat we u hebben. John heeft me nog haast niks verteld over waar u vandaan komt en zo. Waar woont uw familie?'

'Ik ben opgegroeid in het Midwesten, maar mijn zus is een aantal jaren geleden omgekomen bij een auto-ongeluk en de rest van de familie is daarna uit elkaar gevallen.'

'Wat erg voor u.'

'Ik verheug me erop hier in Little Croft te wonen. Ik hoop dat Amanda's familie ook de mijne wordt. Het is lang geleden dat ik familie om me heen gehad heb.'

Amelia wierp een blik naar John. Ida liet een vork vol taart voor haar mond zweven. Ambrose schraapte zijn keel.

'Heb je ze al ontmoet?' vroeg Ambrose. 'Cora en Giddy, en Attaway Fowlerand en de jongens?'

'Nou, niet allemaal –'

'Horen jullie de regen?' zei Amelia Whitworth. ''t Komt nu echt met bakken uit de lucht. Ik denk dat we jullie maar even moeten helpen om al die spullen droog in de auto te krijgen. John, wil jij een paar paraplu's voor de dominee ritselen?'

Zes

Uiteindelijk konden we niet eens alle goede gaven in de auto krijgen; we waren nog niet toegekomen aan het leegmaken van de piepkleine kofferbak en de vloer van de auto lag vol hondenhaar. We stapelden het eten op de achterbank en lieten de rest achter bij Amelia, die beloofde dat John het later zou komen brengen. We reden de parkeerplaats bij de kerk af, zwaaiend naar de volhouders die achterbleven. Door de cadeaus en het vorstelijke uitgeleide voelde ik me alsof we voor de tweede keer op huwelijksreis gingen.

Onze zondagmiddagen brachten we altijd samen door: de deuren op slot, een lange middagdut, dan een pot koffie en Scrabble tot de avonddienst. De gebroken nacht en de lange zondagochtend hadden me uitgeput; ik tolde van de slaap. De honden lagen buiten te snurken en toen we naar boven gingen, naar de slaapkamer, roffelde de regen op het zinken dak, gestaag en slaapverwekkend. Ik deed een spijkerbroek en een oud T-shirt aan en liet me op het bed vallen. Water stroomde langs de ramen. Een donderslag dreunde tegen het huis.

Thomas, die in T-shirt en boxershort op het bed plofte, zei: 'Zou het inslaan bij ons?'

'Buien volgen de rivier', mompelde ik en doezelde verder weg. Ik had mijn hele leven bij de rivier gewoond en geen onweersbui zou me vanmiddag uit mijn slaap houden.

'We zitten aan de rivier.'

47

'De bui drijft af naar de vlakte, naar Fowlerand Landing. Zo gaat het altijd. Als je daar naderhand naartoe gaat, kun je diepe voren in het zand zien waar de bliksem ingeslagen is.' Ik draaide me om en ging lekker in de warme ronding van zijn lichaam liggen. Hij drukte zijn lippen tegen mijn nek. Ik kon nog net uitbrengen: 'En het was een mooie preek.'

'Dat klinkt wel heel enthousiast', zei Thomas, maar zijn stem klonk moe. We waren allebei zenuwachtig geweest voor de eerste ochtend in de kerk. Ik kon de spanning uit hem voelen weg-vloeien, als het water dat langs de ramen naar beneden liep. Zijn arm lag losjes en ontspannen om me heen.

Drijvend in het schemergebied dat vlak voor de slaap komt, dacht ik aan Thomas' uiteengevallen familie: Jane, donker, intel-ligent en eigenwijs, gestorven op haar negentiende op die snelweg bij Chicago; zijn vader, die naar de andere kant van de wereld was gegaan; zijn moeder, die kliniek in, kliniek uit ging en zich de naam van haar zoon soms niet herinnerde.

Ik had Thomas ontmoet bij een cursus Hebreeuws, drie jaar geleden, aan het einde van een hele nare zomer. Mijn auto had in de lente de geest gegeven, dus ik gebruikte de warme maanden om over te werken en geld bij elkaar te schrapen voor een nieuwe. In augustus rondde ik een hele serie advertenties af voor een bedrijf in Philadelphia dat uitlaten maakte. Ik gooide de map met tech-nische beschrijvingen in de hoek van mijn kantoortje en beende naar de theologische universiteit om me in te schrijven voor een cursus. Maakt niet uit welke, dacht ik, als hij maar dat deel van mijn hersens aan het werk zet dat langzaam aan het verschrompe-len is.

Ik kwam terecht bij Hebreeuws voor beginners. De Hebreeuwse bijbel die ik kocht bij de theologische boekhandel zag eruit alsof hij onder in een vogelkooi gelegen had. Ik zat op de achterste rij, omringd door mannen, en vroeg me af waar ik mee bezig was. Maar de docent – een grote, beminnelijke man met een rossige snor en een onzekere glimlach – kwam binnen en schreef een tekst uit Deuteronomium op het bord, in het oudst bekende Hebreeuwse schrift. Dit waren de letters die Ik Ben zelf gebruikt zou kunnen hebben toen Hij de stenen tafels van de Sinaï beschreef: 'Gij zult geen andere goden voor mijn aangezicht hebben.' Ik was betoverd.

Thomas zat aan de andere kant van het lokaal, zijn schouders een beetje opgetrokken, het voorhoofd in zijn hand als hij schreef. Ik keek af en toe naar hem vanachter mijn Hebreeuwse boeken. Ik schatte hem ongeveer dertig. Hij was te mager voor zijn lengte en de rimpels bij zijn ooghoeken hoorden bij een ouder iemand. Ik had hem de eerste week van de cursus niet gezien en later vertelde iemand me dat hij was weggeweest, naar zijn familie: zijn jongere zus was verongelukt in een kettingbotsing bij Chicago, zijn vader was er tussenuit geknepen naar Alaska en zijn moeder was in depressieve toestand opgenomen. Hij verdween elke dag direct na de les en ik had misschien nooit een woord met hem gewisseld als ik hem niet was tegengekomen voor de kleine twee-dehandsboekwinkel bij mij om de hoek.

Het was een frisse oktoberdag, maar er hing nog een vleugje warmte in de lucht en de boekhandelaar had een rek met pockets op de stoep gezet. Ik verzamelde de boeken van Agatha Christie en in het rek lagen een paar in Engeland uitgegeven pockets van haar met de oorspronkelijke titels.

Ik voelde dat er iemand naar me stond te kijken en keek op. Hij glimlachte naar me vanaf de andere kant van het rek. De lijnen bij zijn ogen en mondhoeken waren minder diep; hij zag er jonger uit en vriendelijker.

'Hallo', zei hij.

'Ik heb je gezien bij de cursus', zei ik.

'Klopt. Ik werk bij de kerk, hier om de hoek. All Saints.' Hij stak zijn hand uit. 'Thomas Clement.'

'Amanda Hunt.'

'Ja', zei hij. 'Dat weet ik.'

Ik sliep bijna toen er een autoportier werd dichtgeslagen in de tuin, een fractie van een seconde voordat Daphne en Chelsea alarm sloegen. Ik schoot omhoog en zei hartgrondig: 'Nee, hè, wat nu weer?'

Thomas rolde op zijn rug en zei: 'Zeg dat het niet de Whitworths zijn met de rest van de spullen.'

'Toch wel', zei ik, in de schemerige stormlucht turend. 'John en Amelia en – even kijken – ja, hoor, Matthew en Matt, en Ambrose en Ida, allemaal met dozen en paraplu's op weg naar de achterveranda. Je kunt je maar beter aankleden.'

Hij taste mopperend naar zijn kleren. Ik ging de trap af en deed de achterdeur open. Ze stonden op de veranda naast de roestige vrieskist, glimmend van goede bedoelingen en de regen; met uitzondering van Matt, die zijn armvol conservenblikken met tegenzin droeg.

Ik nodigde hen uit binnen te komen. Ik kon tenslotte moeilijk zeggen dat ik niets in huis had. De hele groep ging naar de keuken en deponeerde de spullen op de keukentafel. Ik zette koffie en de mannen gingen bij elkaar naast de koelkast staan wachten tot de koffie doorgelopen was. Ik kon Thomas' voetstappen horen, krakend op de planken boven onze hoofden. Mijn mond smaakte van vermoeidheid naar koud metaal.

'We kunnen jullie wel helpen om alles op te bergen', bood Amelia aan. Haar vingers bewogen al richting de handgrepen van de keukenkastjes.

Ik had ze de dag ervoor uitgezogen, dus ik zei: 'Dat zou fijn zijn, mevrouw Whitworth.'

'Kijk nou 'ns', zei Ida Scarborough en liet twee blikken waterkastanjes zien, die samen met een pak noedels, een fles sojasaus, een pot taugé en een receptenkaart in een net zaten. 'Beeldig, hè?'

Voor mijn idee was het tamelijk ongebruikelijk voor Little Croft. Ik leunde voorover om het kaartje te lezen, dat de namen 'Joe en Jenny Morehead' droeg.

'Ik zal de lijst maken', zei Amelia handenwrijvend.

'De lijst?'

'Voor bedankbriefjes.'

'Natuurlijk', zei ik.

Thomas verscheen in de deuropening in spijkerbroek en op blote voeten. Zijn blonde haar was in de war en zijn ogen stonden vermoeid.

'Middag', zei hij.

Ik zag Matthew Humberstons donkere ogen van Thomas' tenen naar mijn slordige T-shirt en paardenstaart schieten. 'Misschien kunnen we beter een andere keer terugkomen?' stelde hij voor. 'Het is vast en zeker een druk weekend voor jullie geweest, met de verhuizing en alles.'

Ik zond hem een dankbare blik. Maar net op dat moment draaide een auto langs het huis de tuin in. De honden begonnen weer te janken. Nog een autoportier werd dichtgeslagen.

'Ik ga wel even kijken', zei Thomas. Hij zocht zijn weg door de rommelige woonkamer. Even later hoorde ik oom Attaways stem bij de voordeur en zijn zware tred in de gang. Thomas kwam terug door de woonkamer met Attaway in zijn kielzog.

'U kent Amanda's oudoom allemaal, nietwaar?' vroeg Thomas, terwijl hij de keuken binnenstapte. 'Wilt u een kop koffie, meneer Fowlerand?'

Attaways gestalte vulde de deuropening. Hij was blootshoofds en zijn gladde, witte haar raakte bijna de deurpost. Uit mijn ooghoek zag ik Matthew Humberstons magere lijf verstrakken en zich oprichten. Hij trok zijn schouders naar achteren. De hoofden van de andere twee diakenen draaiden zijn kant op, bewogen door een onzichtbare draad.

'Nee, bedankt.' Attaways blik ging naar Ambrose, toen naar John en verder. 'Kwam even kijken of jullie op orde waren, dat is alles. 'k Heb Cora beloofd dat ik het zaakje voor haar zou regelen. Giddy heeft geen aanleg voor huisbaas. Dus, laat me weten als er problemen zijn, dan lossen we die op.' Hij schraapte zijn keel. 'Tenslotte ben je nu familie, Clement, niet dan?'

De vloer kraakte onder Matthews voeten. Hij passeerde Thomas en stond een ogenblik met zijn gezicht vijftien centimeter van dat van Attaway. Ze waren ongeveer even lang, maar Matthew Humberston was half zo zwaar als de andere man.

'Mag ik er even langs?' vroeg hij. ''t Begint hier te stinken.'

Attaway deed een stap opzij. Matthew beende weg door de woonkamer. Zijn zoon slofte achter hem aan. Ik hoorde de deur twee keer slaan.

51

Thomas zei aarzelend: 'Alles ziet er goed uit, meneer Fowlerand. Maar ik laat het weten als er iets gedaan moet worden aan het huis.'

'Goed', zei Attaway. 'Dat kwam ik alleen maar even zeggen.' Hij bleef een poosje staan en keek om zich heen. 'Ik ben hier in jaren niet geweest.'

Amelia Whitworth sloeg een kastje overdreven hard dicht. Attaway knipperde met zijn ogen en ontwaakte langzamerhand uit zijn gepeins.

Ze zei bits: ''t Is onzin om lyrisch te doen over de keuken, Attaway. Zo vaak was je hier niet te vinden.'

'Hm!' zei Attaway. Hij stampte weg door de woonkamer, zijn stok achter zich aan bonkend. Thomas volgde hem, deed de voordeur achter hem dicht en ging terug naar de keuken. Een dikke, pijnlijke stilte was als een deken over de keuken gevallen. John Whitworth was rood van schaamte en schuifelde met zijn grote voeten over de grond. Amelia fluisterde 'nou, nou' en sloeg nog een kastdeurtje dicht.

Thomas zei tenslotte: 'Ik begrijp dat meneer Humberston de oudoom van mijn vrouw niet mag?'

'Dat kun je wel zeggen', stemde Ambrose Scarborough in, terwijl hij met zijn mollige hand over zijn kin wreef.

'Is het een probleem dat we hier wonen?'

'Nou, volgens mij zouden we het allemaal prettiger vinden als Attaway zich niet gedroeg als jullie huisbaas. Maar we weten dat jullie je niet veel anders kunnen veroorloven met het kleine beetje dat we jullie betalen.'

'Wat denkt u dat hij van plan is? Controle uitoefenen over de kerk?' Thomas' stem klonk sceptisch.

Ambrose wierp een snelle blik op hem en zei: 'Wat zou hem dat opleveren? Nee, het enige dat hem dwarszit, is dat Matthew in de kerkenraad zit. Hij wil een stokje steken voor alles wat Matthew voordeel zou kunnen opleveren.'

'Nou, u kunt meneer Humberston vertellen dat ik me in mijn werk niet laat hinderen door zo'n onbeduidende vijandschap.'

'Onbeduidende vijandschap?' zei Ambrose. 'Haat is nooit

52

onbeduidend. En vooral de haat tussen deze twee niet. Dominee Clement, vergeleken met Attaway en Matthew waren Kaïn en Abel goede vrienden.'

'Doris Humberston – dat is Matthews oudere zus – trouwde met mijn oudoom Attaway en stierf toen ze begin dertig was', zei ik, veel later. We lagen in de donkere zondagavond, volledig afgemat. De bui was in de namiddag leeg geregend en de donderkoppen waren in grote, grijze wolken weggeblazen. Tegen de tijd dat de avonddienst afgelopen was, fonkelden de sterren aan de donker wordende hemel.

'Ze nam op een avond te veel van het een of ander', ging ik verder. 'Ik weet niet meer of het slaappillen waren of kalmeringstabletten of aspirine. Maar Attaway vond haar de volgende morgen, dood. Hij was op jacht geweest.'

'Hoe oud denk je dat Matthew is?' vroeg Thomas. In het donker kon ik zijn gezicht niet zien.

'Vijfenveertig? Vijftig? Matt is vijf jaar jonger dan ik, dus dan is hij… tweeëntwintig. Doris was vijftien jaar ouder dan Matthew.

'Je oudoom hield wel van een groen blaadje.'

'Zij was twintig jaar jonger dan hij en hij was welgesteld. Zo ongewoon was het allemaal niet.'

'Maar waarom haat Matthew Attaway?'

'Nou, ze was al maanden neerslachtig en de Humberstons houden vol dat Attaway daar iets aan had moeten doen. Dus de relatie tussen Matthew en Attaway is altijd slecht geweest, maar het lijkt alsof het veel erger geworden is. O, verdraaid –'

'Wat?'

'Ik wilde Peggy Fowlerand nog bellen. Ik moet het morgenochtend maar doen.'

'Peggy is de vrouw van je achterneef, hè?'

'Ja. Quintus is de zoon van Attaway en Doris.'

Thomas zuchtte en draaide zich om. Ik dacht dat hij lag te peinzen over de relaties tussen de Scarboroughs, de Fowlerands en de Humberstons, die zo ingewikkeld waren als een spinnenweb.

Maar toen ik zijn gezicht even later zacht aanraakte, besefte ik dat hij sliep.

Ik lag met open ogen in het donker. Ik had Amelia Whitworth bij de mouw gepakt toen zij en John de deur uitgingen, krap een uur voordat de avonddienst begon.

'Mevrouw Whitworth', had ik gezegd, 'wat bedoelde u? Wat u tegen oom Attaway zei, bedoel ik.'

Ze keek me bevreemd aan. Ze moest haar hoofd een beetje achterover houden om me in de ogen te kunnen kijken.

'Over de keuken?'

'Ja.'

'Nou, Doris en ik waren vriendinnen, toen ze nog leefde. Ze was altijd zo moe als een hond omdat hij nooit een poot uitstak. Ze deed alles voor hem en voor de baby, ze ruimde de troep op van al die grote Fowlerandjongens die binnen kwamen stampen met hun modderige laarzen, terwijl hij op zijn dooie gemak in de kamer zat. Ik zat me gewoon aan hem te ergeren. Net doen alsof de keuken een plek vol herinneringen is. Die man kon nog geen kop koffie zetten.'

'Hier?'

'Wat bedoel je, liefie?'

De regen was overgegaan in motregen. John en Ambrose en Thomas waren in de tuin, om nog eens een blik te werpen op de waterpomp. Ik zei: 'In dit huis? Ik dacht dat oom Attaway altijd in de boerderij van de Fowlerands gewoond had.'

'Ja, dat is ook zo. Behalve toen Quintus ongeveer twee was. Hij en Doris kwamen hier een tijdje wonen, omdat het hele dak van de boerderij gerepareerd moest worden. Ze hebben hier een mooi poosje gezeten. Ze is hier gestorven, moet je weten.'

'In het pachtershuis?' De dood van Doris was een familielegende. Wanneer ik naar het verhaal luisterde, had ik me haar altijd voorgesteld in die oude slaapkamer met het hoge plafond, net naast de grote hal van de Fowlerandboerderij, aan het eind van Fowlerand Landing Road.

'Jazeker. Precies in de kamer waar jullie het bed hebben neergezet', zei Amelia. 'Ik weet het nog, omdat ik die ochtend

54

hiernaartoe kwam en in de tuin stond te kijken naar de sheriff die heen en weer liep. Ze hadden alle gordijnen dichtgedaan en je oma en Attaway waren de enigen die naar binnen mochten. Ik kon Quintus dwars door de muren heen horen jammeren.'

Ze tikte zachtjes op mijn hand.

'Maak je daar nu maar geen zorgen over', zei ze. 'Dat is dertig jaar, of meer, geleden. Volgens mij denkt Attaway daar niet veel aan, nu niet meer. Alle oude huizen hebben een geschiedenis, Amanda.'

Dat kon wel zijn, dacht ik, terwijl ik wakker lag en luisterde naar Thomas' rustige ademhaling. Maar we waren niet teruggegaan naar Little Croft om te worstelen met spoken uit het verleden. Thomas wilde graag een familie, een thuis, een plek om God beter te dienen; en ik was op zoek naar iets ongrijpbaarders. Ik verlangde naar bevestiging, de bevestiging dat ik nog steeds een plek kon vinden waar God even echt was als de zonovergoten velden, en even gemakkelijk te horen als een havik die boven je hoofd zijn schrille kreten uitstoot. Op de een of andere manier was ik die zekerheid kwijtgeraakt in de jaren in Philadelphia, en ik was naar mijn geboortedorp weergekeerd om die zekerheid terug te vinden in de pure schoonheid van Little Croft.

Zeven

Maandagochtend stond ik vroeg op, zette koffie en ging achter Thomas' bureau zitten, in de kamer met de haard. Mijn werk voor oma Cora begon om negen uur. Ik had besloten elke ochtend vroeg op te staan en twee uur te besteden aan mijn moeizaam verworven Hebreeuws. Ik sloeg mijn *Biblia Hebraica* open en begon te lezen bij het eerste hoofdstuk van Genesis.

In den beginne schiep God de hemel en de aarde. Ik kon Mozes horen in de woestijn, tegenover de opstandige Israëlieten de oude woorden herhalend die Adam had gesproken: *B'reshiyt bara Elohim et hashama'im v'et ha'aretz.* Terwijl ik de woorden hardop las, ervoer ik hun vertrouwde, raadselachtige aantrekkingskracht; het gevoel dat ik even een blik kon werpen op het moment dat chaos en ledigheid geordend werden en de tijd begon te tikken.

Die gewaarwording – God zo dichtbij als de woorden op de bladzijde – bleef bij me toen ik onder de douche stond, me aankleedde en Thomas zag vertrekken naar zijn kantoortje in de kerk, en toen ik de achterdeur uitstapte en op weg ging naar het oude huis. Het zonlicht stroomde over de achtertuin. Achter de glooiende oever lag de Chickahominy azuurblauw te glinsteren. De takken van de oude esdoorn bewogen boven mijn hoofd. Elk afzonderlijk blad tekende zich af; scherpomlijnde schaduwen in gevecht met helder licht.

'Hiervoor ben ik teruggekomen', zei ik hardop.

Op het geluid van mijn stem sprongen de honden blij onder de veranda vandaan. Quintus had in ieder geval één bosmarmot geschoten; ze waren aan het vechten om de huid. Chelsea had een achterpoot te pakken en Daphne kauwde op een oor. Ik leunde over de omheining van de veranda en zei: '*B'reshiyt bara Elohim et hashama'im v'et ha'aretz*. Dezelfde woorden die uit Adams mond zijn gekomen. Wat vinden jullie daarvan?'

Daphne zat op het vel en gaapte. Chelsea sprong op Daphnes rug en rukte aan de staart van de bosmarmot; Daphne plofte op de grond en draaide zich beschermend over de prooi. Ik stond weer met beide benen op de grond.

Ik liep de weg af. Langs de kant bewogen de pluimen van oma's suikermaïs in de zachte bries die uit de richting van de rivier kwam. Dwars door de maïs was een hele strook vertrapt. Oom Giddy zat op de veranda van het oude huis, hij keek uit over de maïs met zijn buks over zijn schouder.

'Môgge', zei hij knorrig. 'Heb je gezien wat die marmotten met m'n maïs hebben gedaan? Quintus heeft er gisteravond maar één geschoten en ik zat hier al voordat de zon opkwam en heb nog geen spoor van een marmot gezien. Die rotbeesten komen ook niet in de buurt van mijn vallen.'

'Wat vervelend, oom Giddy.' Ik wurmde mezelf langs hem heen en ging de voordeur in. Oma Cora stond achter het fornuis, ze bakte twee eieren en een dikke plak spek in wel twee pakjes boter. Dit was in strijd met de voorschriften van de dokter. Volgens mijn moeder en haar zus, mijn tante Winnie – die momenteel in North Carolina woonde met haar vierde man – moest ik de aanwijzingen van de cardioloog opvolgen bij het klaarmaken van oma's eten. Dat werd lastig. Bijna net zo lastig als het op orde brengen van haar administratie. Oma hield nooit bij wat ze uitgaf.

'Oma', zei ik, 'u mag geen dingen bakken.'

'Ik bak ook niet. Ik laat het alleen bruin worden in een beetje boter.'

'Is dat het spek met minder zout, dat tante Winnie gestuurd heeft?'

'Jazeker', zei oma, met een knipoogje.

Ik zuchtte en ging op zoek naar keukenpapier om er wat van het vet af te vegen. Ze ging bij de tafel zitten en ik zette het bord voor haar neer.

'Schenk maar een kop koffie voor me in', zei oma, 'en daarna kun je mijn haar doen.'

'Zal ik bidden?'

'Nee, hoor.' Oma pakte haar vork. Ik schonk haar een kop sterke koffie in die op de oude, verveloze kachel stond te pruttelen. Er zat cichorei in. Ik schonk ook een kop voor mezelf in. De bittere tinteling op mijn tong bracht een heleboel herinneringen boven. Ik was eens een hele week bij oma Cora geweest, toen mijn jongste broer geboren werd. Ze had elke ochtend pannenkoeken gebakken en ik mocht kleine kopjes mierzoete koffie met cichorei drinken bij het ontbijt.

'Wat gaan we vandaag doen?' vroeg ik, terwijl ik het dunne, witte haar van de stekelige rollers haalde.

'Boekhouden.'

'Laten we eerst de kelder opruimen. Op de bovenste planken staan weckpotten die er al stonden toen ik klein was.'

Oma likte zout van haar vingers. Hond stak zijn kop onder de tafel vandaan. Ze liet een stukje spek vallen en hij hapte het op en verdween. Ik kon zijn staart op het linoleum horen bonzen.

'Oké', zei ze, 'nadat je de boekhouding hebt gedaan.'

Ik begon haar witte krullen uit te borstelen. 'Ik heb Quintus gisteren gezien', zei ik na een tijdje.

'Ziet er afgetobd uit, vind je niet?' zei oma, terwijl ze met een stukje brood spekvet van haar bord veegde.

'Een beetje. Hoe gaat het tussen hem en oom Attaway?'

'Net als altijd.'

'Zo slecht?'

'Nou ja, Attaway heeft hem iets meer ruimte gegeven. Hij stuurt hem vandaag naar die grote landbouwshow op het kermisterrein om machines te kopen. Geeft hem zelfs cheques mee.'

'Hoe laat gaat hij weg?'

'O, vanmiddag, neem ik aan. Hij zei dat hij daar misschien ging overnachten. Hoezo?'

'Zo maar.' Ik besloot dat ik Peggy meteen zou bellen als ik thuiskwam om haar voor vanavond uit te nodigen. Terwijl ik doorging met borstelen, dacht ik aan Peggy, die onbeweeglijk en neerslachtig in het huis van de Fowlerands zat en daarvandaan kwam ik, via een logische associatie, bij Doris' dood, lang geleden. Ik wilde dat ik me meer bijzonderheden kon herinneren.

'Oma', zei ik terloops, 'hoe is Doris Fowlerand precies gestorven?'

Oma stak haar hand uit om de koffie te pakken en stootte het glas water om. Ik depte het water op met een theedoek, wrong die uit boven de gootsteen en hing hem netjes over de rand om te drogen. Toen ik me omdraaide, was ze bezig met haar brood eigeel van het bord te vegen.

'Wilt u nog wat water?' zei ik.

'Nee.'

'Ik heb niemand meer over Doris horen praten sinds ik klein was. Ik heb in geen jaren een foto van haar gezien. Leek ze op Matthew?'

Oma nam nog een slok koffie. Haar oude ogen waren op de lege weg gericht.

'Niet echt', zei ze tenslotte. 'Hij is een sterke man, Matthew, en zeker van zichzelf. Doris was rustig. Liet nooit het achterste van haar tong zien.'

'Wat is er met haar gebeurd?'

Oma dacht na. Na een poosje zei ze: 'Op een nacht nam ze te veel pillen. Attaway vond haar dood in bed. Hij was 's nachts op jacht geweest en kwam laat thuis. Hij had Giddy bij zich en een paar jongens van Humberston en het was al bijna ochtend, dus ze gingen niet meer naar huis. Ze sliepen allemaal op de grond in de woonkamer.'

'In het pachtershuis?'

'Ja', zei oma. Ze dacht kennelijk dat ik het allemaal al wist. 'En de volgende morgen werd Attaway wakker en ging kijken waarom ze niet beneden was. En daar lag ze, koud en dood.'

'Ja, maar waarom deed ze het? Was het opzet?'

'We kunnen niemands gedachten lezen. Giddy heeft geholpen het huis leeg te maken toen ze gestorven was. Er stond een fles whisky onder de gootsteen. Ze had die avond gedronken, toen Attaway weg was. Misschien was ze vergeten dat ze haar pillen al had ingenomen en heeft ze per ongeluk nog een paar genomen. Quintus was bij haar. Hij was nog maar een klein kereltje. Ze had hem in bed gelegd voordat ze doodging. Attaway hoorde hem de volgende morgen huilen en ging kijken waarom Doris de baby geen ontbijt gegeven had. En daar lag ze. O, wat een toestand, al die Fowlerands in huis en Doris die daar dood lag! Politieauto's en ziekenwagens en overal Fowlerands, en Attaway die heen en weer rende. Ik liep erheen en pakte Quintus op. Hij kon nog niet goed praten; hij zei alleen maar "mama? mama?", steeds weer.'

De achterdeur sloeg dicht. Oom Giddy was bezig zijn geweer te ontladen in de wasruimte. Hij kwam binnen toen oma de laatste woorden zei en keek haar ontstemd aan.

'Ik moet wat van dat gifgas zien te krijgen en ze daarmee omleggen', zei hij. 'Waar hebben jullie het over?'

'Doris Fowlerand', zei oma.

'Dat is al een eeuwigheid geleden.' Giddy liet zich in een stoel zakken. 'Ik was erbij. Ik was toen hulpsheriff. Dat had zo kunnen blijven, maar papa had me nodig op de boerderij. Ach ja, Attaway voelde zich er altijd beroerd over. Wou er nooit over praten. Zei tegen me dat ik er ook niet over mocht praten.'

'Waarom niet?' vroeg ik.

'Ach', zei oom Giddy, 'ik denk dat hij een eind wou maken aan het geroddel. Die Humberstons hebben altijd al een scherpe tong gehad. Als ik en Tom en Leland Humberston niet de hele dag bij hem waren geweest, zouden ze gezegd hebben dat hij haar vermoord had. Maar nu beweerden ze dat Doris die pillen nam omdat Attaway haar sloeg. En dat zeggen ze nog steeds.'

'Sloeg hij haar?'

'Nee', zei oma.

Giddy trok een wenkbrauw op. 'Misschien', zei hij. 'Mama,

hebt u het kasboek al op orde? Ik moet naar het tuincentrum. Ik zal voor u naar de kruidenier gaan als u me wat geld geeft.'

'Amanda gaat het nu doen', zei oma. 'En daarna gaan we de kelder opruimen.' Ze hees zichzelf aan de tafel overeind en strompelde naar haar slaapkamer om zich aan te kleden. Ik haalde haar bord weg.

'Nog spek over?' vroeg Giddy.

'Eén plak. Oom Giddy, vond Matthew oom Attaway aardig toen die met Doris trouwde?'

'Volgens mij had Matthew niemand aardig gevonden die met Doris wilde trouwen.'

'Waarom niet?'

'Hij aanbad haar. Zij was vijftien jaar ouder dan hij en heeft hem feitelijk grootgebracht nadat zijn moeder gestorven was. Oom Attaway trouwde toen ik tien of elf was. Al snel kregen de Fowlerands een hekel aan hem. De oude Monroe Humberston – Matthews vader – begon gek te worden in de tijd dat je moeder trouwde. Hij zat op de veranda en riep alles wat hem voor de mond kwam, zo hard als hij kon. Hij had een obsessie, zo noemen ze dat, voor oom Attaway. Telkens als die langs kwam, kreeg Monroe een aanval. Op den duur moest Matthew hem in dat tehuis in Williamsburg opsluiten. Matthew had verkering met Ann in die tijd – Matts moeder – en Monroe schold haar steeds uit als ze kwam. Nog net geen vloeken, maar lelijke taal was het wel.'

'Maar Matthew en Ann gingen desondanks trouwen?'

'Ach', zei Giddy, 'zij was een verstandig meisje. Ze gingen niet vaak bij hem op bezoek.'

Oma Cora kwam uit haar slaapkamer gestrompeld terwijl ze haar polyester overhemdjurk dichtknoopte.

'We hebben nog meer te doen, vandaag', zei ze snibbig. 'Ga naar de winkel, Giddy, en hou op met dat geklets.'

'Hm', zei Giddy. Hij pakte de bankbiljetten die ze hem aanreikte en liep de achterdeur uit. Ik ging zitten om orde aan te brengen in de chaos van oma's boekhouding.

'Oma?' zei ik.

'Ja.'

'Wat is er met Ann gebeurd? Matts moeder?'

'O, die is gestorven.'

'Auto-ongeluk? Overdosis?'

'Longkanker. Hou op met die ouwe koeien, Amanda, en vertel me hoeveel geld ik nog heb.'

Acht

Ik belde Peggy meteen toen ik terug was in het pachtershuis, maar de telefoon rinkelde zonder dat er iemand opnam. Het antwoordapparaat schakelde zelfs niet in. Met een wat onbehaaglijk gevoel hing ik op en ging kip ontdooien in de magnetron. We hadden de stekker in een geaard stopcontact gestoken, maar na twee minuten op de ontdooistand sloegen de stoppen door. Ik was een halfuur bezig om uit te zoeken welke schakelaar in de stoppenkast bij welk deel van het huis hoorde. De letters op de kaartjes die eraan hingen, waren verbleekt en onleesbaar geworden.

Thomas kwam precies op tijd thuis om de salade voor het avondeten te maken. Hij had de hele dag besteed aan het ordenen van het archief van zijn voorganger, dat een deprimerend gebrek aan belangstelling voor de gemeente vertoonde.

'Nogal logisch dat er mensen vertrokken zijn', zei hij, driftig sla snijdend. 'Die man ging nooit bij de leden op bezoek, hielp nooit iemand, deed niets aan hulpverlening. Zelfs het adressenbestand loopt twee jaar achter. Het is een wonder dat de kerk nog in leven is.'

Ik luisterde naar hem en kreeg er weer vertrouwen in. Hij was van plan alle gezinnen van de kerk de komende weken te bezoeken; hij had de hulp van Ida Scarborough ingeroepen om contact te krijgen met de gezinnen met kleine kinderen in Little Croft; hij had al afspraken gemaakt met de regionale bestuurders om te praten over de technische details van het openen van een peuterspeelzaal op het terrein van de kerk. Het Fowlerand-Scarborough-Humberston-spinnenweb had hem nog absoluut niet vast laten lopen.

We aten kip en salade, keken een film en gingen vroeg naar bed. Thomas las *In de ban van de ring* voor de derde of vierde keer. Ik nestelde me naast hem en sloeg mijn Jane Austen open. Het vergeelde papier dat ik gebruikte als boekenlegger viel eruit. Ik pakte het en keek nog eens naar de verbleekte letters.

Je hebt nooit van me gehouden, en ik hield alleen van jou uit wanhoop omdat hij nooit naar me keek, me nooit aanraakte.

Misschien waren dit niet de woorden van juffrouw Clunie. Doris had hier ook gewoond, met oom Attaway, en was hier gestorven. Waren deze onduidelijke woorden een dreigement, of een verzoek om bescherming?

Toen ik de volgende ochtend het oude huis binnenstapte, zat oma kaarsrecht in de groene pluchen stoel. Ze had haar nachthemd nog aan en staarde naar de deur, haar blauwe ogen ijskoud en haar gezicht lijkbleek. Zo gauw ik een voet over de drempel had gezet, vroeg ze: 'Heb je 't al gehoord?'

'Wat, oma?'

'Peggy. Peggy is dood. Attaway belde me vanmorgen vanuit het kantoor van de sheriff.'

Ik dacht opeens aan Doris en haar slaappillen en aan mijn belofte aan Quintus, en een enorm schuldgevoel overspoelde me.

'Heeft ze zelfmoord gepleegd?' vroeg ik lukraak.

Oma staarde me aan. 'Zelfmoord?'

'Peggy. Quintus zei dat ze depressief was –'

'Ze heeft een ongeluk gehad met haar auto. Gisteravond, op weg naar Richmond. Ze ging naar Quintus, op het kermisterrein en is uit die bocht in Winneck Road gevlogen. Ze proberen Quintus al de hele morgen te bereiken.'

Mijn eerste – onvergeeflijke – reactie was er een van opluchting; ik was niet verantwoordelijk voor Peggy's dood, ze had niet uit wanhoop zelfmoord gepleegd terwijl ik genoeglijk tegen mijn man aan kroop in ons eigen, warme bed. Direct daarna dacht ik aan Quintus, in mijn keuken, die verdrietig zei: 'Ze heeft van die buien, dan zit ze maar en staart voor zich uit en wast haar haren niet, en eet niet.' Quintus, met zijn blauwe ogen onzeker onder zijn dikke bos blond haar en zijn handen plat op de tafel. Quintus, die niets liever wilde dan Peggy gelukkig maken, en al zijn centen opzijzette om een huis voor haar te kunnen bouwen.

'Hoe gaat het nu verder?' vroeg ik.

'Hij probeert ervoor te zorgen dat vrouw Morris de begrafenis regelt.'

'Quintus?'

'Tuurlijk niet. Hij is nog niet terug van de show. Attaway is ermee bezig. Hij heeft haar het laatst gezien.'

Ik liep werktuiglijk langs haar heen, naar de koelkast. 'Wat wilt u eten, oma?'

Ze gaf geen antwoord. Ik draaide mijn hoofd om. Haar vingers groeven in de dikke bekleding van de armleuningen.

'Oma?'

'Waarom vroeg je dat?'

'Wat?'

'Of ze zelfmoord gepleegd had?'

'Ach, oma, zo maar. Hebt u zin in eieren?'

'Oké.'

'Geklutst? Gebakken?'

Ze antwoordde niet. Ze bleef in de stoel zitten en staarde uit het raam. Ik moest haar drie keer aanspreken voor ze overeind kwam en naar de tafel strompelde.

De ochtend ging als in een waas voorbij. Ik stal een ogenblikje om Thomas te bellen, halverwege de ochtend, terwijl oma op haar gemak naar de wc ging. De telefoon in de kerk rinkelde onbeantwoord; de kleine auto stond niet meer in de tuin van het pachtershuis.

Rond het middaguur kwam Attaway het trapje opgestommeld, toen ik bezig was koekjes uit te steken op het aanrechtblad. Hij droeg een schone, gestreepte vlinderdas en was onberispelijk geschoren. Ik kreeg in mijn hoofd een vervelend beeld van Attaway, die, gewekt door het telefoontje dat iedereen vreest, zich voor de spiegel fluitend staat te scheren. Ik kon haast niet geloven dat er geen spoortje van de tragedie was achtergebleven op zijn verweerde gezicht.

'Zo', zei Attaway, terwijl hij op de bank ging zitten, 'we hebben Quintus gevonden. Had zichzelf opgesloten in een of ander klein motel buiten Laburnum en had geen telefoonnummer achtergelaten. Volgens mij heeft hij Peggy wel gebeld. Hij bleef maar zeggen: "Maar ik heb net nog met haar gepraat. Ik heb net nog met haar gepraat." Alsof dat haar weer tot leven kon wekken.'

'Wanneer is de begrafenis?' vroeg oma.

'Dat heb ik aan vrouw Morris overgelaten. Ze kwam net toen ik wegging en maakte een enorme scène. Jimmy White is op vakantie, daarom ruimt Emory Watkins het wrak op. Hij liet een paar monteurs de auto helemaal binnenstebuiten keren. Hij moet ook brood op de plank hebben, zullen we maar zeggen. Hij liet me de auto even zien. Verfrommeld als een prop papier.'

Ik verzamelde de restjes deeg en sloeg ze plat tot een vierkant. Jimmy White, de sheriff van Little Croft, zou Attaway er onmiddellijk uitgezet hebben, maar Emory Watkins was jong en onzeker.

'Ze zal wel in slaap gevallen zijn', zei Attaway, terwijl hij Hond afwezig achter de oren krabde. 'Ze is van de weg afgereden in die grote bocht vlak voor Winnville. Recht tegen die oude boom. Het was knap laat om nog rond te rijden.'

'Amanda', zei oma kortaf, 'ben je daar klaar?'

Ik duwde de plaat met koekjes in de oven en veegde mijn handen af aan een theedoek. 'Ja, oma.'

'Wil je beginnen met dat achterste bloembed? Attaway kan de koekjes er wel uithalen als ze klaar zijn.'

'Oké', zei ik. Ik wilde oom Attaway vragen waarom Peggy midden in de nacht op weg was gegaan naar Richmond, terwijl Quintus pas 's middags weer naar huis zou gaan. Maar oma's stem had onmiskenbaar de klank van een bevel. Ik ging de achterdeur uit en voelde Attaways ogen in mijn rug.

De bloembedden waren een wirwar van onkruid en wilde planten, maar ik kon mijn gedachten er niet bijhouden. Ik zag telkens Quintus voor me, die het slechtste nieuws dat je kunt krijgen van Attaway hoort – Attaway die hem haatte. De zon brandde op mijn nek.

Na een halfuur hoorde ik de motor van Attaways auto starten; het geluid stierf weg over de lange zandweg. Oma kwam naar buiten en installeerde zich op het trapje om mijn vorderingen gade te slaan. Hond waggelde achter haar aan naar buiten en ging liggen slapen op een stukje gras in de zon.

'Wil je wat eten?' vroeg oma tenslotte.

Ik schudde mijn hoofd.

'Heeft oom Attaway gezegd waar Quintus is?'

'Bij vrouw Morris. Ze gingen naar de priester van Northend om te praten over de begrafenis.'

Ik groef een kluwen munt uit; de uitlopers groeiden dwars door de duizendschoon.

'Oma', zei ik, 'wat was Peggy voor iemand?'

'Heb je haar nooit ontmoet?'

'Ik heb haar een of twee keer gezien. Dat is alles.'

'Margaret Morris', zei oma.

'Wat?'

'Margaret Morris was haar echte naam. Maar iedereen noemde haar Peggy. Niemand sprak haar ooit met haar volledige naam aan.'

'Waar heeft hij haar ontmoet?'

'Op Attaways boerderij. Ze zat op een of andere chique school in Richmond en moest met een paar klasgenoten iets schrijven voor de schoolkrant. Ze kwamen een bezoek brengen aan Little Croft om te schrijven over het leven op het platteland.' In haar stem klonk diepe minachting door. 'Dus daar kwamen ze, een dag boer spelen. Ze joegen achter de kippen aan en gilden en toen kwam Quintus de hoek om, met zijn blauwe ogen en blonde haar. Ze viel als een blok voor hem. Haar moeder schopte een rel, maar Quintus bleek uiteindelijk sterker dan vrouw Morris.'

'En Peggy?'

'Dat was een mooi meisje', zei oma, met haar stok in een oprukkende pol gras porrend. Ze leek zich alweer hersteld te hebben van het nieuws; haar tanige, oude gezicht stond onbewogen en haar handen beefden niet meer. 'Trek dit eruit voordat het tussen mijn anjers kruipt. Mooi, maar een dolende ziel. Ze leek een stofje in de wind. Ze waaide heen en weer, draaide wat rond, hing dan hier, dan daar, tot ze trouwden en Quintus haar wat ruggengraat gaf. Trotseerde toen zelfs Attaway.'

'Mocht die haar niet?'

'Attaway verafschuwde alles wat Quintus zei of deed. Hij zou haar best aardig gevonden hebben als een andere Fowlerand met haar getrouwd was. Maar hij joeg haar altijd op stang.' Haar stem stierf weg.

Ik groef de wortels van het plukje gras uit. Het klampte zich vast aan de grond en bood weerstand aan mijn vingers. Na een poosje vroeg ik: 'Heeft Attaway haar gisteravond nog gesproken?'

'Hij zei dat hij wat wild mee naar huis genomen had, om een uur of negen, en dat ze de keuken aan het opruimen was en in zichzelf stond te zingen.'

Een plotselinge huivering ging door me heen. Ik schudde die geërgerd af en zei: 'Ik dacht dat hij haar niet mocht.'

'Dat kan wel wezen', zei oma. 'Maar ze kookte voor hem sinds zij en Quintus daar woonden. Hij zei dat ze bezig was het vlees in te vriezen toen hij wegging. En toen belde Emory Watkins hem om te vragen waar Quintus was omdat hij bij de boom stond waar Peggy's auto omheen gevouwen zat.'

Ik ging voorzichtig verder met het bevrijden van de wortels van de anjers, die overwoekerd waren door gras, en vroeg me af of Peggy misschien gedronken had. Ik keek op om het oma te vragen en betrapte haar terwijl ze over de Chickahominy staarde. Haar onbewogen masker was gebarsten, er stonden diepe voren in haar gezicht en haar handen waren wit bij de nagels en knokkels. Haar verdriet was zo duidelijk als de scherpe geur van munt die oprees uit de warme aarde onder mijn handen.

'Oma', zei ik voorzichtig, 'wat is er?'

Oma schudde haar hoofd. 'Ik had nooit gedacht dat ze zelfmoord zou plegen', zei ze tenslotte, zo zacht dat ik het haast niet kon verstaan.

'Oma, zo bedoelde ik het niet. Ik dacht gewoon aan Doris, verder niets. Ik heb Thomas gisteravond alle familieverhalen verteld en Giddy zei dat Doris misschien zelfmoord gepleegd had... En Peggy's dood lijkt er een beetje op.'

'Hoe dan?'

'Nou... hun mannen waren 's nachts niet thuis en niemand weet precies wat er gebeurd is.'

Oma zei niets. Ik keek naar haar op. Ze ontweek mijn blik. Ze plantte haar stok in de grond en hees zichzelf overeind aan de smeedijzeren trapleuning.

'Ik dacht dat je zou zeggen dat Attaway bij hen allebei was geweest, vlak voor ze stierven', zei ze. Ze strompelde naar binnen. Ik klopte mijn handen af en ging haar achterna; maar tegen de tijd dat ik in de keuken was, had ze zichzelf al opgesloten in de wc.

'Ik heb wat last van de chocoladetaart', klonk de oude stem door de deur. 'Ik zit hier wel een poosje. Doe mijn lakens voor me in de wasmachine en ga op huis aan.'

Ik haalde het bed af, sleepte het beddengoed naar de wasmachine in de kelder en deed schone lakens op het bed. Toen ik klaar was, zat ze nog steeds op de wc.

'Oma?' riep ik. 'Ik ga naar huis.'

'Joe.' Het was even stil. 'Mandy?'

'Ja?'

Weer een stilte.

'Niks', klonk oma's stem tenslotte.

Ik had inmiddels een vreselijke hoofdpijn. Quintus' gezicht kwelde me; voortdurend hoorde ik Peggy's heldere, zachte stem op het antwoordapparaat, die me verzekerde dat ze me zou terugbellen. Ik was niet in de stemming om een spelletje te spelen met oma Cora.

Ik gilde terug: 'Ik ga nu, oma.'

'Blijf nog even', beval oma van achter de deur. Ik bleef staan met mijn hand op de deurknop. Na een poos zei ze: 'Laat maar.'

'Ik ga', zei ik. Ik deed de deur stevig achter me dicht en liep naar huis. De late zon werd weerspiegeld in de ramen en schilderde er vlammen op. Ik versnelde mijn pas. Thomas was thuis; ik kon hem op de oever van de rivier zien staan, kijkend naar de voorbijvarende boten. Hij draaide zich om en zei: 'Amanda!' met de vertrouwde vreugde in zijn stem.

Ik sloeg mijn armen om hem heen. Hij rook naar zeep en scheerschuim en een beetje naar koffie. Hij kuste me op mijn hoofd en vroeg: 'Wat is er?'

Ik vertelde hem, in onsamenhangende zinnen, over Peggy's dood en Quintus' ongeloof. Thomas legde zijn arm steviger om me heen.

'Arme Quintus', zei hij. 'Om je geliefde zo plotseling te verliezen…'

Ik legde mijn wang tegen zijn borst en hoorde de geruststellende hartslag. Onder mijn woorden ging een sterk gevoel van onbehaaglijkheid schuil; het had iets te maken met Attaway, zo koud en vreemd voldaan. We stonden daar een hele poos stil, terwijl op de rivier de boten voorbij ronkten en de zon langzaam achter de pijnbomen zakte.

Negen

De begrafenis van Peggy vond vrijdagochtend om elf uur plaats. Tegen tienen liepen Thomas en ik in stemmige kledij naar het oude huis. Er dreigde regen in de verte; de lucht was bedekt met wolken met een grijze rand.

Ik liet Thomas bij oma's auto achter en ging het huis binnen. Op mijn kloppen kwam oma Cora uit haar kleine slaapkamer tevoorschijn in haar begrafenisoutfit: een zwarte, polyester jurk en haar hoed voor plechtige gelegenheden: een zwarte bol met een corsage van kunstviooltjes op de rand. Onder de zoom van haar rok puilden haar enkels over modderige canvas schoenen.

Ik ging naar binnen en deed de hordeur achter me dicht.

'Oma', zei ik, 'heeft u geen andere schoenen?'

'Mijn voeten waren vanmorgen zo gezwollen dat ik ze alleen maar in mijn tuinschoenen kon krijgen.'

'Laat mij ze dan in ieder geval schoonmaken.'

'We gaan naar buiten. Op de begraafplaats ligt modder. Ze zijn alweer vies tegen de tijd dat we bij het graf zijn. Hier.' Ze gaf me de sleutels van haar marineblauwe Ford Granada, een oud barrel waarin twee keer per maand gereden werd. 'En stop Hond in de kelder voor we gaan.'

'Vindt u het goed dat Thomas met ons meerijdt?'

'Hij gaat z'n gang maar. Hier, mijn paraplu.'

'Hebt u geen zwarte paraplu?'

'Deze is het grootst, dus die neem ik mee. Hier.'

Ik pakte de paraplu aan, waarop in grote, paarse letters 'CLYDES ZADEN' stond, joeg Hond de kelder in en hielp oma het trapje af. Thomas stond in zijn onberispelijke zwarte pak te wachten bij de auto. Ik verwachtte een kritische opmerking van oma, maar ze vouwde haar oude handen in haar schoot en we reden in betrekkelijke rust naar de begrafenis.

De begrafenis van Peggy Fowlerand zou plaatsvinden in de katholieke kerk van Northend, aan de andere kant van het graafschap. Alleen de kerk had de Burgeroorlog overleefd, de rest van het plaatsje was in vlammen opgegaan. Het kleine kerkgebouw, opgetrokken uit grijze steen, was een van de oudste in een graafschap vol oude gebouwen. De graven lagen op een helling, onder een pas geploegd stuk land. De begrafenisvereniging had een overkapping gemaakt en een groen tapijt over de hoop zand naast het graf gelegd.

We stapten oma's auto uit en liepen naar de overkapping. Familieleden van de Fowlerands hadden bijna alle klapstoelen al bezet. Het waren, vreemd genoeg, bijna allemaal mannen. Attaway droeg een blauw pak met een gele vlinderdas. Hij was blootshoofds, zijn gezicht stond onbeweeglijk, zijn handen waren stevig over zijn wandelstok gevouwen.

Quintus zat naast hem. Ik had hem twee keer gebeld en Thomas was woensdags naar de boerderij van de Fowlerands gereden, maar hij weigerde met iemand te praten. Hij had de drie dagen na Peggy's dood helemaal alleen doorgebracht. Hij was zichtbaar magerder en hij staarde zonder iets te zien voor zich uit.

'Wie is dat?' mompelde Thomas. Ik keek langs zijn onopvallend wijzende vinger. Een kleine, goedgeklede vrouw van een jaar of zestig zat kaarsrecht aan het eind van een rij; ze droeg een zwarte hoed en witte handschoenen en hield een lakleren tas vast. Ze had het gezicht van een porseleinen pop, was onberispelijk opgemaakt en haar lichtgrijze haar lag in keurige krullen om haar mooi gevormde hoofd.

'Dat is Quintus' schoonmoeder', zei ik zacht. 'Mevrouw Morris.'

'Laten we op de achterste rij gaan zitten', zei oma wijzend. 'Kijk, daar heb je Giddy. Ik zei nog dat hij mij moest brengen, maar hij zat zich buiten op te winden over die verrekte bosmarmotten. Hij zei dat hij er niet bij weg wilde. Hij was zeker eerder klaar dan hij dacht.'

Ik keek rond en zag oom Giddy. Hij stond stuurs een sigaret te roken naast het kerkhof. Giddy kwam, om een of andere onduidelijke reden, nooit in de buurt van een kerk. We begonnen ons een weg te banen door de groep inwoners van Little Croft. Ik kon de priester van Northend zijn keel horen schrapen vanaf zijn plek naast de kist.

'De Heer is mijn herder; mij ontbreekt…'

Oma ging verder, hardop: 'Giddy dacht dat hij een moeder met twee jonkies zag, en die lopen langzaam, dus hij zei dat hij ze zonder al te veel moeite kon raken.'

Ik kromp ineen. De priester droeg onverstoorbaar voor: 'Hij voert mij aan rustige wateren…'

'Maar ze gingen toch sneller dan hij dacht en hij raakte ze kwijt. Hm, ik zie dat Attaway ook is komen opdagen. Hij zei dat hij waarschijnlijk thuis zou blijven.'

Ze liet zichzelf met een zucht van verlichting op een stoel op de achterste rij zakken. Ik ving de gelaten blik van meneer Adkins, de bejaarde, zwarte eigenaar van de begrafenisonderneming. Hij stond op zijn vaste plek aan de rand van de overkapping. Hij zou oma Cora niet tot stilte manen; zijn grootmoeder was slavin geweest en de Scarboroughs hadden gevochten voor de Confederatie. Ik trok een verontschuldigend gezicht en hij neeg zijn hoofd een beetje.

Oma merkte op: 'Ik wist niet dat ze Adkins gebruikten. 'k Dacht dat vrouw Morris niet van zwarten hield.'

Thomas mompelde: 'De priester is al begonnen, mevrouw Scarborough.'

'Ben niet doof, hoor', zei oma stekelig.

De priester verhief zijn stem. 'Hij leidt mij in de rechte sporen…'

Ik ging gehaast zitten om minder op te vallen. Thomas ging

op de stoel naast me zitten. Oma bedaarde en we konden de rest van de dienst tamelijk rustig zitten luisteren. Halverwege het laatste gebed begon ze lawaaiig in haar tas te rommelen. Ik gluurde door mijn vingers naar haar. Snoeppapiertjes ritselden, kleingeld rammelde, verfrommelde papieren zakdoekjes verschenen en verdwenen weer.

'Amen', zei de priester tenslotte.

'Thomas', fluisterde oma hard, 'ik heb iets voor je.'

Voor ons gingen de Fowlerands staan voor de zegen. Quintus kwam langzaam overeind, zijn magere schouders hingen af onder zijn colbert. Attaway legde een hand op zijn arm en Quintus bewoog alsof hij een schok kreeg. Hij duwde Attaways hand weg, baande zich een weg door de rij stoelen en liep wezenloos over het kerkhof. Hij struikelde over een scheefstaande steen, veranderde van richting en verdween door een gat in de oude muur, tussen de bomen die de begraafplaats omzoomden.

De priester beëindigde de zegen terwijl de hoofden van al zijn toehoorders op de vluchtende Quintus gericht waren. De troep Fowlerands onder de overkapping schuifelde wat en ging ongemakkelijk bij elkaar staan. Oma hees zichzelf overeind.

'Kijk 'ns', zei ze. 'Dit vond ik onder in een la. Ik dacht dat jij die misschien wel wou zien.'

Ze duwde een beduusde Thomas een stapel verkreukelde rechthoeken in handen; oude foto's, bruin en bij de hoeken afgebrokkeld.

'Ah', zei Thomas. 'Dank u wel.'

'Wacht even. Ik heb nog meer.' Oma schudde de tas ongeduldig heen en weer.

Attaway leunde op de knop van zijn wandelstok en keek naar de bomen waartussen Quintus verdwenen was. Zijn gezicht was een en al minachting. Hij draaide zich om toen hij oma's stem hoorde en zijn lichte, blauwe ogen vestigden zich op haar zwarte tas. Hij liep moeizaam haar kant op en bleef op een halve meter van haar staan.

'Wat is dat?'

Oma Cora legde nog een foto boven op de stapel in Thomas'

hand. 'Dat is Doris', zei ze tegen Thomas. 'Doris. Attaways vrouw.'

Attaways ogen schoten naar de foto. Doris, in verbleekt bruin en wit, stond voor een wit houten huis; ze droeg een geruit schort met ruches. Ze zag er jong en onschuldig uit, haar lippen weken een beetje uiteen. Ze had een lief gezicht, mooi, maar niet erg levendig.

Attaway siste: 'Waar ben je mee bezig, Cora?'

'Mijn laden opruimen.' Oma keek weg, ze weigerde haar broers blik te beantwoorden. Attaway stampte vinnig met zijn stok op de grond en strompelde bij het graf vandaan.

'Hij praat niet graag over Doris', zei oma.

'Waarom niet?' vroeg Thomas.

'Vanwege de manier waarop ze gestorven is.' Oma knipte haar tas dicht en tot mijn verbazing zag ik haar oude handen beven.

'Weet je', zei Thomas, 'op het seminarie vertellen ze je niets over dit soort dingen. Strijden tegen demonen lijkt me een stuk makkelijker dan het hoofd bieden aan je oma en je oudoom en zijn zwager en alle doden die ze om zich heen verzameld hebben.'

Een onweersbui was in de schemering aan komen rollen. We zaten in onze lichte, kleine keuken terwijl de regen langs de donkere ramen naar beneden stroomde en de verlichting bij elke windvlaag flikkerde. Thomas had zich direct na de begrafenis verontschuldigd omdat hij aan zijn preek moest werken. Ik had oma naar Attaways huis gebracht en was tussen de Fowlerands beland. Alle Fowlerands en aangetrouwde familie uit het graafschap hadden daar de middag doorgebracht, etend en drinkend en vooral niet over Quintus en Peggy pratend. Tegen de tijd dat ik naar huis ging, kon ik niets creatievers verzinnen voor het avondeten dan tosti's.

Dus aten we tosti's, schoven onze borden aan de kant en spreidden de oude foto's van oma op de tafel uit. Ze had de namen met potlood op de achterkant geschreven.

'Doris op de oude Fowlerandboerderij', las Thomas hardop.

'Attaways vrouw, de oudere zus van Matthew Humberston.'

'O, ja', zei Thomas, 'het groene blaadje van die oude bok.' Hij bekeek de foto aandachtig, hield hem schuin in het licht. Doris stond in haar schort op de veranda van de oude Fowlerandboerderij. Zonlicht viel op haar gladde, donkere haar en de planken glommen wit en schoon onder haar voeten. Ik schoof een andere foto naar hem toe.

'Kijk, Quintus en Peggy, op hun bruiloft.'

'Moet wel erfelijk zijn', zei Thomas, zijn blik richtend op Peggy's ronde, onvolwassen gezicht, gehuld in een heleboel witte tule.

'Zij was achttien en hij achtentwintig. Dit is oma, toen ze jong was – o, kijk, Thomas, dit zijn mijn moeder en tante Winnie, die nu in North Carolina woont, en oom Giddy…'

Achterop stond: *Ik met de kinderen, 1948.* De hoeken van de foto verkruimelden tot zwart stof. Oma Cora zat op een rieten stoel, slank en glimlachend, haar donkere hoofd gebogen over een mollige, blonde baby op haar schoot: mijn moeder op tweejarige leeftijd. Haar oudere zus Winnie stond naast haar, slank en ernstig, met blonde pijpenkrullen. Giddy, toen zeven, had zijn arm over de rugleuning van zijn moeders stoel gelegd. Een blond kind van vier leunde tegen Giddy's beschermende arm.

'Wie is dat?' vroeg Thomas.

'Het jongetje tussen Giddy en mijn moeder. Hij heette Stephen. Mijn oudste broer is naar hem genoemd. Hij gooide een ketel kokend water over zich heen toen hij vijf was. Dat was, volgens mij, in 1949.'

'Moet je zien hoe blond hij is.'

'Mijn opa was zo blond dat zijn haar wit leek op foto's. Hier staat hij op.' Achterop stond geschreven: *Nathaniel Scarborough en Matthew Humberston na de jacht.* Ik herinnerde me mijn opa nauwelijks meer. Hij was halverwege de veertig op deze foto, en stond naast een hert dat aan een touw hing. Hij was een knappe man met een goed figuur; een lok blond haar viel over zijn voorhoofd en op zijn gezicht lag een triomfantelijke grijns. Aan de andere kant van het beest stond een slanke, donkere jongen stuurs te kijken.

'Ze mogen elkaar niet echt, hè? En wie is dit, in dat sheriff-uniform?'

'Oom Giddy. Hij is jarenlang hulpsheriff geweest.'

'Wie staat er naast hem?'

'Oom Attaway, die was toen een jaar of veertig.'

'Knappe vent', zei Thomas.

Ik wierp nog een blik op de foto. Veertig jaar geleden had oom Attaway donker haar, een haviksneus en brede, rechte schouders. Giddy was nog een tiener en het nieuwe uniform slobberde om zijn smalle borst. Thomas boog zich over de volgende foto.

'Hier, Peggy en Quintus nog een keer. In kleur, ditmaal.'

'Dat is nog maar een jaar geleden of zo', zei ik. Ze stonden op de aanlegplaats van de Fowlerands, de houten steiger die van Fowlerand Landing de Chickahominy inliep. Quintus' blonde en Peggy's donkere hoofd waren vlak bij elkaar; hij lachte en zij keek naar hem op met een blik van onvervalste adoratie.

'Mm', zei Thomas. Op de achterkant van de laatste foto stond alleen maar: *1955*. Ik draaide hem om. Het was een oud, zwart-wit familieportret. Nathaniel Scarborough, mijn opa, stond met zijn arm om de schouders van zijn vrouw. Haar gezicht was een beetje van hem afgekeerd en de pezen in haar hals waren zichtbaar. Mijn moeder, negen jaar oud, leunde tegen haar hand. Giddy en Winnie, veertien en zestien jaar, stonden achter hun vader. Winnie glimlachte, maar Giddy keek naar Nathaniel Scarborough met een gereserveerde blik in zijn ogen.

'Je oma wil niet dat hij haar aanraakt', zei Thomas, terwijl hij het plaatje aandachtig bekeek. Hij had gelijk; haar weerzin was duidelijk zichtbaar. Thomas legde de foto's voor zich neer, een tapijt van rechthoeken, de levenden en de doden.

'Je oma en Giddy leven nog', zei hij. 'Je opa –'

'Hartaanval. Spek en sigaren.'

'Waarom ergerde Attaway zich aan je oma toen ze met deze foto's voor de dag kwam?'

'Hij houdt er niet van om over Doris te praten.'

'Nee, maar waarom niet?'

'Omdat hij van haar hield?'

'Tja', zei Thomas, 'zou kunnen. En waarom vindt je oma het zo belangrijk dat ik al deze foto's van overleden mensen krijg?'

'Geen idee.'

Hij schoof de foto's op een hoop en maakte er een keurig stapeltje van. 'Als je het een beetje onopvallend ter sprake kunt brengen', zei hij, 'zou je dan willen uitvissen wat er met Doris gebeurd is?'

'Hoezo?'

'Omdat je oma's handen trillen als ze over haar praat. Ik wil gewoon graag weten waarom dat zo is.'

Ik boog mijn hoofd en volgde met mijn ogen de rand van de foto die voor me lag. Thomas had vier jaar lang bij de All-Saints-kerk gewerkt terwijl hij zijn studie theologie afmaakte, één cursus per semester. Hij was met goede cijfers afgestudeerd, had een uitstekend cv en geen schulden. Hij had kunnen solliciteren bij elke kerk in elke stad; maar hij had ervoor gekozen met mij mee te gaan. Hij legde zijn handen op de mijne.

'Amanda', zei hij.

'Ik hoopte dat alles nog net zo was als ik me herinnerde', zei ik, terwijl ik mijn handen, onder de zijne, tot vuisten balde.

'Ik mis je ouders ook', zei Thomas. 'Maar we hebben nog steeds familie hier. Ze zijn niet precies zoals ik me had voorgesteld, maar dat geeft niet. Ik moet gewoon… wennen, dat is alles.'

Ik bracht zijn hand naar mijn lippen en kuste die. 'Nou ja', zei ik, 'er is één troost. Je hebt ze allemaal al van hun slechtste kant gezien.'

Tien

Ik werd vroeg wakker, onze tweede zondag in Little Croft. Thomas was naar de kerk en van de boerderij kwam geen enkel geluid. Ik deed mijn ochtendjas aan en liep met mijn koffie naar de achterveranda. De zon stond half boven de donkere zoom van naaldbomen en goudgeel licht overspoelde de tuin van het pachtershuis.

Iedereen heeft een beeld in zijn hoofd van een mooie plek waar het leven is zoals het zou moeten zijn. Voor mij was die plek altijd Little Croft geweest; niet het Little Croft van de Fowlerands en Scarboroughs, maar een plaats waar de schoonheid van het landschap een voorproefje bood van iets veel mooiers. Ik verlangde niet alleen naar het Little Croft waar ik van hield, maar naar het Little Croft zoals het bedoeld was. Een plek zonder verval, zonder zonde, zonder dood; een gebied waar God 's ochtends kon wandelen. Die werkelijkheid was bijna tastbaar in elke heuvel, achter iedere grote boom, in elke schaduw. Het krijsen van de haviken in de verte was het geluid van land dat erom schreeuwde opnieuw geboren te worden. Ik klampte me vast aan die voorproefjes; schaduwen die echter waren dan de zon die ze vormde. Ik stond op de veranda en bad voor Thomas en de ochtenddienst en de gemeenteleden van Little Croft; allemaal hield ik ze omhoog voor God, die net buiten ons gezichtsveld toefde, en smeekte: maak uw aanwezigheid kenbaar.

De gemeenteleden van vorige week waren teruggekomen om de tweede aflevering over Lucas te horen en er waren ook nieuwe mensen. Matthew zat achterin. Matt hing naast hem en staarde naar zijn schoenen. Ida Scarborough zat de hele preek te stralen, met haar handen gevouwen rond haar omvangrijke buik. Ambrose zat naast haar zenuwachtig te draaien. Hij had een zorgelijke uitdrukking op zijn ronde, gladde gezicht; het zag er merkwaardig uit, als een woedend gezicht dat op een ballon getekend is.

John Whitworth viel in slaap, halverwege Thomas' derde punt. Ik zat precies achter hem. Hij zat onopvallend te slapen tot vlak voor de zegen. Toen snurkte hij ongelukkigerwijs en Amelia porde met haar elleboog tussen zijn ribben. Hij werd wakker en zat meteen rechtop.

'Ik sliep niet!' klaagde hij, zo hard dat een paar hoofden zich omdraaiden.

'Laten we gaan staan voor de zegen', zei Thomas.

De Little-Crofters kwamen ritselend overeind. Ik probeerde niet te giechelen terwijl ik naar de deur liep. Op de achterste rij zag ik twee nieuwe gezinnen: een jonge man, breedgeschouderd en met een rood gezicht, met een slanke, donkere vrouw; en een kaarsrechte, grijzende man met een vrouw die op een kussen zat en vier ernstige kinderen.

Thomas en ik stonden samen bij de deur handen te schudden terwijl de gemeente in een rij de kerk uitliep. De grijzende man duwde zijn vier kinderen naar buiten. Zijn vrouw volgde gedwee. Hij pakte Thomas' hand stevig vast.

'Kent u me nog?' vroeg hij. 'U bent afgelopen week bij ons langs geweest. George Rainey. Dit is mijn gezin. Mijn vrouw. U verkondigt het Woord, jongeman, maar u gebruikt het niet.'

'Wat zegt u?'

'Het Woord. Het Woord van God voor de mensen die Engels spreken.'

Ik groette iemand anders, in de hoop dat meneer Rainey zou doorlopen.

Thomas zei: 'Ah, u bedoelt de King-Jamesvertaling. Ja. Ik heb besloten een modernere vertaling te gebruiken. Die is gemakkelijker te begrijpen en op veel punten juister. Als u het eens wilt komen bespreken...'

'Bespreken?' zei George Rainey verbolgen. 'Besprak de apostel Paulus zijn brieven? Bespraken de profeten de boodschap die God hun gaf? Nee, dominee. Je bespreekt het Woord niet. Het Woord regeert je.'

De vier kinderen – allemaal jongens, variërend in leeftijd van drie tot twaalf – staarden Thomas met wijd open ogen aan.

Thomas zei: 'Daar ben ik het helemaal mee eens, meneer Rainey. Maar de hele kwestie van vertaling –'

''t Is geen kwestie van vertaling', zei George Rainey. ''t Is een zaak van gehoorzaamheid. We komen volgende week weer en dan zullen we zien of u Gods oproep hebt beantwoord. Hopelijk wel. Leuke kerk, dit. We zouden hier graag bij horen. We gaan, jongens.'

De kinderen liepen in ganzenpas achter hem aan en mevrouw Rainey sloot de rij. Thomas grijnsde naar me achter zijn hand, hij deed net alsof hij gaapte. Meneer Whitworth sukkelde schaapachtig voorbij, onder de strenge leiding van zijn vrouw. Ambrose Scarborough liep achter hem. Hij boog voorover en zei zacht: 'Kan ik deze week langskomen? Even praten?'

'Natuurlijk', zei Thomas. 'Ik ben de meeste ochtenden in mijn kantoor.'

'Oké. Ik kom wel binnenvallen, later in de week.' Ambrose haastte zich over de drempel. Thomas keek hem na, een rimpel tussen zijn ogen.

De jonge man met het rode gezicht en de slanke vrouw liepen bijna aan het eind van de stoet. 'Joe Morehead', zei hij, terwijl hij zijn hand uitstak. 'Mijn vrouw Jenny. We waren vorige week weg, maar we hebben een cadeautje meegegeven voor u.'

Thomas schudde hun handen, de rimpel werd een beetje minder dik.

'Ik weet het nog – de Chinese spullen', zei ik. 'Die vielen op. Ik vroeg me al af wie jullie waren.'

'Ik verwachtte dat iedereen bakvet en conservenblikken zou geven', zei Jenny Morehead luchtig. Ze was knap en had zich onopvallend maar geraffineerd opgemaakt; ik benijdde haar om het dikke, glanzende haar. Ik nodigde hen impulsief uit om een keer te komen eten; ze keken elkaar aan en stemden toe. Joe had een klein loonbedrijf in Williamsburg; Jenny werkte als verpleegkundige in Richmond. Het was het eerste stel van onze leeftijd dat we in Little Croft ontmoetten. We spraken af voor vrijdagavond.

'Tot dan', zei Jenny. Ze glimlachte over haar schouder naar ons toen ze wegliepen.

De kerk zag er rommelig uit, als altijd na de dienst. Op de vloer lagen her en der mededelingenblaadjes en iemand had op de achterste rij een cracker verkruimeld. Ik legde mijn arm om Thomas' middel en zei: 'Je bent huis-aan-huis bij mensen langs geweest deze week, hè?'

'Woensdag, inderdaad.'

'Lijkt te werken.'

'Ik ben op bezoek geweest bij de familie Rainey', zei Thomas en rolde met zijn ogen. 'Ik was nog niet aan de Moreheads toegekomen.'

'Wat wil Ambrose?'

'Geen idee.' We liepen naar buiten, de veranda op, om de auto's de parkeerplaats af te zien rijden. Thomas vroeg na een tijdje: 'Heb je Matt gezien, op de achterste rij?'

'Ja.'

'Hij zit in de problemen. Ik heb vaker die blik in de ogen van een jongere gezien.'

'Dat zou niet de eerste keer zijn.'

'Wat heeft hij uitgespookt?'

'Toen hij op de middelbare school zat, is hij opgepakt omdat hij rondreed in een gestolen auto en brievenbussen kapotsloeg met een moker. Hij werd beschuldigd van wel zeven overtredingen, maar na ongeveer een week was de aanklacht tegen hem als sneeuw voor de zon verdwenen.'

'En toen?'

'In mijn eerste jaar aan de universiteit sloeg hij een van mijn neven in elkaar – Pierman Fowlerand, die tien jaar ouder was dan hij maar bijna een kop kleiner. Pierman had twintig hechtingen in zijn gezicht. Matt werd opgepakt, maar ook dat is met een sisser afgelopen.'

'Wat is dat met die politie hier?'

'Niets bijzonders. Pierman is er heengegaan en heeft verteld dat hij dronken was en de eerste klap uitgedeeld had en geen aangifte wilde doen. Twee week later had hij een nieuwe pick-up. Oom Attaway kreeg bijna een rolberoerte.'

'Heeft Matthew z'n zoon vrijgekocht?'

'Zeker weten.'

'Hij komt betrouwbaar over.'

'Dat is hij ook. Matt is zijn enige zoon.'

Ik was de hele woensdag bezig om oma Cora's kelder schoon te maken: ik haalde de glazen potten onder het spinrag vandaan en zette ze op de vloer, boende de planken waar ze opgestaan hadden en veegde dikke lagen stof van het glas. Tegen vijven, toen ik door het land terug sjokte, was ik warm en zweterig en had ik dorst, mijn haar zat onder het stof en mijn nagels hadden zwarte randen. Ik ging onder de douche en bleef daar totdat de geur van oma's kelder weggespoeld was.

Terwijl ik mijn haar droogde, hoorde ik Thomas' auto stoppen. Zijn voeten dreunden over de overloop richting de badkamerdeur. De deur ging met een zwaai open.

'Ik ben vandaag bij vier gezinnen geweest', zei hij triomfantelijk. 'En ik heb de lijst gekregen met dingen die aangepast moeten worden in het kerkgebouw, voor de speelzaal. En ik ben bijna klaar met mijn preek. En ik heb thee gedronken bij het vrouwenzendingscomité. Wat stinkt er zo op de achterveranda?'

'Daphne en Chelsea hebben een dode bosmarmot.'

'Grapje, zeker.'

'Echt waar. Die hebben ze van Quintus gekregen. Wees blij dat ze de vuilnisbakken van de buren niet aan het plunderen zijn.'

''t Is geen pretje als dat ding straks echt gaat stinken.'

'En, is Ambrose al bij je geweest?'

'In de namiddag.'

'Wat zat hem dwars?' Ik hing mijn handdoek over het handdoekenrek en begon me aan te kleden.

'Hij vertelde dat Attaway de hele gemeente doorgegaan is om te vragen hoe de mensen over me denken.'

'Waarom?'

Thomas trok mijn handdoek recht die kreukelig tegen de muur hing. 'Ambrose denkt dat het iets te maken heeft met Matthew Humberston', zei hij na een poosje. 'Matthew is al jaren een gezien persoon in de kerk. De gemeenteleden hebben niet veel op met Matt junior, maar ze mogen Matthew graag, ze hebben respect voor hem. Attaway wijst de mensen erop dat ik in het huis van zijn zus woon, op zijn advies, en dat ik getrouwd ben met zijn achternicht. En het stomme is, Attaway wordt er niet beter van. Matthew is razend en de anderen worden steeds nijdiger op Attaway, niet op mij of op Matthew. Je oudoom is hier niet echt geliefd.'

'Nee, ik weet het. Hij is huisjesmelker, om maar eens iets te noemen. Hij is de eigenaar van al die huizen aan Winneck Road en vraagt te veel huur.'

'Die krotten vlak voor de bocht?'

'Ja. Sommige hebben niet eens een wc binnen. De mensen die daar wonen, kunnen nergens anders heen.'

'Amanda, ik geloof dat ik je oudoom niet erg aardig vind.'

'Wat je ook van hem mag denken', zei ik, 'hij is niet dom en ook niet roekeloos. Ik wou dat ik wist wat hij van plan is.'

Vrijdagmiddag verliet ik oma's huis wat eerder dan normaal en reed naar Williamsburg om boodschappen te doen voor het avondeten. Ik had me uitgesloofd voor Joe en Jenny; ik was tot donderdagavond laat bezig geweest het huis op te ruimen. Ik had schilderijen opgehangen, boeken netjes neergezet en de laatste dozen uitgepakt. Het pachtershuis zag er knus en schilderachtig uit en Thomas had beloofd de achterveranda te boenen, waar de honden hadden liggen slapen.

Ik kwam thuis met een mand vol etenswaren van Williamsburgs betere versmarkt om op topsnelheid een diner in elkaar te draaien. Thomas was al thuis, hij was plichtsgetrouw bezig hondenhaar en aangekoekte modder van de geverfde planken te spoelen. Toen hij me zag, kwam hij binnen, veegde zijn handen af en volgde me naar de keuken.

'Wat is dat?'

'Lendenstuk. Ik heb ook stokbrood en fruitsalade en dat daar is chocoladetaart. Wil jij de tafel dekken?'

'Sjonge, het lijkt wel kerst.'

Hij pakte de borden en liep naar de woonkamer. Ik begon zaadjes uit de rode pepers te schrapen. Ik was net bezig groenten op mijn enige mooie schaal te rangschikken toen de bruine auto van de sheriff de zandweg kwam oprijden, rechtsaf sloeg bij de bocht en toen links onze tuin in.

Ik liep naar de achterdeur, ondertussen mijn handen afvegend. Thomas stond achter me en samen keken we hoe de sheriff van Little Croft de auto uitkwam: Jimmy White in hoogsteigen persoon, terug van vakantie.

'Goedenavond', riep ik.

'Hallo, Amanda', zei Jimmy White. 'Lang niet gezien. Dit is je man? Aangenaam, dominee Clement.'

Hij kwam het trapje op en schudde Thomas de hand. De twee mannen waren ongeveer even groot; Jimmy White was een grote, stevige man van een jaar of vijftig, zijn haar werd al grijs bij de slapen. Hij droeg geen uniform, zijn jasje en hoed hingen voor de achterruit van de bruine auto.

'Sorry dat ik jullie op dit tijdstip stoor', zei hij. 'Ik ben de stad uit geweest. Op bezoek bij mijn dochter op de universiteit. Een hoop gemist, niet dan? Kan ik even met je praten, Amanda?'

'Als u het niet erg vindt dat ik ondertussen eten kook. We krijgen bezoek.'

'Bezwaar, dominee?'

'Nee, natuurlijk niet.'

Hij volgde ons naar de keuken. James White was al vijftien jaar de sheriff van Little Croft en daarvoor was hij vijftien jaar hulpsheriff geweest. Hij was direct, doortastend en slim, heel anders dan de lijzige, blanke vervanger die dienst had toen Peggy stierf. Hij ging naar de zandweg staan kijken en dronk ondertussen een kop koffie. Ik sneed het fruit in stukjes. Thomas stond in de deuropening naar ons te kijken.

'Wij hebben vorig jaar een nieuwe dominee gekregen in Little Elam', zei Jimmy White. ''t Kan soms moeilijk zijn om er tussen te komen. Hoe gaat dat met jullie?'

'Deze plek is natuurlijk niet helemaal nieuw voor ons', zei ik.

'Nee, maar familie kan ook een probleem zijn, en jullie hebben nogal wat familie hier.' Hij zette zijn koffiekop op het aanrecht. 'Ik probeer een goed beeld te krijgen van Peggy's ongeluk. Ik heb al met Quintus gepraat. Hebben jullie hem nog gesproken?'

'Na de begrafenis niet meer.'

'Er komt niet veel zinnigs uit hem. Hij kan niet meer dan twee of drie woorden aan elkaar rijgen. Ik heb tegen hem gezegd dat 'ie naar de dokter moest gaan, maar ik vraag me af of hij dat zal doen. We missen je vader hier. In ieder geval heeft hij het bandje van het antwoordapparaat weten te redden. Peggy's stem staat erop. Attaway stond op het punt om iets anders op te nemen toen ik binnenkwam en Quintus pakte het van hem af. Hij zat in een hoekje en liet het niet meer los. Ik stuurde Attaway weg en liet Quintus het voor me afspelen. Er stonden een paar berichten van jou op.'

'Quintus vertelde me dat ze ontslag had genomen en depressief geworden was. Ik beloofde hem dat ik haar zou uitnodigen.'

'Maar dat heb je nooit gedaan.'

'Nee, ze belde nooit terug. Ik wilde haar weer bellen maar... dat ben ik vergeten.'

Ik verwachtte half en half dat Jimmy White me wat troost zou bieden, maar hij zat met zijn gedachten ergens anders.

'Dus je hebt niet meer met haar gepraat?' vroeg hij.

'Nee. Sorry.'

'Wat zei Quintus precies tegen je over haar gemoedstoestand?'

Ik ging in gedachten terug naar Quintus, die bij me aan de keukentafel zat, met dozen overal om ons heen. 'Hij zei: "Met Peggy gaat het wel goed, maar ze is niet echt gelukkig. Ze wil graag een baby en er is nog niets gebeurd." Daarna vertelde hij dat ze bij een paar specialisten was geweest en geopereerd was en toen zei hij: "Ze heeft vorige maand ontslag genomen. Ze heeft van die buien, dan zit ze maar en staart voor zich uit en wast haar haren niet en zegt niks en eet niet."'

'Oké', zei Jimmy White. 'Goed, ik ga 'ns naar boven, met je oma praten. Quintus zei dat hij daar vlak voor die tijd nog geweest is. Tot ziens.' Hij ging rechtop staan en hees werktuiglijk zijn broek op.

'Is er iets aan het ongeluk…'

'Ik probeer gewoon alles op een rijtje te krijgen', zei Jimmy White beleefd.

We liepen met hem mee de veranda op. Toen hij naar de auto liep, vroeg ik: 'Meneer White?'

'Ja?'

'Hoe hard reed ze toen ze van de weg af raakte?'

Hij stond wel een minuut stil met zijn hand op het portier. 'Ze reed in de bocht recht tegen die dikke, oude gomboom aan', zei hij tenslotte. 'Van de auto bleef alleen een hoop metaal over. Geen remsporen, maar we hebben de remmen onderzocht en die werkten prima. Ze zal iets harder dan zestig gereden hebben en geen moeite gedaan om haar voet op de rem te zetten. Goed weekend! En het beste met de kerk, dominee.'

Elf

Joe en Jenny kwamen een halfuur later. Ze hadden bloemen mee-genomen, maakten complimentjes over het eten en vertelden ver-halen over hun werk. Het was middernacht voor ze met tegenzin weggingen en beloofden dat we hen zondag zouden zien.

Toen ze weg waren, praatten Thomas en ik over Jimmy Whites bezoek. In de weken die volgden, wachtten we op nieuws over Peggy's ongeluk, maar we hoorden er niets meer over. Attaway bracht de avonden door in oma's woonkamer, luidruchtig klagend over Quintus, die zich had teruggetrokken uit het boerenbedrijf, net in de drukste periode. Oma Cora zweeg over Peggy's dood en Quintus zelf was uit het zicht verdwenen. Niemand nam de telefoon op bij de Fowlerands. Quintus bleef in zijn slaapkamer of ging naar de katholieke kerk om bij Peggy's graf te zitten. Att-away had Pierman en Roland aan het werk gezet en was zelf ook op het land. In overhemd met boordje en vlinderdas reed hij op de maaidorser, binnensmonds scheldend op zijn zoon.

Oktober vorderde en Matthew Humberston haalde zijn katoen binnen. De enorme witte balen lagen aan de kant van de weg met een dekzeil er overheen. Matt reed voor hem de vracht-wagens heen en weer. 's Ochtends zag ik hem vaak over Little Croft Road denderen, zijn pet over zijn ogen getrokken. Oom Giddy oogstte zijn maïs, plantte wintertarwe en zat 's morgens op oma's trapje aan de voorkant van het huis op bosmarmotten te mikken.

Thomas meldde de kerk aan bij de voedselbank en legde een voedselvoorraad aan. Hij zorgde ervoor dat Ida Scarborough gekozen werd als directeur van de peuterspeelzaal, die de volgende herfst open moest gaan. En trouw bezocht hij zijn gemeenteleden. De helft van de tijd merkte hij dat Attaway hem voor was geweest, zogenaamd onschuldige vragen had gesteld en duidelijk had gemaakt dat de nieuwe dominee op het terrein van de Fowlerands woonde.

Deze speldenprikken leken geen effect te sorteren, afgezien van de machteloze woede van Matthew Humberston. Matthew had een paar keer bij ons geluncht – Matt kwam nooit mee – en we waardeerden zijn gezelschap: hij was een intelligente man, vrijwel ongeletterd maar scherpzinnig en hij had een droog soort humor. Hij praatte nooit over zijn zoon. Thomas probeerde twee keer over de vete tussen de Fowlerands en Humberstons te praten, maar telkens werd Matthews gezicht strak en kleurden zijn ogen nog donkerder. De oude wrok was een schrijnende wond, te diep om door mensen geheeld te worden.

Ondanks al Thomas' inspanningen liep het aantal toehoorders terug. Een groeiend aantal gemeenteleden beschouwden we als onze vrienden; we zagen Joe en Jenny vaak, Ambrose en Ida bemoederden ons alsof we de kinderen waren die zij nooit gekregen hadden, en zelfs John Whitworth slaagde erin tijdens het grootste deel van de preken wakker te blijven. De familie Rainey – die terugkwam om te zien of we de moderne vertalingen in de ban hadden gedaan – verketterde ons en stoof de kerk uit. 'Opgeruimd staat netjes', zei Thomas later in een minder herderlijke bui.

Bevredigd in hun nieuwsgierigheid keerden de gemeenteleden van Little Croft terug naar hun dagelijkse bezigheden. Het gemeenteleven kabbelde voort zoals het dat de laatste tweehonderd jaar had gedaan.

Thomas werkte stug door: hij preekte, gaf hulp, klopte bij mensen aan, bracht voedsel naar Winnville en vestigde zijn hoop op de grote, nieuwe huizen die gebouwd werden aan de doorgaande weg. Er kwamen wel nieuwelingen, maar die zagen we bijna nooit terug. Vissen, jagen, de zondagskrant, uitslapen, dat was allemaal veel belangrijker dan de kleine plattelandskerk en Thomas' zorgvuldige uitleg van het evangelie van Lucas.

Zes weken na Peggy's begrafenis zag ik Quintus weer. De oktobermiddag was fris en de geelgroene bladeren van de grote esdoorn in de achtertuin bleven maar naar beneden dwarrelen. Het was donderdag. Thomas dronk weer thee met het zendingscomité en ik was de hele dag bij oma geweest. Ik kwam thuis, douchte en was in de keuken bezig met het avondeten toen Quintus' pick-up het heuveltje in Poverty Ridge Road opreed.

Ik rende de voordeur uit en ging langs de weg staan. Ik had hem heel vaak gebeld; op den duur was ik maar gestopt met het achterlaten van berichten. Hij ging langzamer rijden, alsof hij eigenlijk niet wilde stoppen, draaide het raampje naar beneden en deed de motor uit. Zijn bewegingen waren langzaam en omzichtig, alsof elke spier in zijn lichaam pijn deed. Zijn blauwe ogen lagen diep in de oogkassen en zijn aders waren zichtbaar door de papierdunne huid.

'Quintus!' zei ik.

Quintus staarde me aan. Hij droeg een dik flanellen overhemd tegen de kou, maar ik kon zien dat hij verschrikkelijk mager was. Diepe lijnen liepen van zijn neus naar zijn mondhoeken.

'Ik heb je een brief geschreven', zei ik tenslotte. Ik had niet geweten wat ik anders moest doen.

'Ik heb hem gekregen.'

'Je maakt jezelf kapot.'

'Zit niet op me te vitten, Manda.' Hij keek van me weg. Na een poosje zei hij, enigszins uitdagend: 'Ik heb me bekeerd.'

'Bekeerd?'

'Ik ben nu katholiek. Net als zij.'

'Echt waar?'

'Papa denkt dat ik gek geworden ben.'

'Je ziet er niet uit alsof het je goedgedaan heeft.'

'Ik kan voor haar bidden', zei Quintus. 'Nu kan ik voor haar bidden. Dominee Norris zei een keer dat iemand die sterft en geen

90

goed christen was, misschien wel in de hel komt en ik weet niet wat Peggy was. Maar pastoor Jarrow zegt dat ik nog steeds voor haar kan bidden.'

'God is barmhartig, Quintus.'

'Hm', zei Quintus. Hij draaide de sleutel om en de motor startte weer. 'Oom Giddy belde papa om wat plantengif. Hij heeft mij er met dat spul naartoe gestuurd, dus ik kan maar beter gaan.'

Ik keek hem na. Als het eerste beeld dat een kind van God heeft, zijn vader is, verbaasde het me niet dat Quintus twijfelde aan de barmhartigheid van de Almachtige. Hij liep het oude huis in met een kartonnen doos in zijn hand, kwam direct weer naar buiten en reed terug. Hij keek niet meer naar de tuin van het pachtershuis, waar ik stond.

Ik ontmoette Quintus die nacht, in een mooie droom met een scherp randje, vol licht en lucht en wind. We zaten te vissen bij de Chickahominy. Hij zat naast me, zijn hengel tussen zijn voeten, en knoopte met zijn sterke handen een haak aan mijn lijn vast. De warme zomerzon scheen. Ik kon mijn vaders stem van dichtbij horen, en Giddy's lijzige stem en oom Attaways harde lach. Quintus torende boven me uit. Over het water waaide een stevige bries die zijn blonde haar tegen de gebruinde huid van zijn gezicht blies. Hij glimlachte. Ik rook visschubben en rivierslib en de brakke geur van een moeras, zwaar in de warme lucht. De golfjes van de Chickahominy klotsten tegen de oever. Ik zei, en hoorde de hoge stem van een achtjarige: 'Je moet uit Little Croft weggaan.' Hij hoorde me niet; hij ging door met het vastmaken van de doorzichtige lijn, zijn gezicht straalde een afwezige vriendelijkheid uit.

Ik werd plotseling wakker en mijn hart bonsde alsof ik over een monster gedroomd had. Buiten kwam de regen gestaag uit de hemel. Het licht en de wind en de lucht van de droom waren verdwenen; ik werd omringd door donkere, vochtige lucht. De herfst was uitzonderlijk nat geweest. Maïs die nog op het land stond, begon te schimmelen.

Twaalf

Die vrijdagochtend was het bewolkt en kil, er stond een gure wind en het bleef maar miezeren. Ik stond laat op. Het studeren in de vroege ochtend was er de laatste weken bij ingeschoten. Ik voelde me een beetje grieperig.

Ik liep de veranda op om de honden te voeren. Daphne en Chelsea hadden genoeg van hun bosmarmot en hadden nu een stuk hertenhuid te pakken, dat vergeven was van de torren. Het kwam uit het bos en was daar waarschijnlijk achtergelaten door een vroege jager. Er zaten nog een achterpoot en een aangevreten kop aan en de stank van natte honden en rottend hert was afschuwelijk.

Thomas was vroeg opgestaan om te ontbijten met een liefdadigheidsorganisatie. Ik liet een briefje voor hem achter met de vraag of hij de restanten van het hert wilde wegwerken als hij tijd had en ging naar oma. Die was chagrijnig; onder een aanhoudende stroom gemopper zette ik rollers in haar haar en deed de was.

Om een uur of tien kwam oom Giddy aanrijden; hij klauterde triomfantelijk zijn auto uit.

'Nou heb ik ze!' kondigde hij aan terwijl hij binnenkwam.

'Goeiemorgen', zei ik vanuit de keuken.

'Huh? O. Môgge. Ik heb gifgas voor die marmotten.'

'Gifgas?'

'Je sluit de gangen af en gooit deze bolletjes erin en dan gaat het gas helemaal tot in het hol. En dood zijn ze.'

'O ja? En wat zijn de gevolgen voor de grond?'

'Helemaal niks', zei Giddy opgewekt. 'Dit is plantengif. Quintus heeft het gisteravond gebracht. 't Zelfde spul waar ik de silo's mee uitrook om de korenwormen te verdelgen. Daar wordt de tarwe echt niet slechter van. Goeiemorgen, mama.'

'Hm', zei oma Cora en trok haar omslagdoek wat steviger om zich heen.

Giddy pakte een kop koffie en ging daarna met een schep op weg naar de begraafplaats. De koude motregen scheen hem niet te deren; hij stond de rest van de ochtend in een steeds wijdere cirkel tussen de stenen en in de grond te porren op zoek naar uitgangen van holen, die hij dichtgooide met zand.

Oma wilde tussen de middag varkensdarmen met mayonaise op brood, dus ik at niet mee. Om een uur of vier kwam ik uitgehongerd thuis. Mijn briefje zat niet meer op de deur, maar het toegetakelde stuk hert bevond zich nog steeds op de achterveranda. Daphne en Chelsea lagen op de vochtige planken, met hun neuzen liefdevol tegen de smerige huid gedrukt.

Ik deed oude kleren aan, zocht mijn plastic handschoenen op, sjorde het vel naar de heuvel bij de Chickahominy en gooide het eroverheen. De sint-bernards sprongen achter me heen en weer en smeekten om hun schat. Maar ze waren of te groot of te lui om er, door de dichte begroeiing, achteraan te rennen. Ik ging weer naar huis en kleedde me voor de tweede keer om. Ik hoorde de deur dichtslaan toen ik in de badkamer mijn armen tot aan de ellebogen stond af te boenen.

'Thomas?' riep ik.

Hij stak zijn hoofd door de deuropening van de badkamer. Zijn haar glinsterde vochtig en zijn jas was donker van de regen.

'Wat doe jij nou?' zei hij, met een blik op de fles desinfecterende zeep.

'Ik heb net dat stuk hert over de heuvel gegooid.'

'Dat heb ik vanochtend ook al gedaan, maar binnen twintig minuten lag het weer op de veranda.'

'Misschien had je het niet ver genoeg weggegooid.'

'Zou kunnen. Ik ben vanmiddag in Winnville geweest en

ben alle huizen in die vervallen buurt langsgegaan. Bij de meeste kwam ik niet binnen.' Hij stond naar me te kijken met een strak gezicht en met zijn handen diep in zijn zakken geduwd. 'Sommige mensen deden de deur niet eens open. Achter de gordijnen zag ik schaduwen bewegen, maar als ik klopte, kwam er niemand. Hoe kan ik op deze manier iets betekenen voor die mensen, Amanda? Ik doe wat ik kan. Ik ben bij mooie villa's geweest, maar daar hebben de mensen het veel te druk om naar me te luisteren. Oké, dan ga ik maar weer eens de evangeliën lezen en dan weet ik weer dat Christus de meeste tijd doorbracht met de armen. Maar als ik naar de armere wijken ga, loop ik telkens met mijn hoofd tegen de muur.'

Hij pakte een handdoek en begon zijn haar af te drogen.

'Dat is toch die krottenwijk van oom Attaway?' vroeg ik.

'Ja.'

'Zijn bezoekjes hebben blijkbaar schade aangericht.'

Thomas hing de handdoek op en streek de randen zorgvuldig glad. 'Ik weet wel zeker dat Christus geen oudoom had die rondging om het werk onder de armen te saboteren.'

'We zouden kunnen verhuizen.'

'Dan moeten we huur betalen en moet jij weer reclameteksten schrijven; en wat doen we met je oma? En ik ben dan nog steeds die vent die getrouwd is met de achternicht van Attaway Pierman Fowlerand. Het zijn niet alleen die krotten in Winneck, Amanda. We hebben al twee maanden geen nieuwe gezichten in de kerk gezien. Ik vraag me af in hoeverre dat te maken heeft met je oudoom en zijn bezoekjes.'

Ik keek hem verdrietig aan.

'Ik wist zo zeker waarom we hier waren', zei Thomas. 'Ik dacht dat deze kerk een geschenk van God was voor mij… Een plek waar ik eindelijk familie zou krijgen. Ik begrijp niet waarom juist die familie mij nu zo in de weg staat.'

'Ik weet het ook niet, Thomas, sorry…' Terwijl ik het zei, hoorde ik hoe nietszeggend het klonk.

Thomas haalde zijn schouders op en draaide zich half om. 'Ik ben uitgehongerd', zei hij.

'Er zijn hamburgers. En er is patat.'

'Lekker.'

'En we hebben nog ijs in de vriezer. Dan kunnen we na het eten tv kijken en ijs eten.'

'Dat deden de puriteinen vast ook als ze teleurgesteld waren in God', zei Thomas.

Hij bleef die avond lang op; toen ik naar bed ging, zat hij nog steeds in de kamer met de haard. Hij had het Nieuwe Testament en Thomas à Kempis open op schoot liggen en staarde uit de donkere ramen. Ik leunde met mijn ellebogen op de vensterbank van het slaapkamerraam en bad voor hem; zonder woorden en wanhopig. Ik voelde zijn onmacht tegenover de ingewikkelde twisten in mijn familie. Ik verkleumde helemaal daar voor het raam.

Om twee uur 's nachts werd ik wakker van de telefoon beneden. Thomas lag naast me. Hij stak een arm uit en mompelde: 'Wat is er?'

'De telefoon', zei ik. Ik stopte mijn hoofd onder het kussen, maar het doordringende gerinkel ging maar door. Ik gooide de dekens van me af en strompelde in het donker naar beneden. Mijn voet stootte tegen de tafel en ik hinkte, zacht scheldend, door de keuken.

'Hallo?'

Ik hoorde geknok en gehijg. Op de achtergrond schreeuwde iemand.

'Hallo?'

Een mannenstem vroeg dringend: 'Is dit het nummer van de nieuwe dominee?'

'De nieuwe – Ja. Ja, dat klopt. De dominee van Little Croft bedoelt u?'

'Kan ik hem spreken?'

'Midden in de nacht?'

De stem riep: 'Is hij een soort priester?'

Het geschreeuw op de achtergrond werd steeds luider.

'Hoe bedoelt u?'

'Kan hij hetzelfde als een priester?'

'Wat moet hij doen?'

'Er ligt hier iemand dood te gaan', brulde de stem. 'Hij wil een priester zien. Kan de dominee komen?'

Ik hoorde de slaapkamerdeur opengaan.

'Thomas!' riep ik. 'Thomas!' Ik zei in de telefoon: 'Eén moment en dan kunt u met hem praten –'

'Geen tijd voor, mevrouw. Hij ligt dood te bloeden. Zeg tegen de dominee dat hij naar Fowlerand Landing moet gaan.' De ingesprektoon klonk in mijn oor.

Ik gooide de telefoon neer en rende naar de trap. In de badkamer hoorde ik water stromen. Ik haastte me de trap weer op naar Thomas, die slaperig een glas water stond te drinken.

'Thomas, er belde iemand en die zei dat er bij Fowlerand Landing iemand dood ligt te bloeden. Ze willen dat er een priester komt –'

'Hadden ze het verkeerde nummer?'

'Nee. Er is geen priester in Little Croft. Er vroeg iemand om een priester en toen hebben ze jou gebeld.'

'Oké', zei Thomas en ging op zoek naar zijn broek.

'Ga je erheen?'

'Ja, natuurlijk. Waarom niet?' Hij zette het glas neer en liep naar de slaapkamer. Hij deed het licht aan, dat ons allebei verblindde, en tastte onder het bed naar zijn schoenen.

Ik dacht aan het geschreeuw en het lawaai op de achtergrond en besloot met hem mee te gaan. Ik deed een spijkerbroek en een trui aan en zocht in mijn tas naar de mobiele telefoon die ik altijd bij me had als ik alleen in de auto zat. Daniël mocht dan wel de leeuwenkuil zijn ingegaan met niets dan zijn vertrouwen op God, dat betekende niet dat wij ons naar Fowlerand Landing moesten begeven zonder rugdekking.

'Wat ben je aan het doen?' vroeg Thomas, terwijl hij zijn veters vastmaakte.

'Ik ga met je mee. Je weet maar nooit.'

Fowlerand Landing Road boog vlak na de kerk van Little Croft Road af. Het oude huis van de familie Fowlerand – waar oom

Attaway woonde – lag helemaal aan het eind van de weg. Over de hele lengte van de Fowlerand Landing Road liepen weggetjes de binnenlanden van de Fowlerands in, brievenbus na brievenbus was beplakt met een Fowlerandnaam. Attaways oude huis met de witte veranda stond aan de noordrand van de uitgestrekte landerijen, op de oever van de Chickahominy.

Thomas reed hard en probeerde al slingerend de diepe sporen te vermijden. Toen we de laatste bocht genomen hadden, zagen we de voorkant van Attaways huis, verlicht door tientallen koplampen. Een aantal pick-ups was in een halve cirkel in de voortuin gezet. De ramen weerspiegelden het licht van de koplampen. Binnen was het donker, er brandde geen enkel licht, en op de veranda lag een man met zijn gezicht naar beneden, de armen en benen gespreid, in een donkere plas bloed. Een andere man lag op zijn rug op het trapje. Zijn hoofd hing slap achterover tegen de bovenste tree en in het gele licht van de koplampen kleurde zijn gezicht donkerrood. Twee mannen stonden over hem heen gebogen, één van hen hield met beide handen een geweer vast.

'Dat ziet er niet goed uit, Thomas', zei ik.

'Je oudoom woont hier toch?' Thomas zette de auto in het schemerduister. Twee potige Fowlerands hadden ons al gezien en renden op de kleine auto af.

'Ja. En Quintus ook. Maar Attaways auto staat er niet. Hij zal wel weg zijn. Niet uit de auto gaan –'

Eén van de mannen klopte hard op het raampje. Zijn gezicht was verwrongen. Hij brulde: 'Die man wil een priester zien!'

'Ik moet er wel uit', zei Thomas. 'Jij blijft hier. Doe de deuren op slot.'

Hij reikte achter me langs en drukte het palletje omlaag. De Fowlerands stonden aan zijn kant van de auto te wachten, dreigend in het halfduister. Thomas stapte langzaam de auto uit en sloeg het portier hard achter zich dicht. Ik tastte naar de telefoon. Wat was het alarmnummer op een mobiele telefoon? 911? Ik toetste het nummer en wachtte wanhopig terwijl de telefoon overging. Ik zag Thomas met de Fowlerands tussen de auto's door lopen, de lichtkring in. Er kwamen meer mannen uit het donker. Ik draaide het raam een eindje open. Ik kon hun stemmen horen, ze schreeuwden opgewonden door elkaar. Ik hing op en toetste het nummer van inlichtingen.

'…heeft hem helemaal hiernaartoe achternagezeten. Hij had geen schijn van kans…'

'…kwam hier en zag hem wegglippen. Als hij doodgaat…'

'Zijn verdiende loon, de rotzak…'

'Hij smeekte om een priester. Hij zei dat hij doodging en in de hel kwam.'

Thomas had zich gebukt over de man die op de trap lag. Iemand spuugde een stroom krachttermen uit en stuurde hem daar weg. Hij rechtte zijn rug, stapte over de gevloerde man heen en boog zich over de man op de veranda.

Een bandje babbelde vriendelijk in mijn oor: 'Dit informatie-nummer kost…'

'Ik wil iemand spreken!' brulde ik.

Een vrouwenstem zei: 'Kan ik u helpen?'

'Ik moet de sheriff van Little Croft hebben. Dit is een nood-geval.'

'Ik zal u het nummer geven, mevrouw.'

'Niet het nummer! Ik kan u nauwelijks verstaan. U moet me doorverbinden.'

De dreigende halve cirkel van mannen was bezig Thomas, die geknield naast de man op de veranda zat, in te sluiten. Ik duwde mijn voorhoofd tegen het raampje en voelde mijn hart in mijn keel kloppen. Na een eeuwigheid hoorde ik de telefoon overgaan, één keer, twee keer, drie keer. Eindelijk zei een stem: 'Kantoor van sheriff White.'

'U spreekt met Amanda Clement – de kleindochter van Cora Scarborough. Ik ben op Fowlerand Landing en hier ligt een dode man en er wordt gevochten.'

De stem zei geruststellend: 'Blijf aan de lijn, Amanda.' Ik her-kende de stem nu: Helen Adkins, een kleine vrouw van een jaar of veertig. Ze was al hulpsheriff toen ik nog op de middelbare school zat.

'Oké', zei Helen. 'Ik zal er onmiddellijk een hulpsheriff naartoe sturen en ik heb de politieagent opgeroepen die vlakbij woont. Hij kan er in vijf minuten zijn. Wat gebeurt er nu?'

'Mijn man zit bij de dode man.' Ik had de arm van de man op de veranda zien bewegen, maar ik dacht dat een dode man de komst van de politieagent zou bespoedigen. 'En er is ook iemand in elkaar geslagen, Helen.'

'Ik zal ook een ambulance sturen. Wil je aan de lijn blijven?'

Thomas, op zijn knieën, had zijn hoofd omgedraaid naar een Fowlerand die dreigend boven hem uit torende. Ik kon de harde stem van de man horen. 'Hij beweegt. Hij is nog niet dood.'

Thomas verhief zijn stem, tegen het lawaai in: 'Hij is dood. Laat me met die andere man praten.'

De man op de trap stak zijn hand een eindje de lucht in en iemand schopte hem tussen zijn ribben. De halve cirkel sloot zich. Thomas was rechtop gaan staan en werd met zijn rug tegen de muur van het huis gedrukt.

'Helen!' gilde ik.

'Nog even, liefje. De agent komt eraan.'

Weer schreeuwde iemand. Plotseling werd het gele licht vermengd met blauw. Een politieauto kwam de weg af en ging achter me staan. Onmiddellijk viel de dichte groep mannen op de veranda uit elkaar. De man op de trap was in elkaar gedoken op het gras gegleden. Een agent stapte de politieauto uit met de hand op zijn riem en een ogenblik later verscheen er nog een paar koplampen om de bocht. De hulpsheriff van Little Croft was gearriveerd en vlak achter hem reed een ambulance.

'Amanda!' zei Helens stem.

'Het is in orde, Helen. Ze zijn er.'

'Alles goed met je man?'

'Hij komt eraan.'

Thomas zigzagde tussen de politieauto's en boze Fowlerands door. Ik deed het portier voor hem van het slot. In het halfduister kon ik de vertrouwde lijnen in zijn gezicht zien. Hij glipte op de bestuurdersstoel en vouwde zijn handen om het stuur. Zijn stemde trilde.

'Hij leefde nog toen ik bij hem kwam', zei hij. 'Hij ademde nog. Hij stierf terwijl ik probeerde met hem te praten. Hij gaf bloed op, omdat die vent op de trap hem in zijn longen heeft geschoten.'

Ik pakte zijn hand. Zijn vingers waren ijskoud.

'Wie is het?'

'Amanda –'

'Wie is het?'

'Quintus', zei Thomas. 'Amanda, liever, hij wilde een priester zien. Hij wilde absolutie. Ik heb tegen hem gezegd dat God zijn zonden zou vergeven. Hij keek de dood al in de ogen.'

'Quintus', zei ik langzaam. Ik tuurde door het beslagen raam en ving een glimp op van warrig blond haar dat verdween onder de deken die het ambulancepersoneel over hem heen gelegd had.

'Dat is nog niet alles', zei Thomas. 'Matt Humberston heeft hem neergeschoten.'

'Matt?'

'Ze zeggen dat Quintus Matt betrapte toen die op zijn land aan het jagen was en dat ze begonnen te vechten. Matt achtervolgde hem tot hier, zette hem klem op de veranda en schoot hem in de borst. Al deze kerels – zijn dat allemaal neven van jou?'

'In de verte.' Ik kon mijn eigen stem horen, gedempt, alsof hij van de andere kant van het raam kwam.

'Nou, ze hebben Matt gepakt en zijn met de loop van een geweer op zijn hoofd blijven rammen tot wij hier kwamen. De meesten waren dronken. Ik weet niet wat ze hadden gedaan als wij niet gekomen waren, Amanda. Ze bleven maar zeggen dat Quintus nog leefde omdat hij bewoog. Dat was ook zo; zijn vingers bewogen een beetje en af en toe schokte z'n voet. Maar hij was dood. Er kwam bloed uit zijn mond. Ze wilden weten of ik z'n ziel heb kunnen redden.'

Ik voelde tranen op mijn gezicht. Ik dacht aan Quintus; hij had alleen in het oude Fowlerandhuis gezeten en uit het raam gestaard zonder iets te zien, terwijl Thomas en ik gezellig samen aten en sliepen. Thomas pakte mijn hand.

'We moeten hier blijven', zei hij. 'De politie heeft me gevraagd een verklaring af te leggen. Over wat hij zei toen hij stierf.'

'Wat zei hij dan?'

'Hij zei: "Matt zei dat hij me zou vermoorden. Gisteren zei hij dat hij me zou vermoorden. Vannacht zei hij dat hij mij zijn hele leven al wilde vermoorden en nu de kans had." Dat wil de politie noteren. En toen ging ik naar Matt. Ik herkende hem haast niet, zoveel bloed had hij op zijn gezicht. Maar hij riep: "Is hij dood? Is hij dood?" Ik was zo kwaad dat ik zei: "Ja, hij is dood en jij hebt hem vermoord." Toen zei hij: "Mooi zo!" en legde zijn hoofd weer op de trap en raakte buiten bewustzijn. Ik denk dat ze dat ook willen noteren.'

Ik veegde de hardnekkige tranen uit mijn ogen. De slappe, donkere man werd in de ambulance geschoven. In het licht van de felle lampen van de politieauto zag ik heel even Matts gezicht, dat onder het bloed zat. Thomas was lijkbleek. Ik legde mijn hoofd tegen zijn borst en hij hield me stevig vast; op zijn handen zaten vegen bloed.

Dertien

Ik werd laat wakker zaterdagochtend, in de koesterende armen van Thomas. Hij sliep nog vast, met zijn gezicht tegen mijn nek. Ik lag nog lekker een poosje te soezen; ik voelde zijn borst op en neer gaan en hoorde een spotlijster roepen vlak voor het raam. Ik rekte me uit en opeens drong het tot me door: Quintus Fowlerand was dood. Zijn lange, slungelige lichaam lag stijf in een koelcel. Thomas was gisteravond twintig minuten bezig geweest om boven de gootsteen in de keuken het opgedroogde bloed onder zijn nagels vandaan te borstelen.

Hij werd wakker toen ik me bewoog en hij sloeg zijn armen nog steviger om me heen. Ik kon in zijn omarming de sterke behoefte aan geruststelling voelen. We zwegen allebei; het was alsof er inbreuk was gemaakt op ons eigen plekje, alsof het overschaduwd was door geweld. Ook als ik probeerde er niet aan te denken, zag ik beelden van de lichamen, de van woede vertrokken gezichten, Thomas die op zijn knieën lag in het felle licht van koplampen.

Ik stond een hele poos onder de douche. De warme geur van vers gezette koffie kwam de badkamer in, maar ik bleef staan kijken naar het water dat rond mijn voeten spetterde. Ik kon oma Cora's gedecideerde stem horen: 'Tot nu toe heeft geen enkele dominee iets voor deze regio betekend. God is ons hier vergeten en het gaat prima zo.'

Ik viste de woorden uit het gebedenboek op uit mijn geheugen en herhaalde ze in gedachten steeds maar weer, om de wanhoop te verdrijven.

Heer, ontferm U.
Christus, ontferm U.
Heer, ontferm U.

De badkamerdeur ging krakend open. Voortgejaagd door de tocht danste de stoom om me heen. Thomas' hand kwam om het gordijn met een mok koffie.

'Het voelt alsof iemand me een klap op m'n hoofd gegeven heeft', zei hij.

Ik pakte de mok zwijgend aan.

'Alles is kletsnat hier', zei hij. 'Kom je er bijna onder vandaan?'

'Ik kom zo.'

'Ik moet straks naar de sheriff.'

'Oké, ik ben bijna klaar.'

Ik kon Thomas' schaduw zien door het blauw-met-witte douchegordijn. Hij bekeek zijn gezicht in de spiegel en zocht ondertussen op de tast naar zijn scheermesje.

'Gaat het?' Ik nam een slok koffie. Ik had een sterke bak gezet en ik kon het, zwart en bitter, voelen zakken tot aan mijn maag.

'Jawel.'

Stilte. Ik hoorde zijn scheermesje tegen de rand van de wastafel tikken. Ik nam nog een slok. Het mesje tinkelde tegen de plank van het medicijnkastje.

'Goed', zei Thomas. 'Roep maar als je klaar bent.'

Hij deed de deur achter zich dicht. Ik zette de mok op de rand van het bad en waste mijn haar. Matthews zoon had Attaways zoon vermoord, met Thomas als getuige. Ik kon haast niet geloven dat het echt gebeurd was.

Ik draaide de kraan dicht, klom uit bad en stond in de spiegel te staren en afwezig mijn haar af te drogen. Blauwe Fowlerandogen keken me aan. Mijn vader had me zijn dikke, steile, lichtbruine haar gegeven. Maar de trekken van mijn gezicht, de ronding van mijn kaak en de lijn van mijn wenkbrauwen waren allemaal afkomstig van de Fowlerands, iets minder geprononceerd weliswaar en zonder Attaways dikke rimpels.

Ik ging naar de slaapkamer om me aan te kleden. Thomas' voeten kraakten op de trap en het water van de douche begon weer te stromen.

Hij kwam niet thuis tussen de middag. Ik nam een beetje soep en kroop weer in bed. Ik had de hele ochtend doelloos rond het huis gezwalkt en maakte me ontzettend bezorgd; tegen een uur of twaalf was ik bijna misselijk van ongerustheid. Ik nam twee aspirientjes, ging op bed liggen en maande mezelf tot kalmte. De voortdurende onrust in mijn armen en benen veranderde langzaam in loomheid. Ik zweefde net boven de bodemloze put van de slaap toen ik de banden van Thomas' auto in de tuin hoorde.

Ik bleef liggen luisteren. Ik hoorde zijn voeten op het trapje van de veranda. De achterdeur ging open en weer dicht. De koelkast ging open en dicht. De trap kraakte. De slaapkamer werd een beetje donkerder omdat zijn lichaam het licht van de overloop tegenhield. Hij ging op het voeteneinde van het bed zitten en trok een blikje cola open. Ik kreeg een zwaar gevoel in mijn maag. Zijn gezicht stond somber.

'Matt ligt nog in het ziekenhuis met een hersenschudding', zei hij. 'Ik zag Matthew bij het kantoor van de sheriff vandaan lopen toen ik naar binnen ging, maar hij zag me niet. Ik denk dat hij nog niet weet dat ik erbij was. Ik ben vanaf tien uur bezig geweest verklaringen af te leggen.' Hij nam een slok cola en staarde uit het raam naar de wirwar van geel wordende bladeren. 'Misschien word ik gedagvaard voor de rechtszaak. Het hangt er van af of Matt met mij als dominee of als getuige heeft gepraat. Niemand schijnt het precies te weten… Ik denk dat ik een stuk ga lopen met Chelsea.'

Hij keek me zijdelings aan.

'Ga gerust', zei ik. 'Ik red me wel.'

'Sorry. Ik weet niet wat ik moet doen. Ik wil nadenken.'

Ik ging rechtop zitten en sloeg mijn armen om mijn knieën. Hij trok zijn oude schoenen aan. Ik wist ook niet wat ik moest doen; opeens voelde ik me verantwoordelijk voor deze hele rotzooi. Mijn familie, mijn thuis, de kerk uit mijn jeugd – mijn familieleden die elkaar doodschoten op het land waar ik als kind gespeeld had.

Thomas zat de hele zaterdagmiddag in de kerk aan zijn preek te werken. Ik bleef thuis, staarde wezenloos in een boek, bad radeloos voor hem en luisterde naar het rinkelen van de telefoon. Oma Cora snakte naar de details. Er stonden acht berichten op het antwoordapparaat toen we naar bed gingen.

De volgende ochtend spraken we niet over Matthew Humberston. In drie jaar huwelijk had ik gemerkt dat Thomas een nerveus preker was. Als hij afwezig aan een preek begon, kwam hij niet goed uit zijn woorden. Hij ging bij het ochtendgloren naar de kerk om zijn preek te houden voor de lege banken en kwam tegen tienen terug om me op te halen.

Matthews donkere pick-up stond niet op de parkeerplaats, maar er waren meer mensen dan vorige week. Nieuwsgierigheid en de hoop op een sappige roddel had een groot deel van Little Croft op de been gebracht. Mochten ze gehoopt hebben op een ooggetuigenverslag van het voorval, dan hadden ze pech. Thomas preekte over Lucas vier en we zongen drie gezangen die niets te maken hadden met dood en haat. Amelia Whitworths felle, bruine ogen stonden vragend, maar ze zei niets. Ida moederde over ons alsof we brand hadden gehad of een overstroming. Thomas werd geflankeerd door Ambrose en John bij het handen schudden na de dienst. Met hen zo dicht in de buurt durfde niemand iets te vragen.

Een nieuw gezin had de morgendienst bijgewoond: een keurige man van een jaar of veertig met een blonde vrouw en twee prachtige meisjes. Ze bedankten ons bij de uitgang en nodigden Thomas uit om eens langs te komen. Ik zag Thomas' gezicht oplichten en daar was ik dankbaar voor.

Maandagochtend kon ik het niet opbrengen om naar oma te gaan. Ik wist dat ze niet zou rusten voor ze alle details van Quintus' dood uit me getrokken had. De verkoudheid die ik sinds vrijdag had, was zo goed geweest zich te ontwikkelen tot een stevige hoest, en ik had koorts. Dus ik krulde me met een boek op onder de dekens en liet Thomas me ziek melden.

Ik kon horen hoe hij geduldig oma's vragen ontweek. 'Nee, mevrouw', zei hij, 'sheriff White heeft me gevraagd er niet over te praten.' Stilte. 'Ja, mevrouw.' Stilte. 'Nee, mevrouw.' Weer een stilte. 'Nee, ze ligt constant te hoesten, dus ik denk het niet.' Korte pauze. 'Ja, mevrouw, ik zal het doorgeven. Tot ziens, mevrouw Scarborough.'

Hij kwam de trap weer op en stak zijn hoofd om de slaapkamerdeur.

'Dank je', zei ik schor.

'Volgens je oma moet je Vicks op je borst wrijven.'

'Tuurlijk. Ik zal het meteen doen.'

'En ze zei dat het niezen morgen over moet zijn zodat je haar naar Quintus' begrafenis kunt brengen. Die begint om half vier.'

Ik trok de dekens op tot mijn oren. 'Ook dat nog.'

'Ik ga met jullie mee.'

'Is dat nou wel verstandig?'

'Ik heb je neef zien sterven, ik heb tegen hem gezegd dat 'ie niet naar de hel ging en ik wil naar zijn begrafenis. Daar kan Jimmy White echt geen bezwaar tegen hebben. Ik praat gewoon met niemand.'

'Zelfs niet met Matthew Humberston?'

Thomas zei: 'Wat doet je oom daar op de begraafplaats?'

'Hij is bezig de bosmarmotten te vergiftigen. Heb je *Waterschapsheuvel* gelezen?'

'Nee. Hoezo?'

'Je ziet door de ogen van een konijn wat het is om vergast te worden in je eigen, behaaglijke hol.'

'Moet ik soms medelijden hebben met die bosmarmotten?' vroeg Thomas. Ik merkte dat hij treuzelde en geen zin had om weg te gaan.

'Zal ik 'ns wat citeren?'

'Ga je gang.'

'Alles sal reg kom.'

'Ach ja, op den duur zal alles wel op z'n pootjes terechtkomen. Ik maak me gewoon een beetje zorgen over de komende zes maanden.'

'We hebben niet te strijden tegen vlees en bloed, maar tegen –'

'Ja, ik weet het', zei hij, 'maar het vlees en bloed zijn verdraaid sterk. Ze hebben in ieder geval Matthew geruïneerd. Waarom heeft hij z'n zoon niet geleerd niet in het holst van de nacht katholieken neer te schieten?'

'Ik denk dat Matt dronken was.'

'Er hing inderdaad een enorme dranklucht om hem heen, maar als hij Quintus de dag ervoor al bedreigd had, is het toch met voorbedachten rade. Ze zullen hem jaren opsluiten. Amanda, ik denk dat ik maar eens naar een advocaat moet gaan. Vind je dat goed? Het zal wel wat kosten.'

'Prima.'

Ik begon weer te hoesten en Thomas ging op weg naar de kerk. Ik heb nooit gezegd wat ik dacht: dat Thomas hoe dan ook zelf moest beslissen of hij Matts woorden openbaar zou maken, zelfs als die woorden beschouwd werden als een vertrouwelijke bekentenis tegenover zijn predikant. Quintus was tenslotte gestorven en Matt Humberston had hem vermoord.

De volgende dag, om half vier, zaten we weer op de begraafplaats van Northend. Rode aarde bedekte Peggy's graf. Op Quintus' kist lagen bloemen.

Oma droeg haar begrafeniskleren weer, compleet met paraplu. 'Het regent niet', had ik haar toegefluisterd.

'Je weet maar nooit', antwoordde ze.

Dus liep ik door de menigte met de grote paraplu met paarse letters onder mijn arm. Dezelfde overkapping beschermde hetzelfde groene tapijt. Meneer Adkins stond op zijn post alles in de gaten te houden. Attaway zat deze keer op de voorste rij klapstoelen en zijn vlinderdas was zwart. Quintus' neven flankeerden hun oom; Roland zat te snuffen en zijn neus af te vegen, Pierman staarde voor zich uit. Een rij potige Fowlerandneven, geboend en geschoren, bezette de rij achter hen. Mevrouw Morris zat helemaal rechts op de hoek. Geen van de mannen keurde haar een blik waardig. Ik zag haar een paar keer een snelle blik opzij werpen.

'Nou ja', zei oma, terwijl ze zich in een stoel liet zakken, 'zij zal wel tevreden zijn dat Quintus hier is. Maar ik vind dat hij op Fowlerandgrond hoort. Wat zou Attaway ervan denken?'

Thomas ging naast me zitten. Er werden nog steeds auto's geparkeerd op het gras aan de andere kant van het lage muurtje rond de begraafplaats. Een zwarte pick-up werd stilgezet in de bocht van de weg en Matthew Humberston stapte uit, in zijn eentje.

'Kijk daar eens', zei ik zacht in Thomas' oor.

'Wat?'

'Daar.'

'Goeie genade', zei oma, 'daar heb je Matthew.'

Op het geluid van haar stem draaiden de Fowlerands zich als één man om. Matthew Humberston was alleen en droeg een zwart kostuum. Aan de andere kant van de kist begon de priester hardop te lezen.

'De Heer is mijn herder, mij ontbreekt niets…'

Ik richtte mijn blik braaf op pastoor Jarrow, maar ik kon uit de groeiende stilte achter me afleiden dat Matthew Humberston dichterbij kwam. Hij liep links langs me naar de voorste rij stoelen en ging op de laatste stoel van de rij zitten.

'Hij voert mij aan rustige wateren…'

Matthew greep naar zijn borstzakje, alsof hem plotseling iets te binnen schoot, haalde zijn zonnebril tevoorschijn en begon die aandachtig schoon te wrijven. Ik zag dat er een spiertje begon te trillen bij Attaways mondhoek. Maar hij hield zich in en bleef doodstil voor zich uit zitten kijken. Matthew liet zijn zonnebril vallen, zogenaamd per ongeluk, klakte met zijn tong en boog zich voorover om onder zijn stoel te rommelen. Hij had niet één keer naar Thomas gekeken. Thomas' knie ging op en neer. Ik legde mijn hand op zijn knie en hij hield hem meteen stil.

'Ja, heil en goedertierenheid zullen mij volgen…'

Oma leunde naar voren en zei luidop: 'Hé, Matthew. Hou op met aandacht trekken en let op.'

'Ik zal in het huis des Heren verblijven tot in lengte van dagen', zei de priester afkeurend. 'Laten we bidden.'

Gelukkig maar, dacht ik. Oma Cora vouwde haar handen, even tot zwijgen gebracht. Matthew Humberston boog zijn hoofd. We gedroegen ons keurig tijdens het gebed en de preek, waar ik geen woord van hoorde; ik was bezig me voor te stellen hoe Matthew Humberston en mijn oudoom elkaar te lijf zouden gaan zodra de priester 'Ga heen in vrede' had gezegd. Tegen de tijd dat die woorden uitgesproken werden, zat ik klaar om naar de auto te vluchten.

Thomas ging staan; hij was duidelijk van plan weg te gaan voordat Matthew iets tegen hem kon zeggen. De Fowlerands kwamen in de benen: een muur van spieren tussen Matthew en Thomas. Matthew leunde achterover in zijn stoel. Zijn donkere ogen gingen verscholen achter zijn bril. De rij Fowlerands ging een beetje uit elkaar en Attaway werd zichtbaar door de opening. Hij wendde zijn hoofd naar Matthew en ik kon het woord dat zijn lippen verliet maar net verstaan.

'Moordenaars.'

Matthew Humberston zei zacht: 'Wat in een vlaag van woede is gebeurd, is niet te vergelijken met moord uit berekening, Attaway. Dat zou jij toch moeten weten.'

Hij ging plotseling staan. Zijn ogen ontmoetten even die van Thomas. Hij leunde voorover. 'Mijn jongen ligt nog in het ziekenhuis', zei hij. 'Hij mag niet voor morgen naar huis. Ik ben de hele tijd bij hem geweest.' Zijn stem klonk vertrouwelijk. Hij gaf Thomas een knikje en liep weg.

Thomas keek me aan. 'Hij weet het nog niet', zei hij geluidloos.

Ik knikte. Matthew baande zich een weg over de begraafplaats, tussen de graven door. De verspreide toeschouwers haastten zich uit zijn buurt.

109

Jimmy White had een bericht ingesproken op ons antwoordapparaat. Matt zou de volgende dag ontslagen worden uit het ziekenhuis en waarschijnlijk diezelfde middag opgepakt worden. Hij wist nog steeds niet of dominee Clement een dagvaarding kreeg voor de rechtszaak, daarom zou hij het op prijs stellen als hij elk contact met Matt tot nader order vermeed.

Thomas ging weg om na te denken over zijn preek. Ik besloot te gaan wandelen. Ik was rusteloos en de herfstlucht was prikkelend en helder. Ik ging de achterdeur uit en liep langs het oude huis, over de kleine heuvel het dichte bos in dat tussen oma's huis en Fowlerand Landing Road lag.

Het oude voetpad kronkelde langs oude pijnbomen die zo dik waren dat ik mijn armen er niet omheen kon slaan. Struikgewas overwoekerde het pad, maar hier liep nog wel eens iemand; een smal paadje hield stand, onder omgevallen bomen door en over moerassige stukjes grond. Ik liep zwijgend verder, dennennaalden en hulstbladeren kraakten onder mijn voeten. Het pad kruiste de overblijfselen van een oude omheining van prikkeldraad, liep dwars door een beekje en ging onverwacht een heuvel op. Ik klauterde naar boven en kwam terecht in een beukenbos. Wolfsbeuken noemde mijn moeder ze, dikke, oude bomen die al het kreupelhout verstikten en de grond bedekten met geelbruine bladeren. Stephen, Pat en ik noemden ze Robin-Hoodbomen. Ze vertoonden een griezelige gelijkenis met de hoge eiken uit de illustratie van Wyeth: Robin en zijn merrie, verscholen in de schaduw van het woud.

Ik draaide me abrupt om en ploeterde terug over het pad naar het pachtershuis.

Veertien

De volgende morgen werd ik vroeg wakker en ging naar beneden om koffie te zetten. De wind, die te warm was voor de tijd van het jaar, blies bladeren tegen de ruiten. Ik duwde een raam open voor wat frisse lucht en ging achter mijn bureau zitten om Hebreeuws te studeren en na te denken over de machtige daden van God. Maar ik kon me niet concentreren op Exodus; ik ergerde me opeens aan al die indrukwekkende wonderen. Ik sloeg het boek ergens in het midden open en las een psalm; ik probeerde de prachtige woorden te voelen.

Eén ding heb ik van de Here gevraagd,
dit zoek ik:
te verblijven in het huis des Heren
al de dagen van mijn leven,
om de liefelijkheid des Heren te aanschouwen,
en om te onderzoeken in zijn tempel.

Ik keek uit het raam. De zon stond nog achter de horizon. Mist van de rivier zweefde in lage sluiers over de landerijen; de witte zandweg lichtte op in de schemer van vlak voor zonsopgang. De bries bracht de zuivere, aangename geur van aarde en bladeren mee en in de verte krijste een havik. Ik deed mijn ogen dicht en probeerde Gods aanwezigheid te ervaren te midden van al deze schoonheid; maar Hij was er niet, Hij was verborgen achter de

111

puinhoop die de Fowlerands en Humberstons ervan gemaakt hadden. En daarom bad ik: Zoon van God, ontferm U over ons. Haal deze puinhoop weg zodat we U weer kunnen zien.

Thomas kwam beneden, geschoren en aangekleed, en ging naar buiten om de honden eten te geven. Ik maakte het ontbijt klaar. Toen hij weer binnenkwam, gingen we aan de keukentafel zitten eten en praatten over de open haard. Het zou al snel koud genoeg worden om de haard aan te doen, maar het leek alsof de schoorsteen verstopt was. Een vieze geur kringelde de keuken in. Ik dacht dat er misschien een dode vogel in zat.

'Hoewel… Het lijkt door het raam te komen, niet uit de schoorsteen.' Ik snoof nog eens. 'Denk je niet?'

'Wat?'

'Dat het door het raam komt. Die stank. Volgens mij wel.' Het keukenraam stond op een kiertje en de rottingsgeur leek van de achterveranda te komen en over de vensterbank te kruipen. Ik liep de gang in en wierp een blik naar buiten. Daphne en Chelsea lagen languit op het hertenvel en besnuffelden het liefdevol.

'Bah! Heb je het niet gezien toen je ze eten gaf?'

Thomas keek een beetje schaapachtig. 'Ik kon het niet over mijn hart krijgen hun nieuwe speeltje opnieuw af te pakken.'

'Je had het weer over de heuvel moeten gooien.'

'Ze zijn gisteren de hele dag bezig geweest het de heuvel op te slepen. En ik heb m'n goeie kleren aan. Ik dacht dat ik vandaag nog maar een paar bezoekjes moest afleggen.' Hij had een nette crème broek aan met een trui.

'Begin niet snel over iets anders. Ze kunnen dat vel niet houden.'

'Maar ze vinden het zo leuk.'

'Het gebeurt niet. Het stinkt. Zij stinken. Ik heb oude kleren aan en ik ga het begraven.'

Dus ging ik naar buiten met een schop, terwijl Thomas naar de kerk reed, en groef een heel diep gat in de vruchtbare, donkere aarde aan het rand van het bos. Ik sleepte de hertenhuid erheen, kieperde hem in het gat en bedekte hem met aarde. Erbovenop maakte ik een grote stapel van zware takken die van de bomen gevallen waren. Toen ik weer op het pad kwam, ving ik een glimp op van de achterkant van oom Attaways pick-up die Poverty Ridge Road af hobbelde.

Om negen uur liep ik naar het oude huis. Giddy's pick-up stond aan de kant van het pad naar de begraafplaats, half op het land. Hij stampte rond in de tarwe, die een paar centimeter boven de aarde stond, porde met een stok in de grond en mompelde in zichzelf. Ik bleef staan bij de opening in de omheining en hij zwaaide met de stok naar me.

'Zoekt u iets?' riep ik.

'Die verrekte marmottenholen', brulde hij terug. 'Hebben meer uitgangen dan een hond teken heeft.'

'Zijn ze ontsnapt?'

'D'r is er geen één dood. Moet je nagaan', zei Giddy, terwijl hij naar me toe kwam en met de stok schudde om zijn woorden kracht bij te zetten. 'Ik heb vier ratten, een eekhoorn en iemand z'n kat, stijf als een plank. Goed spul, dat gas. Maar de marmotten zijn ontsnapt. Ergens anders moet nog een hol zijn. Ik moet ze te pakken zien te krijgen voordat ze onderduiken voor de winter.'

'Ik hoop dat u het andere hol kunt vinden', zei ik huichelachtig. Ik liep verder naar het oude huis terwijl ik me schrap zette voor de confrontatie met oma Cora.

Oma zat al te ontbijten met spek en gebakken eieren. Ze zei: 'Ik heb Attaway gevraagd eten voor me te maken. Om jou de moeite te besparen.'

'Dank u wel', zei ik.

'Graag gedaan.' Ze depte wat spekvet op met een stukje brood.

'Hoe gaat het met oom Attaway?' vroeg ik. Ik hoorde een ondertoon van sarcasme in mijn stem, maar oma zei heel serieus: 'Die is helemaal over de rooie. Hij had geen testament.'

'Wie niet?'

'Attaway vertelde het me vanmorgen. Quintus heeft geen testament laten maken. Hij kookte van woede, die Attaway, hoewel hij de boerderij weer terugkrijgt.'

'Hoe groot was Quintus' bezit?'

'De helft van de boerderij was van hem. Die heeft Attaway een tijdje terug aan hem overgedragen.' Oma veegde het laatste beetje vet van haar bord en likte haar vingers af. 'Hij had het allemaal goed, volgens de wet, vastgelegd. Quintus moest z'n handtekening zetten onder een testament waarin stond dat de boerderij naar zijn vader zou gaan als hij zou sterven. En Attaway had geregeld dat Quintus het land niet kon verkopen zonder toestemming van zijn vader. Zijn advocaat uit Richmond heeft dat allemaal voor hem gedaan. En nou blijkt dat Quintus vorige week naar die advocaat is gegaan. Hij heeft het testament teruggevraagd en verbrand.'

'En heeft hij geen nieuw testament gemaakt?'

'Nou, dan heeft hij het goed verstopt', zei oma. 'Niemand kan het vinden. Attaway schuimbekte van woede vanmorgen. 't Maakt niet veel uit; ik zei al dat Quintus' land toch teruggaat naar Attaway, maar hij moet meer belasting betalen omdat de jongen interstaat gestorven is.'

'Intestaat.'

'Ook goed.' Ze zat gebogen over haar bord en staarde uit het raam. Ik verwachtte een kruisverhoor, maar oma was met haar gedachten elders.

'Oma, wat zal ik het eerst gaan doen?'

'Ga die oude planken in de kelder maar verder schoonmaken. En als je klaar bent, mag je wel naar huis gaan. Je ziet er niet goed uit.'

'Ik ben alleen een beetje verkouden.'

'Een verkoudheid en een begrafenis. Je kon goed met Quintus opschieten, hè?'

'Goed genoeg om graag te willen dat er in deze familie ook iemand anders zou treuren om zijn dood', zei ik, opeens mijn zelfbeheersing verliezend.

Ik ging naar beneden, naar de kelder en stommelde rond tussen de oude weckpotten. Ik was eerlijk genoeg om toe te geven dat ik een beetje schijnheilig was. De schok van Quintus' dood was al weggezakt. Als ik aan hem dacht, voelde ik schuld en spijt, maar ik had zo weinig tijd met Quintus doorgebracht dat zijn afwezigheid geen gat achterliet in mijn leven. Zijn afwezigheid liet in niemands leven een gat achter.

Toen ik klaar was, ging ik de gammele trap weer op. Oma zat aan de keukentafel de krant te lezen.

'Dan ga ik maar', zei ik.

'Mandy.'

'Ja?'

'Ik heb jarenlang elke week bloemen naar Doris' graf gebracht. Totdat Quintus groot genoeg was om voor het graf van z'n moeder te zorgen. Ik neem aan dat vrouw Morris voor Quintus en Peggy zorgt. Als jij me nou volgende week naar Fowlerand Landing brengt, dan kan ik weer bloemen op Doris' graf zetten.'

De volgende morgen ging Thomas naar buiten met een pan uit-gebakken spek voor de sint-bernards. De deur viel met een klap dicht. Ik hoorde zijn voeten op de veranda en het dreunende geluid van de honden die op en neer sprongen. Hij zei: 'Goedemorgen, Chelsea. Hallo, Daphne. Hoi, Roscoe.'

Toen hij weer binnenkwam, vroeg ik: 'Wie is Roscoe?'

'Het hert. Kennelijk hoort hij ook bij ons, dus ik dacht: dan moet hij ook maar een naam hebben.'

Ik stormde naar buiten. De honden zaten onder de modder. Het stuk hert grijnsde me aan vanaf de bovenste tree. Het had een oor verloren en de hele nacht begraven zijn had hem geen goed gedaan.

'Hoe ver moet ik hem wegslepen?' vroeg ik bars. Chelsea zwaaide vrolijk met haar staart naar me en Daphne zat op de kop van het hert.

'Ach, laat ze toch', zei Thomas.

'Het is walgelijk. Ik neem het mee in de auto en dump het een paar kilometer verderop in het bos.'

'Niet in míjn auto, hoor.'

'Ik doe het wel in een vuilniszak.'

Daphne en Chelsea keken ontsteld toe terwijl ik met mijn huishoudhandschoenen aan het hert in een plastic zak probeerde te proppen en die naar de auto sleepte.

115

De kleine auto helde naar één kant over. Eerst dacht ik dat hij met een wiel in een kuil stond. Maar de rechter achterband was zo plat dat de wieldop verdwenen was onder het zand. Ik ging op mijn knieën zitten om het beter te kunnen zien, terwijl ik de kwijlende, modderige honden wegduwde. Een mes was in de zijkant van de band gestoken en omhoog getrokken.

Thomas toetste het nummer van de sheriff en gaf mij de telefoon. De akelig beheerste doelgerichtheid waarmee de snee gemaakt was, boezemde ons afkeer in. Iemand kon in een vlaag van woede een paar keer achter elkaar in een band steken, maar één messteek had veel weg van een waarschuwing.

Helen Adkins nam op. Ik legde de situatie uit. Een lange, bedachtzame stilte volgde.

'Oké', zei ze tenslotte. 'Er komt iemand bij jullie langs.'

Ze legde de telefoon neer, maar ik ving nog net op dat ze tegen iemand anders zei: 'Is die jongen van Humberston gisteren niet thuisge –'

De ingesprektoon nam de plaats van de laatste lettergrepen in. Ik liep de tuin weer in waar Thomas rusteloos bij de auto heen en weer liep. De sheriff kwam een kleine tien minuten later, in vol ornaat.

'Moeilijkheden?'

'Moeilijkheden is te veel gezegd', zei Thomas. 'Iemand heeft een jaap in de band van de auto gemaakt. En we dachten, met al die toestanden de laatste tijd…'

'Hm', zei Jimmy White. Hij ging op zijn hurken zitten om de band te onderzoeken. Thomas sleurde de honden bij hem vandaan.

'Bedankt', zei de sheriff. Hij kwam overeind en keek om zich heen.

'Je kunt hier alleen via Poverty Ridge Road komen?'

'Ja', zei ik. 'Die heuvel leidt regelrecht naar de rivier.'

'En dat daar?' Hij wees naar een opening tussen de bomen aan de andere kant van het stuk land dat achter de silo's lag.

'Dat is een oud pad dat door het bos en vlak langs de boerderij loopt. Het komt uit op Winneck Road, ongeveer vijf kilometer verderop. Maar dat pad is helemaal overwoekerd.'

'Jullie hebben vannacht niks gehoord?'

'Nee', zei Thomas.

'En de honden dan? Slaan die niet aan?'

'Normaal gesproken blaffen ze als gekken, maar afgelopen nacht zijn ze in het bos bezig geweest een stuk hert op te graven.'

'Daar zijn het honden voor', zei Jimmy White. Hij liep een paar keer om de tuin heen en keek de lange zandweg af.

'Goed, ik zal er dit van zeggen', zei hij tenslotte. 'Ik kan geen harde uitspraken doen, daarvoor moet ik eerst meer onderzoek doen. Maar Matt Humberston is gistermorgen uit het ziekenhuis gekomen, gistermiddag is hij opgepakt en 's avonds op borgtocht vrijgelaten. Driehonderdvijftigduizend dollar. Zijn vader heeft de eigendomsakte van zijn boerderij ingebracht. Dus hij liep vannacht vrij rond, dat is alles wat ik wil zeggen.'

'Matthew Humberston is lid van mijn kerkenraad', zei Thomas.

'Ja, ik weet het. Ik denk niet dat Matt het hele verhaal van die nacht bij de Fowlerandboerderij aan zijn vader heeft verteld. Nog niet, in elk geval.' Sheriff White liep nog één rondje om de tuin en bleef staan bij de auto.

'Ik heb het nog even nagekeken voordat ik wegging', zei hij. 'Die rechtszaak begint op 9 november. Nog ongeveer een maand dus. Ik zal tot die tijd een paar keer per week een hulpsheriff bij jullie langs sturen. En het lijkt me verstandig als jullie de honden vastbinden op een plek waar ze veel lawaai zullen maken. Het is sowieso beter als ze niet rondzwerven en van alles vinden om op te eten. Mensen die banden lek steken, zullen de volgende keer een hond vergiftigen. En het moet niet erger worden dan een lekke band, als jullie begrijpen wat ik bedoel. Misschien moet ik zondagsmorgens ook maar een hulpsheriff naar de kerk sturen. Bel me gerust als er weer problemen zijn. Helen verbindt jullie direct door met mij. Hebben jullie een reservewiel?'

'In de kofferbak.'

'Ik zal even een handje helpen. Deze neem ik mee, als jullie het niet erg vinden. Ik denk', zei Jimmy White bedachtzaam, 'dat ik met de rechter maar eens een babbeltje ga maken over Matts borg.'

De twee mannen begonnen met het verwisselen van het wiel. Ik liep naar binnen om me om te kleden. Toen ik weer buiten kwam, sloeg sheriff White net de klep van zijn kofferbak dicht, waar de kapotte band in zat, en Thomas was bezig de modderige honden vast te binden aan de trap.

Jimmy White wenkte me met zijn hoofd en ik liep naar zijn auto. Mijn jas knoopte ik dicht tegen de koude oktoberwind. Terwijl ik naar hem toe liep, bedacht ik opeens dat ik Jimmy White kende zoals ik tientallen inwoners van Little Croft kende; zijn gezicht was mij even vertrouwd als het trapje van de kerk. Ik wist waar hij woonde, ik wist wie zijn kinderen waren en waar zijn vrouw de boodschappen deed. Maar ik had geen idee wat hij geloofde, waaraan hij zich ergerde, waarom hij in Little Croft was blijven wonen.

'Amanda', zei hij, 'ik wil even met je praten over Peggy Fowlerand.'

'Oké.'

'Ik ben bij je oma geweest om over Peggy te praten en bij je oudoom. Attaway Fowlerand was zo gesloten als een oester. Je grootmoeder praatte tegen me alsof ik een van haar arbeiders was. En je oom Giddy zat naast haar en zei dat hij nergens van wist. Maar niemand van hen keek me recht aan.'

Thomas klakte geruststellend met zijn tong tegen de honden. Jimmy White leunde een beetje dichter naar me toe. 'Het is onmogelijk dat Peggy de controle over de auto verloren heeft', zei hij. 'Ik nam aan dat ze zelfmoord gepleegd had en expres tegen een boom gereden was. Ik wilde het niet zeggen, om Quintus. Ik vond het ook prima om het een ongeluk te noemen. Maar ik heb nog steeds een paar vragen waar ik een antwoord op wil hebben. Jouw oma weet er meer van, Amanda.'

'Ze denkt dat het zelfmoord was. Net als u.'

'Dat dacht ik eerst', zei de sheriff. 'En dat denkt haar moeder ook. Zij vertelde ons dat Peggy graag een baby wilde hebben, dat ze twee jaar lang bezig was geweest om zwanger te worden en al bij een heel aantal dokters was geweest. Ze had tegen haar moeder gezegd dat ze nooit moeder zou worden en dat het leven geen zin had. Het leek allemaal heel logisch.' Hij begon zachter te praten. 'Maar ze was zeven weken zwanger toen ze stierf. Dat kwam bij de autopsie aan het licht. Waarom zou ze dan nog zelfmoord plegen?'

'Misschien wist ze het niet', zei ik.

'Ze had zo'n zwangerschapstest in haar tas, met het stipje helemaal blauw. Die zat in een ritsvakje in de tas.'

'Wist Quintus ervan?'

Jimmy White schudde zijn hoofd. 'Ik heb hem een waslijst aan vragen gesteld. Of ze dronk, of ze last had van duizeligheid, of ze zwanger was, of ze wel eens kalmeringstabletten nam. Hij vertrok geen spier en zei telkens nee. Haar moeder wist het ook niet; die treurde om Peggy en om alles wat ze niet meer kon doen.'

'Toen u Quintus vertelde dat ze in verwachting was –'

'Hij heeft het niet geweten', zei de sheriff. 'De dokter heeft het hem niet verteld en Helen heeft de test uit Peggy's tas gehaald voordat Quintus haar spullen kwam ophalen. Hij hoefde niet dubbel te treuren, om iets dat dood en weg was.'

Ik bleef staan kijken terwijl hij in de auto stapte. Hij boog zich naar het geopende raampje aan de passagierskant.

'Denk er dit weekend maar eens over na en misschien kun je het daarna aan je oma vertellen', zei hij. 'Ik denk dat ze iets op haar lever heeft. Misschien brengt dit haar ertoe het zwijgen te verbreken. Er is nu geen enkele reden meer om het haar niet te vertellen. Ze zijn allemaal dood.'

Hij reed weg. Ik liep naar het oude huis terwijl de woorden bleven rondzingen in mijn hoofd; een treurig refrein, zo aan het begin van de dag.

Ik ging die avond naar de supermarkt in Mercysmith terwijl Thomas de honden uitliet. Ik stopte Roscoe het hert in de kofferbak van de kleine, blauwe auto en dumpte hem een kilometer of zes verderop in een greppel. Terwijl ik terugreed naar Little Croft, met de ondergaande zon voor me, kwam ik achter een doodskist terecht. Ik weet zeker dat het een doodskist was. Hij stond achter op een donkergroene pick-up die niet harder dan vijftig kilometer per uur reed en er viel aarde van de randen. Twee jongens van Fowlerand zaten achterop; vlak bij de cabine, ze hadden hun knieën opgetrokken en zorgden ervoor dat ze met hun voeten de lange kist niet raakten. De achterruit was donker en ik kon de bestuurder niet zien. Maar voordat ik bij Poverty Ridge Road was, draaide de pick-up Fowlerand Landing Road in en reed in de richting van de oude Fowlerandbegraafplaats.

Vijftien

Ik bewaarde Peggy's geheim het hele weekend. Als ik het oma vertelde, zou ik het Thomas ook moeten vertellen. Ik wist dat hij nu al worstelde met zijn verplichtingen tegenover de doden en de levenden.

We kwamen zaterdagochtend laat uit bed. Ik was midden in de nacht wakker geworden en had Thomas gewekt omdat ik opeens dicht bij hem wilde zijn. Ik was niet gewend geheimen voor hem te hebben en ik vond de verwijdering die ik voelde tussen ons vervelend. Drie jaar lang had mijn leven om ons huwelijk gedraaid; Thomas' lange, breedgeschouderde verschijning, de rimpeltjes bij de hoeken van zijn bruine ogen, zijn vierkante kaak en de geur van zijn huid, de manier waarop hij stond en zat en liep, alles deed mijn bloed sneller stromen. Ik hield met heel mijn hart van hem. Ik wilde dat hij gelukkig was. Ik wilde dat Attaway en Matthew en Matt en de rest van mijn familie weggingen zodat hij zijn werk kon doen.

Thomas beantwoordde mijn nachtelijke paniek zonder aarzeling. We bleven lang in bed liggen zaterdagochtend; ik lag heerlijk te doezelen toen er vlakbij een salvo van geweerschoten klonk. Ik zat meteen rechtop in bed. Thomas legde het kussen op zijn hoofd en zei: 'Wat nu weer?'

'Ik zal 'ns kijken', zei ik, rondtastend naar mijn kleren. Daphne en Chelsea krabbelden en jankten beneden op de veranda. Toen ik de achterdeur opendeed, stoven ze langs me heen naar binnen en doken achter de bank.

Ik liep de achtertuin in. Een voertuig op vier wielen, een soort groot uitgevallen golfcart, stond in de bocht van Scarborough Road, een meter of vijftien bij het pachtershuis vandaan. Het was uitgerust met steunen en rekken voor geweren en had een overkapping. Er zaten twee mannen in. De achterkant van hun hoofden was identiek: vierkant, een dikke nek en kort stekelhaar. Eén van hen richtte een geweer met een vizier ter grootte van een uit de kluiten gewassen courgette op de begraafplaats.

'Hé!' zei ik.

Het geweer knetterde en de schutter zei: 'Rotbeesten!' Ik zag iets bruins boven op de heuvel bij de begraafplaats. De bosmarmotten zochten dekking.

'Hé!' zei ik wat harder. De twee mannen keken om. Ze hadden allebei donkere ogen, een rechthoekige kaak en een opvallende neus; de man met het geweer had een lang gezicht en was slungelig, de ander had een rond gezicht en was kleiner.

'Goeiemorgen', zeiden ze tegelijk.

'Wat zijn jullie aan het doen?'

'Jagen op bosmarmotten', zei de man met het lange gezicht. 'Ronald Knox. Dit is mijn broer Richard. Gideon Scarborough zei tegen ons dat we hier konden komen jagen.'

'Moet dat per se 's ochtends vroeg?'

'We hebben maar weinig tijd', zei Ronald Knox verontschuldigend. 'We wonen in Fort Eustis en we moeten om zes uur vanavond terug zijn. Meneer Scarborough zei dat hij een paar koppige beesten had op de begraafplaats. Zegt u maar tegen hem dat we er al drie doodgeschoten hebben en dat er holen zijn bij al die telefoonpalen daar. Volgens mij zitten er wel veertig bosmarmotten in deze vier stukken land.'

De palen stonden midden in de maïs, van boven aan de heuvel naar beneden, naar de asfaltweg. Ik keek naar het geweer in Ronald Knox' hand.

'U richt op de weg', zei ik.

'Dat klopt, mevrouw, maar dat is toegestaan. Vijfenveertig meter, zover moeten we ervandaan zijn.'

'Maar dat geweer reikt toch veel verder dan vijfenveertig meter?'

'O, ja', zei Ronald Knox, lichtelijk geschokt.

'Niet op mijn familie schieten, oké?'

'Nee, mevrouw. We zullen voorzichtig zijn. Maakt u zich geen zorgen, we doen dit heel vaak. 't Is een soort hobby van ons.'

'Jagen op bosmarmotten?'

'Ja. We zijn overal in Little Croft al geweest. Op de boerderij van Humberston hebben we er tweeënveertig geraakt op één dag.'

'En wat doen jullie er daarna mee?'

'Niks', zei Ronald Knox. 'Het gaat om het jagen.'

'O.'

'Ik kan er wel een paar bewaren voor die grote honden van u. Honden vinden het lekker om erop te kauwen.'

'Nee, bedankt', zei ik.

Ik ging het huis weer in. We ontbeten terwijl buiten de geweerschoten knalden. In een korte stilte kwam Attaways pickup over de heuvel aangehobbeld. In plaats van het pachtershuis voorbij te slingeren, reed Attaway ons tuinpad op. Ik hoorde zijn schoenen op de trap en een klopje op de verandadeur.

Thomas verdween om zijn joggingbroek te vervangen door een spijkerbroek. Ik ging de deur opendoen. Attaway droeg een blauw overhemd met een crème strikje. Hij zei: 'Goedemorgen, Amanda. Is Clement thuis?'

'Hij komt zo beneden.'

'Goed. Ik wil hem iets vragen.' Hij snoof en staarde me over de drempel aan. Hij zei opeens: 'Was jij erbij, Amanda, toen Matt m'n zoon neerschoot?'

'Ik zat in de auto toen we erheen gingen, inderdaad.'

'Heeft Matt hem iets verteld? Heeft hij gezegd dat hij het gedaan heeft? En waarom?'

'Thomas vertelt me geen dingen die hem in vertrouwen gezegd zijn, oom Attaway.'

'Hm. Nou ja, we horen het snel genoeg, niet dan? Ik ben al een paar keer bij de rechtbank geweest, maar de sheriff voelt zich nogal wat en wil me niks vertellen. Jimmy White. Eindelijk terug van vakantie en wil meteen weer de baas spelen. Ik weet nog hoe zijn vader elke dag ladderzat in het café hing toen ik een kind was, terwijl ik van 's morgens vroeg tot 's avonds laat op papa's land werkte.'

Hij draaide zich om en spuugde, wierp een blik op de weg en wendde zich weer tot mij. Er klonk onmiskenbaar tevredenheid in zijn stem door.

'Hier komt hij niet mee weg, die Matt. Het lukt Humberston deze keer niet om iedereen om te kopen. Ze praten er wat omheen, daar bij de rechtbank, maar zo is het en niet anders.'

Ik deed een stap bij de deur vandaan, ik hoorde Thomas aankomen. Attaway treurde niet om zijn zoon. Hij verlustigde zich alleen maar in Matthew Humberstons schande en verdriet.

Thomas ging naar buiten en deed de deur achter zich dicht. De twee mannen stonden in de tuin ernstig te praten. Ik kon hun stemmen horen; Attaways lijzige, zware stem, Thomas' antwoord. Tenslotte liep Attaway naar zijn auto. Hij reed weg, richting de hoofdweg. Thomas kwam het trapje op, over zijn ongeschoren kin wrijvend. De geweren begonnen weer te knallen.

'Dit geloof je nooit', zei hij.

'Wat?'

'Hij wil dat ik Quintus begraaf.'

'Nog een uitvaartdienst, bedoel je?'

'Nee. Oom Attaway heeft hem opgegraven en naar de begraafplaats op Fowlerand Landing gebracht. Hij vroeg me om daar vanmiddag naartoe te gaan en te helpen hem opnieuw te begraven.'

'Mag dat wel?'

'Ik zou het niet weten.'

'Wat heb je tegen hem gezegd?'

'Wat kon ik zeggen? Hij heeft Quintus in een kist op zijn veranda liggen. Ik kan toch moeilijk weigeren die arme man weer onder de grond te stoppen. Mijn eerste begrafenis in Little Croft en het lichaam ís al een keer begraven! Ik zal me eerst maar 'ns gaan scheren.'

'Weet je zeker dat je dit moet doen?'

'Weet je', zei Thomas, 'iedereen in dit graafschap heeft ofwel Fowlerands ofwel Humberstons in zijn familie. Als ik naar de rechtbank moet, jaag ik iedereen die familie is van Humberston tegen me in het harnas. Ik wil dat niet ook nog eens met de Fowlerands laten gebeuren. En trouwens, Amanda, ik kan Quintus toch niet het hele weekend boven de grond laten staan?'

Ik ging schoorvoetend akkoord. Thomas liep de trap op. Halverwege boog hij zich over de trapleuning.

'Wil je iets voor me doen? Het telefoonnummer van de priester van Northend opzoeken? Ik moet er eerst achter zien te komen of er al iemand onderweg is om je oudoom te arresteren voor het ontwijden van heilige grond of iets dergelijks.'

Toen Thomas de priester van Northend belde, had die het gat op zijn kerkhof net ontdekt. Ik kon zijn gepikeerde stem duidelijk horen.

'...grafroof... toestemming van het bisdom... moet goedgekeurd worden door de griffier van de rechtbank...'

Thomas zei sussend: 'Ik ga ervan uit dat meneer Fowlerand de benodigde formulieren heeft –'

'Dat waag ik te betwijfelen', zei ik.

Thomas keek me boos aan. De priester praatte maar door. Thomas maakte geruststellende geluiden. Het beloofde een lang gesprek te worden. Ik schoof de restjes van het ontbijt in een schaal en bracht die naar buiten voor de honden. Toen ik terugkwam, stond Thomas zijn oor te masseren.

'Jouw familieleden zijn knettergek', zei hij. 'Stuk voor stuk. Het is in Virginia een misdrijf om een lichaam te verplaatsen zonder toestemming. En dan nog de kerkelijke problemen. In ieder geval heb ik de priester weten te kalmeren. Maar hij wil hiernaartoe komen en Quintus opnieuw zegenen voordat hij begraven wordt.'

'Oom Attaway wil een degelijke, protestantse begrafenis', hielp ik hem herinneren.

'Oom Attaway had dat moeten bedenken voor de eerste begrafenis. Waarom heeft hij zijn toestemming gegeven voor de begrafenis in Northend? Ik ga eerst de griffier maar eens bellen. Nee, hè, 't is zaterdag. Goed, ik doe eerst de begrafenis en als Peggy's moeder hem dan weer wil opgraven, moet zij maar wat formulieren invullen. Je oudoom wil graag dat jij meekomt, Amanda.'

'Nee, hè, daar heb ik absoluut geen zin in.'

'Hij zei dat hij er familie bij wou hebben, en oma heeft tegen hem gezegd dat zij te oud was om twee keer naar dezelfde begrafenis te gaan.'

Thomas strikte zijn das en ik wachtte tot hij meer zou zeggen, maar hij rommelde in de zakken van zijn begrafenispak op zoek naar iets. Hij zei niet dat hij me graag mee wilde hebben voor morele ondersteuning. Ik ging naar boven en haalde mopperend mijn zwarte jurk uit de wasmand.

We parkeerden de auto voor de Fowlerandboerderij en liepen achterom. De veranda aan de voorkant was schoongeboend, maar we wilden er geen van beiden overheen lopen. De bomen wierpen korte schaduwen op het gras. De geur van houtvuur hing in de lucht.

'Eén', zei een stem achter het huis. 'Twee, drie. Omhoog!'

De bons van hout op metaal werd gevolgd door een schurend geluid dat door merg en been ging. We liepen de hoek om. Oom Attaway had zich geïnstalleerd op het trapje. Roland, klein en stevig, leunde tegen de achterklep van een pick-up en veegde zijn voorhoofd af. Pierman, lang en pezig en verweerd, was bezig een sigaret aan te steken. Quintus' kist lag achter in de pick-up. Er kleefde nog zand aan de hoeken.

Attaway schoof zijn pet naar achteren. 'Jongens', zei hij, 'jullie kennen dominee Clement? Hij was op de begrafenis.'

'Goeiemorgen', zei Roland somber; Pierman knikte.

Thomas zei: 'Goedemorgen, meneer Fowlerand. Wist u dat je voordat je iemand opgraaft –'

Een donkerblauwe BMW schoot het huis voorbij en remde slippend. De priester van Northend stapte eruit in een stofwolk en beende naar de veranda. Attaway zocht in zijn zak naar een pakje sigaretten, zijn gezicht stond onbewogen.

'Meneer Fowlerand!'

Hij heette Jarrow, Edward Jarrow. Hij was even groot als Thomas, maar dikker. Hij barstte van gerechtvaardigde woede.

'Dit gaat alle perken te buiten', zei hij. 'U heeft geen bezwaar gemaakt toen mevrouw Morris de voorbereidingen trof voor Quintus' begrafenis, en dit zal haar veel verdriet bezorgen. Ze wilde graag dat haar schoonzoon naast haar dochter begraven werd.'

'Nou', zei Attaway, 'ik had het idee hem naast zijn moeder te begraven. Ik stel me zo voor dat dat zwaarder weegt, dominee.' Hij tikte een sigaret uit het pakje.

'Quintus was een zoon van de Kerk.'

'Hij was mijn zoon, en hij gaat hier de grond in.'

'Om een lichaam uit gewijde grond te halen, moet u toestemming hebben van de griffier van de rechtbank. En het was wel zo fatsoenlijk geweest als u de zaak ook met mij had besproken.'

Attaway stak twee vingers in het borstzakje van zijn overall en haalde er een vies stuk papier uit.

'Hierop staat', zei hij, 'dat ik naar het gerechtsgebouw ben geweest en betaald heb voor een vergunning om Quintus eruit te halen. En wat uw toestemming betreft, dominee, wil ik één ding zeggen: de Fowlerands werden hier al begraven voordat de katholieken in Northend hun eerste kaars aanstaken. Ik vraag niemand toestemming om mijn jongen daarheen te brengen waar hij hoort.'

Hij streek een lucifer af, stak de sigaret aan en zoog de rook naar binnen. Edward Jarrow stak zijn handen in de lucht.

'Ik woon al tien jaar in Northend', zei hij. 'En ik heb nog nooit zoiets meegemaakt. Bent u Clement?'

'Ja', zei Thomas.

'U bent echt van plan dit te doen?'

'Misschien vindt meneer Fowlerand het goed als u met me meegaat. Dan kunt u mevrouw Morris vertellen dat haar schoonzoon fatsoenlijk begraven is.'

'Mijn zoon', zei Attaway weer.

Jarrow aarzelde en keek van de één naar de ander. Attaway blies een rookwolkje de lucht in. Pierman staarde in de verte en

Roland stond vuil onder zijn nagels vandaan te pulken. Geen van de Fowlerands leek ook maar het kleinste beetje wroeging te voelen.

Tenslotte zei hij: 'Eén moment', en liep naar zijn BMW. Toen hij terugkwam, had hij een gebedenboek in zijn hand.

'Goed dan', zei Attaway. 'Pierman, jij rijdt de pick-up erheen. Deze kant op, dominee Clement. Het kerkhof is op die heuvel daar.'

Pierman gooide zijn sigaret op de grond en drukte die met de neus van zijn schoen uit. We liepen over de hobbelige zandweg naar de begraafplaats, achter de langzaam rijdende pick-up aan. Doris was hier begraven, achter een lange rij scheefstaande, grijze stenen uit de eeuw ervoor. Gideon Pierman Fowlerand, 1834-1836. ZIJ DIE IN CHRISTUS GESTORVEN ZIJN, ZULLEN OPSTAAN. De Fowlerands waren ver afgedreven van die hoop; op Doris' steen stond kortweg: GELIEFDE MOEDER, onder een gebeitelde narcis. Naast haar graf lag een keurige kuil voor Quintus klaar.

'Oké', zei Attaway. 'Naar beneden met die kist.'

Jarrow en Thomas keken elkaar aan, maar Quintus was lang en zijn kist was te zwaar voor Roland en Pierman. Attaway pakte twee dikke, gele touwen van de passagiersstoel en reeg ze door de handvatten van de kist, één vooraan en één achteraan. De vier mannen lieten Quintus zwijgend in de kuil zakken, de stilte werd slechts doorbroken voor een enkele aanwijzing. En daarna stonden we er allemaal omheen met onze schoenen in het zand en luisterden naar Thomas die voorlas uit 1 Korintiërs. Ik richtte mijn blik op de hoop zand en luisterde naar hem. De bovenste laag zand was een harde korst geworden en een paardebloem worstelde om te overleven in de hoop rode aarde. Hoe lang duurde het voordat onkruid weer begon te groeien? In ieder geval meer dan drie of vier dagen. Ik leunde onopvallend voorover. De zijkanten van de kuil waren kaarsrecht. Iemand met het juiste gereedschap had die kuil gegraven. En de aarde was hard en opgedroogd. Attaway moest deze kuil van tevoren gegraven hebben; in ieder geval voor de begrafenis in Northend dinsdag. Ik keek opzij naar het groepje Fowlerands. Roland en Pierman hadden hun ogen stijf dichtgeknepen en hun gezichten stonden bedroefd. Oom Attaway stond naar de kist van zijn zoon te kijken. Hij had een berekenende blik in zijn lichtblauwe ogen en zijn wenkbrauwen waren gefronst, alsof hij stond na te denken. Thomas sprak het 'amen' uit en deed een stap achteruit voor Edward Jarrow. Attaway maakte een ongeduldige beweging.

'Roland', zei hij, 'pak de schoppen.'

'Even wachten', snauwde Jarrow.

'Doe wat u wilt doen terwijl Roland de schoppen haalt. Toe maar, jongen.'

Roland slofte naar de pick-up. De priester sloeg zijn gebedenboek met een klap open. 'Onze broeder', begon hij, 'we vertrouwen uw ziel toe aan God die u gemaakt heeft...'

Roland kwam terug met de schoppen en gaf er een aan Pierman. Hij duwde het blad in de hoop zand. De bovenste droge laag verschoof. Pierman tilde een schep vol vochtig, rood zand op en gooide het op de kist. Edward Jarrow bleef doorlezen.

'Onze Vader, die in de hemelen zijt...' *Plof*. 'Uw naam worde geheiligd; uw koninkrijk kome...' *Plof*. 'Uw wil geschiede, gelijk in de hemel alzo ook op de aarde.'

Zand bedekte het naamplaatje. Quintus' naam verdween. Ik begreep opeens waarom Adkins' begrafenisonderneming had gewacht met het vullen van het graf in Northend tot de mensen vertrokken waren. Ik draaide me om en wandelde terug naar de Fowlerandboerderij. Ik liep door de zijtuin naar het houten steigertje bij de rivier en bleef daar zitten, met mijn armen om mijn knieën geslagen, tot Thomas me riep.

Ik lag die nacht lang met wijdopen ogen te luisteren naar de geluiden van de nacht: het ritselen van een dood blad tegen het zinken dak, het roepen van een uil in de verte, Thomas' onregelmatige ademhaling naast me.

Hij zei opeens, in het donker: 'Toen jij op de steiger zat en wij terugliepen van de begraafplaats, heb ik de vergunning van de rechtbankgriffier even gezien.'

'Zag die er officieel uit?'

'Ja, maar de datum van de eerste begrafenis stond erop. Toen de begrafenis voorbij was, was het al vijf uur geweest en waren de kantoren dicht. Dus voordat Quintus begraven werd, was Attaway al van plan hem op te graven en opnieuw te begraven. En ik heb hem geholpen!'

'Je hebt gedaan wat je moest doen. Je kon hem toch niet boven de aarde laten staan?'

Hij gaf geen antwoord. Ik draaide me om en legde mijn hoofd op zijn borst. Lang nadat hij rustiger was gaan ademen, lag ik nog klaarwakker. Ik dacht: als ik slaap, krijg ik misschien weer zo'n akelige droom. Als de geesten van het pachtershuis verstoord werden door de daden van de levenden, zou de begrafenis van vandaag hen vast tot waanzin drijven.

Toen ik eindelijk in slaap viel, droomde ik dat Thomas bij me weggegaan was en een nieuw leven was begonnen in Californië bij een of andere vage, oosterse sekte die haar leden opdroeg alle banden met familie door te snijden; en dat Quintus en ik in de zomer op de veranda zaten te praten over ons verdriet tot de zon onderging en 'Armoe troef' gehuld werd in het donker.

Zestien

Zondagochtend draaide de auto van een sheriff het parkeerterrein van de kerk op, net voor de dienst begon. Bij daglicht leek de hulpsheriff die Jimmy White beloofd had behoorlijk overdreven. Ambrose Scarborough stond verbaasd te kijken toen hij kwam aanrijden; John Whitworth trok geschrokken zijn wenkbrauwen op.

Maar vlak voor de zegen hoorde ik banden schuren op de parkeerplaats. Het gedempte geluid van een automotor hield plotseling op. Toen we de oude, houten deuren aan de achterkant van het gebouw opendeden, stond Matthew Humberston onder aan de trap. Kaarsrecht, maar mager als een lat, alsof hij 's nachts minstens vijf kilo kwijtgeraakt was. Hij droeg zijn werkkleren: een kaki overall en laarzen. Hij was blootshoofds en zijn zwarte haar viel over zijn kraag. Onder de zware wenkbrauwen spuwden zijn donkere ogen vuur.

De gemeenteleden liepen langs Thomas de deur uit en gingen zwijgend bij elkaar op de parkeerplaats staan. Ik stak mijn arm door die van Thomas. Hij drukte mijn elleboog stevig tegen zich aan en we liepen samen de veranda op.

Matthew moest zijn hoofd achterover buigen om ons, boven aan de trap, aan te kijken. John en Ambrose schuifelden met hun voeten over de stenen achter ons.

'Goeiemorgen, Matthew', zei Thomas.

'Clement', zei Matthew, en gaf mij een knikje. 'Goeiemorgen, Amanda. Ik wil even met u praten, dominee. U kunt gaan en

131

staan waar u wilt. Maar mijn jongen zit weer in de cel. Eén dag vrij, en ze zetten hem weer achter de tralies.'

De kerkgangers stonden nieuwsgierig te luisteren.

'Wat vervelend', zei Thomas rustig.

'Denk erom dat u uw woorden niet gebruikt om hem daar te laten zitten.'

'Ik ben nog niet gedagvaard, Matthew.'

Matthew keek om zich heen, maar niemand verroerde een vin. Hij ging de trap op, zodat zijn gezicht nog maar twintig centimeter verwijderd was van dat van Thomas. 'Alstublieft, dominee! Wat hij gedaan heeft, is gebeurd in een vlaag van woede en onbezonnenheid, niet uit haat. Dát moet u tegen de jury zeggen.'

'Ik moet de waarheid vertellen.'

Matthew Humberston deed een stap achteruit. Hij draaide zich om en spuugde in de struiken die de oude stenen trap omzoomden.

'Wiens waarheid?' Hij keek Thomas een poosje strak aan, draaide zich toen om en liep weg. Hij liep veerkrachtig, met een bittere gedrevenheid. Hij sloeg het autoportier dicht en liet de banden snel ronddraaien in het stof.

De wachtende menigte stond wat te schuifelen. Toen er niets meer leek te gebeuren, ging ze uiteen en de geparkeerde auto's begonnen langzaam, één voor één, weg te rijden.

'Maak u maar geen zorgen', zei Ambrose in het voorbijgaan en John Whitworth bromde instemmend.

Thomas maakte zich wel zorgen. Hij ging 's middags weer een eind lopen met de honden en kwam moe en onder de groene sprietjes terug. Ik had eindelijk de schoorsteen laten vegen en deed de haard aan om de kou van de oktoberavond te verdrijven. Thomas zat voor het vuur grassprietjes en kleefkruid van zijn sokken te plukken en gooide ze in de vlammen. Ik haalde thee en gembercake en we begonnen zwijgend te eten.

'Ik ben afgelopen week bij een advocaat geweest', zei Thomas opeens.

Ik keek hem verrast aan, over de rand van mijn glas. 'Wanneer dan?'

'Woensdagochtend, toen jij weg was. Ik heb meteen na de moord een afspraak gemaakt. Ambrose gaf me het adres van iemand in Williamsburg.'

Ik knabbelde de rand van een stuk gembercake af. Het deed een beetje pijn dat hij me er zolang niets over verteld had, maar ik zei streng tegen mezelf niet met twee maten te meten. Ik bewaarde nog steeds het geheim van Peggy's zwangerschap.

'En wat zei hij?'

'Hij zei dat een priester of predikant bekentenissen kan beschouwen als vertrouwelijke informatie, ook bij de rechtbank. Ik hoef ze dus niet te vertellen wat Quintus tegen me zei over Matts plan om hem te vermoorden.'

'En dat Matt "Mooi zo!" zei toen hij hoorde dat Quintus dood was?'

'Nee, dat valt er niet onder. Maar dat is ook minder belastend dan Quintus' verklaring.'

'Met andere woorden: jij kunt je mond houden.'

'Ja.'

Het was een ontsnappingsmogelijkheid. Maar ik kon aan Thomas' stem horen dat hij er geen gebruik van zou maken.

'Ik heb geprobeerd mezelf ervan te overtuigen dat ik een goede predikant zou zijn als ik mijn mond zou houden', zei hij. 'En telkens als ik dat doe, voel ik me intens opgelucht, dus ik weet dat het niet klopt. Ik ben gewoon bang, dat is het.' Hij gooide nog een grassprietje in het vuur; het flakkerde rood op en verschrompelde daarna tot as. 'Je familie was heel anders dan ik verwachtte, toen we hier kwamen; maar ik zei steeds tegen mezelf dat het niet uitmaakte omdat de kerk mijn echte familie is, en ik ben bang dat ik de kerk nu ook nog kapotmaak...'

Zijn stem stierf weg. Hij haalde ongemakkelijk zijn schouders op en liet zijn hoofd hangen. Ik zag hoe het rode licht zijn gezicht bescheen: de diepliggende ogen en de sierlijke lijn van zijn kaak en wangen.

Ik zei: 'Ik wou dat ik een kudde familieleden uit het noord-

oosten voor je kon regelen en een predikantsplaats in een gecivi-
liseerde buitenwijk van Boston.'

Thomas grinnikte. 'Die advocaat kost ons honderd dollar', zei
hij.

'Ach, nou ja.'

'En ik weet niet wat er zal gebeuren als ik een verklaring afleg.
De mensen van de kerk mogen Matthew. Ik mag hem ook graag.
Niemand vindt je oudoom aardig. Het lijkt dan net alsof ik
Attaway steun tegenover Matthew. Ik wil niet gezien worden als
Attaways beschermeling. Alleen al het gerucht dat Attaway iets in
te brengen heeft in de kerk heeft mijn hele bezoekprogramma in
die krotten in Winneck geruïneerd. Maar ik moet vertellen wat
ik gehoord heb – wat er ook gebeurt. Zelfs als Matthew of Matt
wraak wil nemen. Zelfs als ik neergeschoten wordt op het parkeerterrein van de kerk door een of andere ingehuurde idioot.'

'Een huurmoordenaar is meer iets voor die softe stadsmensen',
zei ik. 'Hier knappen we het vuile werk zelf op.'

De dagvaarding kwam maandagochtend. Ik was vroeg opgestaan,
las een God-heeft-me-verlaten-psalm en keek ondertussen naar de
opkomende de zon. Een sheriffauto verscheen op het heuveltje.
Hij liet een spoor van stofwolkjes achter. Ik wilde dat hij de bocht
om ging, naar oma's huis, maar hij reed naar ons huis en verdween
uit mijn zicht. De honden begonnen te blaffen.

'Wie is dat?' vroeg Thomas vanaf de overloop.

'Volgens mij een sheriff.'

Hij kwam de trap af en deed de achterdeur open. Een
hulpsheriff stapte uit de auto. Het was een jonge, zwarte man,
ongeveer even lang als Thomas, en hij had een witte envelop in
zijn hand.

'Thomas Clement?' vroeg hij.

'Ja?'

'Een dagvaarding voor u, dominee Clement.'

Thomas pakte de envelop aan. De hulpsheriff gaf me beleefd
een knikje en ging weer in de auto zitten. Thomas maakte de
envelop open terwijl de sheriff wegreed, begeleid door het geluid

van de honden die vanuit hun veilige plek onder de veranda tegen die vreemde auto zaten te janken.

'9 november', zei hij.

'Ik zag het helemaal voor me. *Meneer Clement, kunt u herhalen wat de verdachte tegen u zei?* Thomas, in zijn pak voor bruiloften en begrafenissen: *Hij zei: Matt zei dat hij me zou vermoorden. Gisteren zei hij dat hij me zou vermoorden. Vannacht zei hij dat hij mij zijn hele leven al wilde vermoorden en nu de kans had.* De officier van justitie: *En wat zei meneer Humberston?* Thomas' antwoord, terwijl hij probeert Matthew Humberstons woedende blik te ontwijken: *Hij vroeg me of Quintus dood was. Ik zei dat dat inderdaad zo was. Hij zei: Mooi zo!*

Thomas stopte de dagvaarding in zijn achterzak. 'Wil je vanavond met me mee op bezoek bij de familie Kinderley – dat gezin met de kleine meisjes? Ze waren zondag alweer in de kerk. Ik had vorige week al moeten gaan, maar Quintus' begrafenis heeft mijn hele schema in de war geschopt.'

'Ja, hoor.'

'Ik ga weer huis-aan-huis bij mensen langs vanochtend. Ze moeten weten dat we bestaan. Ik ben nergens meer geweest sinds die dag dat niemand met me wou praten in die krotten van Attaway. Het is tijd om de draad weer op te pakken.' Hij draaide zich om en ging naar binnen.

Ik schudde wat cornflakes in een schaaltje, at ze staande op en ging naar oma's boerderij. Ik was er om drie minuten over negen. Oma zat haring en tosti's te eten: puur zout en vet. Ze zei onmiddellijk: 'Je kwam niet, dus moest ik m'n eigen ontbijt klaarmaken.'

'Hm', zei ik.

'Je kunt meteen beginnen de voering van mijn sprei vast te spelden. Ik ga eerst eten en daarna krant lezen.'

Ik keek haar onderzoekend aan, maar ze ontweek mijn blik. De sprei hing op een raamwerk in de kleine slaapkamer aan de andere kant van het huis. Ik ging daar in mijn eentje zitten en speldde katoenen voering tegen de achterkant van oma's sprei. De zon kwam op aan de andere kant van de boerderij, het kamertje was koud en donker. Oma hield zich schuil in de keuken, ze zat in de banen ochtendlicht de krant te lezen.

Ik riep wat naar haar in een poging een gesprek te voeren, zodat ik misschien Peggy's dood ter sprake kon brengen.

'Hoe gaat het met oom Attaway, oma?'

Korte stilte. 'Zeg je?'

'Attaway! Hoe gaat het met hem, nu Quintus voorgoed begraven is?'

'Kan je niet verstaan', brulde oma. Ik speldde helemaal tot de hoek van de sprei voor ik weer een poging waagde.

'En hoeveel extra belasting moet oom Attaway betalen?' schreeuwde ik door de gang.

'Geen naalden. Spelden. Ze liggen op de naaimachine.'

'Ik bedoel het successierecht. Is Attaway veel kwijt omdat Quintus geen testament had?'

'Ik heb niet genoeg adem om de hele morgen tegen je te schreeuwen, Amanda, dus ga aan 't werk en hou je mond.'

Het was pas tien uur en tenzij ze van plan was me zonder middageten te laten zitten, kon ze me niet de hele dag in dat achterkamertje opsluiten. Ik probeerde de voering zo snel mogelijk vast te spelden. Om half twaalf waren de schaduwen die ik door het raampje kon zien gekrompen tot niets en de sprei was klaar om genaaid te worden. Ik ging naar de keuken en begon het middageten klaar te maken voordat oma me opdracht kon geven om glazen potten te poetsen in de uithoeken van de kelder.

'Sla, tomaat en kaas?' vroeg ik.

'En spek.'

'U hebt genoeg zout gehad voor een week.' Ik legde plakken tomaat op het witbrood en zette haar bord en een glas ijsthee op de tafel. Ze ging mopperend zitten.

'Je bent nog erger dan je moeder', klaagde ze.

'Dank u wel. Zal ik bidden?'

'Ik bid hier niet voor, alleen als je er spek bij doet.'

'Dan niet.'

'Ga zelf ook maar eten. En geef mij de tv-gids om me wat af te leiden van het eten.'

Ik at een boterham staand bij het aanrecht op. Oma zocht in de tv-gids naar een soap. Toen ze klaar was met eten, duwde ze haar stoel achteruit en zei: 'Ik had gedacht dat jij de rest van de potten in de kelder maar moest schoonmaken vanmiddag terwijl ik tv kijk.'

'Oma', zei ik, 'wist u dat Peggy zwanger was toen ze stierf?'

Oma hield de tv-gids met beide handen vast, dicht bij haar borst. Ik keek naar de zijkant van haar gezicht. Een heleboel rimpeltjes op haar wangen en rond haar mond maskeerden elke beweging van de spieren onder haar huid. Haar blauwe ogen waren gericht op de rij pijnbomen in de verte.

'Ga nu maar naar de kelder', zei ze na een poosje.

Ik liep naar de kelder, maar voordat ik bij de kelderdeur was, riep haar krakende stem me terug.

'Nee. Ik heb iets anders voor je te doen. Ik heb een hele la vol oude foto's, net als die ik jullie al gegeven heb. Ze krullen allemaal op bij de hoeken en worden bruin. Haal ze eruit en plak ze voor me in fotoalbums.'

Ik liep de keuken weer in. 'Waar zijn de albums?'

'Die heb ik nog niet. Maar je kunt de foto's alvast voor me uitzoeken. Ze liggen in die kast daar.' Ze wees door de glazen deuren die van de keuken naar de woonkamer leidden. Daar stond een dressoir tegen de muur, tegenover een roodfluwelen bank en een piano. Ik liep de geur van stof en meubelwas in en trok de bovenste la van het dressoir open. De foto's vlogen me om de oren. De la was helemaal volgepropt met oude foto's en bleef halverwege steken.

'Ik heb trouwens ook veel te veel foto's', zei oma.

Ik duwde mijn hand over de foto's de la in. Een verkreukeld stuk glanzend papier zat klem tussen de rand van de la en de voorkant van het dressoir. Ik kon mijn wijsvinger achter de prop krijgen en die eruit trekken, maar daarbij scheurde het papier. De la schoot verder open. Ik pakte een armvol foto's en legde ze op de keukentafel. Oma strompelde naar haar stoel en zette de tv aan. De soap vulde de kamer en ik begon de zwijgende gezichten van de doden uit te zoeken. De familieleden die ik niet kende, legde ik op een stapel aan de rand van de tafel. De andere foto's – oma en opa, Attaway en Doris, Attaway met zijn zwager, Quintus en Matt – legde ik op een dambord voor me. De oudste foto was er een van oma Cora: achter in de twintig, een hoed en een sluiertje en witte handschoenen. Ze stond met haar hand op de arm van haar man voor het oude huis. Nathaniel Scarborough keek uitdagend in de camera. Zijn blonde haar was wit tegen de achtergrond van de beschaduwde planken van het huis. En hier: een serie Thanksgiving-etentjes. Attaway, donker en boos kijkend, met een vlasblonde baby op zijn knie, oma, een jaar of veertig, in een geruit schort, mijn moeder als tiener voor een gevulde kalkoen. Op een andere foto stonden vier mooie, blonde kinderen met hun visvangst uit de rivier: mijn moeder, Giddy met een grijns op zijn gezicht en tante Winnie die in Raleigh woonde en nooit thuiskwam. Ik herkende het vierde kind niet. Stephen? Nee, de kinderen op de foto waren ouder en Stephen was gestorven toen hij zes was.

Ik kwam overeind om een glas water te pakken en daardoor verschoof de prop papier op mijn schoot. Ik kon hem nog net pakken voor hij op de grond viel en zag een gekleurd hoekje. Oma zat nog steeds tv te kijken, ze schonk geen aandacht aan mij. Buiten bewogen de oogstmachines schijnbaar geluidloos door de bruine velden. Ze reden heen en weer tussen de pijnbomen aan de oostkant van de boerderij en de rij rode gombomen aan de westkant. Ik vouwde de foto open, hij was bijna middendoor gescheurd. De vage kleuren stamden uit de jaren zeventig. Mijn opa Nathaniel, oud en mager en krom, stond boven op de heuvel bij de rivier. Hij steunde met beide handen op een wandelstok die hij in het zand had gestoken. Aan zijn voeten zat een jachthond. Oom Attaway stond naast hem, twintig jaar jonger en tien kilo lichter. Quintus stond aan de rand van de foto met zijn handen om de halsbanden van twee andere honden. De foto had aan de onderkant een donkere, onduidelijke rand en er lag een vreemde waas overheen. Ik liep naar de servieskast voor een glas en dacht ondertussen na over het plaatje. En terwijl ik de kraan open-draaide, keek ik uit het raam boven de gootsteen en herkende de achtergrond. Iemand had die foto genomen door het keukenraam. De donkere rand was de vensterbank. Mijn grootvader, Nathaniel Scarborough; Attaway, de broer van zijn vrouw; Quintus, Attaways kind. Nathaniel Scarboroughs Scandinavische trekken waren duidelijk herkenbaar, de kleine, rechte neus en de mond met de dunne lippen. Quintus had zijn hoofd omgedraaid om de heuvel af te kijken en tegen de achtergrond van lucht en een boom leken zijn neus en mond een kopie van die van mijn grootvader.

Ik deed mijn mond open om te zeggen: 'Is het u wel eens opgevallen hoeveel Quintus op papa Nat leek?' toen me iets te binnen schoot waardoor ik zweeg. Ik dacht aan het briefje dat ik gevonden had, in het huis waar Doris had gewoond.

Ik liep terug naar de tafel, waar ik de andere foto's had neergelegd. De vier blonde kinderen glimlachten me toe vanaf het gras. Nathaniel Scarboroughs kinderen: mijn moeder, mijn oom, mijn tante. En Quintus Fowlerand. Er bungelde een meerval aan zijn hand en de triomfantelijke Scarboroughglimlach stond op zijn gezichtje. Ik dacht aan oma Cora, die Nathaniel Scarborough vier kinderen had geschonken en nooit en te nimmer over haar overleden man praatte; en ik dacht aan Attaway Fowlerand, die naar zijn kind keek en het Quintus noemde. Quintus, het vijfde kind van Nathaniel Scarborough. Attaway had het geweten.

Ik zei niets tegen oma. Een heel aantal jaren geleden had ze dat vluchtige moment van gelijkenis opgemerkt en vastgelegd; haar man en het kind van haar broer, schepper en evenbeeld. En toch, ze had het nooit willen weten. Ik had het bewijs in mijn hand, maar de ingewikkelde gebeurtenissen erachter waren me nog niet duidelijk.

Zeventien

Toen ik terugliep naar huis, schoot me opeens weer te binnen dat Thomas me gevraagd had om vanavond met hem mee te gaan. Ik liep snel naar huis, nam een douche en deed een domineesvrouw-rok aan. We reden in de schemering naar het huis van de familie Kinderley.

De foto's hadden zich met weerhaakjes vastgezet in mijn hoofd. Als Quintus de zoon was van opa en als oma dat ver-moedde, wat voor kilte moest er dan tussen hen gekomen zijn? Ik herinnerde me de foto uit 1955, waarop oma Cora niet aan-geraakt wilde worden door haar man. Quintus was een paar jaar later geboren. En oma Cora had altijd een uitgesproken voorkeur voor Quintus gehad. Ze had hem in bescherming genomen tegen Attaways spottende opmerkingen en Quintus kwam ik weet niet hoe vaak per week naar het oude huis om zijn tante te helpen. Ik corrigeerde mezelf. Niet zijn tante, als Attaway hem niet verwekt had. Helemaal geen bloedband zelfs. En Attaway was kinderloos gebleven.

Ik staarde naar de vage weerspiegeling van mijn gezicht in het donkere autoraampje en zag opeens heel helder het pachtershuis voor me, zoals het vijfendertig jaar geleden moest zijn geweest. Ik zag het opengeklapt als een poppenhuis. Kil ochtendlicht kwam de kamers en gangen binnen. Attaway lag op de bank in de woon-kamer met zijn laarzen over de armleuning en zijn armen boven zijn hoofd. Om hem heen lagen de vermoeide lichamen van de

140

andere jagers: Giddy en de twee stevige Humberstons, die onder dekens en spreien lagen te snurken.

In de haveloze slaapkamer boven hem lag doodstil iemand onder een gewatteerde deken, de gordijnen waren dichtgetrokken tegen het invallende licht. Aan de andere kant van het overloopje stond een dreumes rechtop in zijn bedje te krijsen. Zijn gejammer doorbrak de stilte van de ochtend totdat de man op de bank gromde, zich omdraaide en geërgerd rechtop ging zitten; maar het roerloze lichaam van de moeder bewoog nooit meer.

'Hallo?' zei Thomas.

Ik draaide me met een ruk om en keek hem aan. 'Wat is er?'

'Waar zit je met je gedachten?'

'Sorry.'

'Hier is Riverside Farm.'

Hij ging langzamer rijden en draaide een lange zandweg in. De familie Kinderley woonde aan de andere kant van de doorgaande weg in een vriendelijk, wit, koloniaal huis dat eens bij een plantage gehoord had.

'Het zijn wel twee uitersten, hè?' zei ik. 'Eerst de krotten aan Winneck Road en nu dit.'

Thomas parkeerde ons gehavende autootje naast een glanzende Lexus en tuurde naar het huis. Hij zei: 'Nou ja, ik dacht dat Christus eerst naar de krotten zou zijn gegaan. Maar zelfs Hij besteedde geen tijd aan mensen die niet willen luisteren.'

'Hoe gingen je huis-aan-huisbezoeken vandaag?'

'Er heeft zowaar niemand op me geschoten.'

'Niet slecht.'

We liepen het tuinpad op, tussen keurig geknipte heggen door en Thomas drukte op de bel. Op het trapje hing de zoete geur van bukshout en sparrenhout. De deur ging open en we zagen een met hout beklede hal waarin zacht licht brandde.

Tim Kinderley stak zijn hand uit. Hij vulde de hele deuropening; een forse, welvarende man in een crème broek met overhemd. Zijn glanzende, blonde haar was in een nette scheiding gekamd. Hij had een grof gezicht, maar zijn blauwe ogen stonden vriendelijk en zijn stem klonk warm.

'Kom verder, dominee Clement', zei hij. 'Mevrouw Clement, fijn u te zien. Amy en Kristen gaan net naar bed. Geef de dominee en z'n vrouw eens een hand, meisjes.'

De meisjes zagen eruit alsof ze net uit bad kwamen, ze hadden Disney-pyjama's aan en hun blonde haren waren keurig gekamd. Ze gaven ons verlegen een hand en renden de trap op. Een vrouwenstem riep: 'Ik kom zo beneden, hoor, even de meisjes naar bed brengen. Tim, de koffie staat in de woonkamer.'

Tim Kinderley ging ons voor naar de woonkamer, waar een klein haardvuur brandde. Hij ging zitten in een crèmekleurige fauteuil en gebaarde ons op de bank te gaan zitten. De fleurige kussens op de lichte meubels kleurden bij een antieke quilt die aan de muur hing. Op een dienblad voor de haard stonden vier porseleinen kop-en-schotels, een kan koffie, melk en suiker en glanzende zilveren lepeltjes. Er gaapte een enorme kloof tussen dit hier en Winneck Road; of oma Cora's keuken, om maar iets te noemen. Thomas schonk koffie voor ons in terwijl Tim kletste. Hij werkte in de ICT, in Richmond. Zijn vrouw bleef thuis bij de twee meisjes en kweekte rozen. Het was heel geruststellend dat alles zo normaal was in deze gezellige kamer. Thomas was net bezig Tim te vertellen, ontspannen en opgewekt, over ons vertrek uit Philadelphia, toen mevrouw Kinderley de kamer in kwam.

'Mijn vrouw Eileen', zei Tim.

Ze mompelde een groet en ging zitten. Tim hield zijn lege kopje omhoog, zonder haar aan te kijken en ze sprong op om koffie voor hem in te schenken. Ik kuchte met mijn mond vol koffie. Thomas wierp me een waarschuwende blik toe.

'We hebben genoten van de kerkdiensten, de laatste twee zondagen', zei Tim, die het kopje van zijn vrouw aannam zonder een bedankje. 'Ik vond het fijn een kerk te zien vol kinderen van Adam.'

Ik was met mijn gedachten bij Eileen, die op de rand van haar stoel zat en angstvallig op haar man lette. Daardoor duurde het even voordat de ongerijmdheid van deze zin tot me doordrong. Kinderen van Adam? Wat had hij dan verwacht? Dieren?

Thomas zei voorzichtig: 'We zijn immers allemaal kinderen van Adam. We willen een plaats bieden aan alle zondaars.'

'We hebben verscheidene kerken in de omgeving geprobeerd', zei Tim, 'maar we vonden het jammer om te zien dat ze Gods scheiding van de rassen niet eerbiedigen. De kerk van Little Croft lijkt haar zuiverheid te hebben behouden.'

'Ah, u bedoelt zuiverheid van ras?'

'Precies', zei Tim.

'Omdat er geen zwarte mensen komen?'

'Zo is het. Zou u dit willen lezen? Het geeft uitleg over het Hebreeuws waarin Genesis geschreven is en over waarom God niet wilde dat we trouwen met de *esh*.' Hij haalde een dun boekje met een grijze kaft tevoorschijn. We bogen ons over het obscure ding. De auteur verklaarde vrijmoedig dat het Hebreeuws bewees dat blanken de enige, echte schepselen van God waren.

Ik zei na een poosje: 'Dat kunt u niet menen.'

Thomas legde zijn hand op mijn knie. 'Meneer Kinderley', zei hij geduldig, 'ik kan Hebreeuws lezen en Amanda ook. Hier klopt helemaal niets van.'

Tim Kinderleys ogen werden harder. 'En waarom worden in Genesis dan twee verschillende woorden voor 'mens' gebruikt?'

'Omdat –' begon Thomas. Zijn blik ging van de ene kant van die mooi ingerichte kamer naar de andere. 'Meneer Kinderley, als ik u ervan zou kunnen overtuigen dat het Hebreeuws van deze man beroerd is, zou u dan anders gaan denken over zwarte mensen?'

Tim Kinderley rammelde met zijn kopje dat op een tafeltje naast hem stond. Zijn vrouw hield nauwlettend haar ogen op hem gericht. Hij keek omhoog, naar het plafond. Zijn gezicht stond strak en onverzettelijk.

'Nee', zei hij.

Thomas zette zijn eigen kopje neer. 'Bedankt voor de koffie', zei hij, 'we gaan maar weer.' Hij ging staan en liep naar de deur. Ik treuzelde en keek naar Eileen, maar Thomas pakte mijn hand.

'Kom', zei hij en liep met opgeheven hoofd het trapje af.

Ik ging met hem mee. Ik had te doen met de twee meisjes die boven lagen te slapen, niet met Tim Kinderley en zijn racistische tekst. Thomas startte de auto en bij het wegrijden vloog er een beetje grind omhoog.

'Twee nieuwe gezinnen', zei hij. 'Racisten en King-Jamesfanatici. Een hoog percentage mafkezen, vind je ook niet?'

'Mm', zei ik.

'Wat zit je toch de hele avond dwars?'

'Iets dat oma me duidelijk maakte.'

'Wat dan?'

'Ik weet niet of ik het wel mag vertellen, Thomas.'

Thomas knikte, hij hield zijn ogen op de weg gericht. Ik keek naar de zijkant van zijn gezicht. De maan was tevoorschijn gekomen en het koele, witte licht maakte van zijn scherp getekende gezicht een vlak met heuvels en schaduwen. Zijn mooie wenkbrauwen waren gefronst en zijn sterke handen lagen vast om het stuur. Ik wilde niet zeggen: 'Er is nog een geheim in je nieuwe familie: ik denk dat mijn opa een kind verwekt heeft bij zijn schoonzus.'

We draaiden Poverty Ridge Road in. De lampen van het oude huis schenen flauw en nietig over de uitgestrekte landerijen. Opeens viel er nog een puzzelstukje op zijn plaats. Quintus was niet eens Attaways zoon. Quintus vernietigde zijn testament voordat hij stierf. Attaway was Quintus' naaste familielid helemaal niet. De erfgenamen van dat enorme stuk land waren waarschijnlijk zijn halfbroer en halfzussen: Giddy, mijn moeder en tante Winnie.

En zijn oom, de broer van zijn moeder. Matthew Humberston.

Oma bood me dinsdag weer varkensdarmen aan voor het middageten, dus ging ik naar huis om een bord pasta voor mezelf te maken. Thomas stond een boterham te eten bij het aanrecht. Hij neuriede in zichzelf tussen twee happen door. Ik vroeg verbaasd: 'Wat is er met jou aan de hand?'

'Ik heb vanochtend weer bezoeken afgelegd en vond iemand die de deur niet voor m'n neus dichtsloeg. Ik ben de hele morgen bij een vent geweest die in de buurt van de Loop woont. Eddie Winn. Hij woont in die oude caravan, vlak voor de zandweg naar Matthew Humberstons huis.'

Ik schudde wat geraspte kaas over mijn pasta. Ik kende Eddie Winn; hij was halverwege de veertig en was tien jaar lang in een Jack-Danielsnevel door het leven gestrompeld. Hij werkte nooit, maar hij verscheen één keer in de twee weken in de supermarkt met een zak geld en verdween weer met één tas etenswaren en twee tassen met flessen.

'Was hij nuchter?'

'Ja', zei Thomas, 'en hij beefde als een riet. Hij zat op de achterveranda met een pistool in zijn hand te schieten op blikjes die hij aan de rand van het bos had neergezet. Ik had me voorgenomen vanochtend vier nieuwe adressen te bezoeken, wat er ook zou gebeuren. Dus ik liep door de tuin naar hem toe en zei wie ik was. Hij keek me aan met rode, waterige ogen en bood me na een poosje het pistool aan. "Pakt u dit maar, dominee", zei hij. "Ik was van plan het op mezelf te richten als ik alle blikjes had gehad." Er stonden nog drie blikjes overeind. Ik ging bij hem op de veranda zitten en daar hebben we de rest van de ochtend gezeten. Ik heb hem het evangelie van begin tot eind verteld. En toen ik klaar was, ging hij naar binnen en kwam terug met een armvol flessen die hij in mijn schoot liet vallen. Hij zei: "Ik moet veranderen, dominee, anders ga ik dood. En u moet me maar helpen."'

Thomas blaakte van energie; Eddies antwoord had hem goed gedaan. Hij at zijn boterham op en veegde zijn handen energiek af aan een theedoek. 'Ik ga een paar mensen bellen om te zien of ik hem ergens in een ontwenningsprogramma kan krijgen. En ik bedacht dat hij wel een paar keer hier, bij ons, kon eten. Anders zit hij steeds alleen in die vieze, oude caravan. Kan hij vanavond komen?'

'Tuurlijk. Ik zal wel koken als jij de badkamer schoonmaakt.'

'Hoef je niet weer naar oma?'

'Jawel, ik heb even pauze genomen, om te eten. Ze wilde me varkensdarmen aansmeren.'

'Wat is dat voor iets, varkensdarmen?'

'Nou, gewoon, schoongemaakte en gekookte darmen.'

'Dat jouw familie zulke dingen eet!'

'Jouw familie ook, hoor. Gehaktbrood wordt ook gemaakt van restjes varken.'

'Dat meen je niet!' zei Thomas, alsof hij net gehoord had dat sinterklaas niet bestaat.

'Gekookte neuzen en oren.' Ik ging naar buiten en zocht in de vriezer naar stoofvlees. Ik wikkelde het in folie zodat het de hele middag kon sudderen. Ik was zo blij dat ik weer enthousiasme in Thomas' stem hoorde dat ik zelfs met een berouwvolle seriemoordenaar aan tafel wilde zitten.

Toen ik die avond thuiskwam, stond er een gehavende, onbekende pick-up naast onze kleine, blauwe auto. Het huis glom en rook naar glasreiniger. Eddie Winn zat in de keuken een kop koffie te drinken en luisterde naar Thomas die het fornuis schoonmaakte. Eddie ging staan toen ik binnenkwam.

'Mijn vrouw, Amanda', zei Thomas. 'Eddie Winn.'

'Ik heette vroeger Amanda Hunt', zei ik, terwijl ik hem een hand gaf.

'Je moeder herinner ik me nog wel', zei Eddie.

Zijn hand was droog en trilde. Hij ging snel weer zitten, zijn koffiekop stond te rammelen op tafel. Eddies moeder had bij mijn moeder op school gezeten en ik was hem in mijn tienerjaren zo nu en dan tegengekomen. Hij was vroeger een knappe, forse man, ongeveer even lang als Thomas; maar nu was hij krom en verschrikkelijk mager, zijn botten staken haast door de huid. De gebogen Engelse neus, die je bij veel inwoners van Little Croft zag, stak uit tussen bloeddoorlopen ogen. Hij veegde zijn neus voortdurend af aan zijn mouw.

'Ik zei dat hij hier kon komen terwijl ik de boel schoonmaakte', zei Thomas. 'Wat staat er in de oven? Het ruikt heerlijk.'

'Stoofvlees', zei ik. 'Sorry dat ik zo laat ben.' Oma Cora was zwijgzaam en knorrig geweest na de ontboezemingen van de vorige dag en ik kon niets goed doen bij haar. Ik was veertig minuten later dan gewoonlijk.

'Kan ik de badkamer gebruiken?' vroeg Eddie. 'Ik moet m'n handen wassen.'

'Boven aan de trap, tweede deur', zei Thomas.

Eddie liep voorzichtig weg. We hoorden de badkamerdeur dichtgaan.

'Ik kan een Anonieme-Alcoholistengroep beginnen in de kerk', zei Thomas zacht, terwijl hij zijn handen afveegde aan een handdoek, 'maar hij moet ook opgenomen worden. Hij trilt als gelatinepudding en volgens mij kan zijn lever elk moment uit elkaar vallen. Maar hij is niet verzekerd, heeft geen werk; hij heeft alleen die aftandse pick-up. Waar leeft hij eigenlijk van?'

'Dat weet niemand', zei ik. 'Hij zal wel een uitkering krijgen.'

'Als ik hem niet in therapie kan krijgen, vind je het dan goed als hij hier regelmatig komt?'

Ik pakte sla en tomaten uit de koelkast en dacht na. 'Ja', zei ik na een poosje, 'als jij thuis bent als hij er is.'

'Waarom? Ben je bang dat hij onze lepels achterover zal drukken?'

'Nee, ik houd niet van de manier waarop hij naar me kijkt.'

Thomas pakte de borden die ik had klaargezet. 'Ik weet dat hij groezelig is, Amanda, maar hij is net een nieuw leven begonnen.'

'Ja, maar…'

Toen hij nog niet lelijk was van de drank had Eddie de naam een rokkenjager te zijn. En zelfs nu hij te kampen had met ontwenningsverschijnselen, keurde hij me met een snelle blik van boven naar beneden; ik kreeg er de kriebels van.

'Hij wil veranderen', zei Thomas. 'Amanda, ik denk dat God hierachter zit.'

'Oké', zei ik. 'Dan is het goed.'

Ik sliep die nacht niet lekker; ik droomde steeds maar weer over Peggy's auto die over de weg gleed bij de bocht in Winneck Road en verkreukeld tegen een stevige boomstam tot stilstand kwam. Om zes uur verbrak ik de vermoeiende maalstroom van dromen en wankelde naar beneden om koffie te zetten. Door het keuken-raam kwam al wat grijs licht binnen. Ik had niet de energie om me aan te kleden terwijl de koffie liep, dus bleef ik bij de koffiezetter hangen en wachtte tot er genoeg voor een kop was doorgelopen. Langzaam werd ik me bewust van een somber paar ogen, dat naar me staarde boven de vensterbank.

Ik gaf een gil en sprong achteruit. De ogen, met erboven een oranje pet, knipperden. Een hand trok de pet recht.

'Goeiemorgen', zei een stem aan de andere kant van het glas. Ik leunde naar voren en duwde het raam open.

'Roland', zei ik, 'wat doe jij hier?'

'Oom Attaway zei dat ik hier af en toe heen moest gaan om te zien of die oude Humberston jullie lastigvalt.'

Ik realiseerde me ineens dat ik mijn slaapshirt aanhad – en oud T-shirt van Thomas – en niet veel meer. Roland gaapte me aan, een treurige pummel in een overall. Ik zei: 'Wacht even', deed het raam met een klap dicht en holde naar boven. Thomas was in de badkamer. Ik deed snel mijn spijkerbroek aan en ging naar buiten.

Roland was om het huis heen gelopen en porde met de neus van zijn laars in een gat in de grond. De honden lieten zich niet zien; ik kon hun riemen volgen van het trapje naar het schuurtje in de achtertuin. Daphnes staart stak uit om de hoek van het schuurtje, hij sloeg ritmisch op het gras. Ik liep om het schuurtje heen om te zien wat ze in hun schild voerden. Een grote, dode bosmarmot lag tussen hen in. Daphne lag gelukzalig op een ach-terpoot te kauwen en Chelsea likte liefkozend zijn snuit. Roland kwam bij me staan.

'Een van de marmotten die de jongens van Knox geschoten hebben', zei hij. 'Ik heb hem meegenomen voor de honden. Ik wil niet dat ze naar me blaffen. Ik dacht dat ze wel iets wilden hebben om op te kauwen, omdat jullie ze vastbinden.'

'Bedankt', zei ik.

'Graag gedaan.'

'Waarom heeft oom Attaway je hiernaartoe gestuurd om in onze tuin rond te snuffelen, Roland?'

'O, de sheriff is bij hem geweest. Die heeft hem verteld over jullie band. Oom Attaway is meteen in het geweer gekomen, hij wil de familie beschermen tegen de Humberstons. Wij moeten van hem een oogje in het zeil houden.'

Ik onderdrukte een kreun. Ik nam het Jimmy White niet kwalijk; hij ging te werk zoals dat in Little Croft gebruikelijk was: hij riep de hulp van vrienden en familie in om de orde te handhaven en bewaarde zijn eigen schaarse hulpsheriffs om misdaden die al gepleegd waren af te handelen. Maar Thomas zou meer dan ooit Attaways beschermeling lijken.

'Bedankt', zei ik, 'maar alles is hier in orde. Echt waar.'

'Jullie brievenbus ligt plat. En die van tante Cora ook. Iemand heeft er tegenaan gemept.'

'Nou ja, dat gebeurt zo vaak.'

'We zullen regelmatig even komen kijken', zei Roland. 'Geen moeite. Die Humberstons hebben het achter de ellebogen. We zorgen ervoor dat jullie niets kan gebeuren. Ik zou toch maar een nieuwe brievenbus aanschaffen. Goed, ik ga meer weer 'ns. Er ligt een hoop werk te wachten, nu Quintus er niet meer is.'

Hij glimlachte somber naar me en sloffe naar zijn pick-up, die op de zandweg geparkeerd stond. Ik keek hem na terwijl hij naar oma's boerderij reed en dacht bij mezelf dat Roland en Pierman – Attaways partners op de boerderij en zijn kennelijke opvolgers – aan het kortste eind trokken als Attaways bezittingen via Quintus naar de Fowlerands en Scarboroughs gingen. Roland en Pierman waren onbeduidende types, maar wie weet borrelden er gewelddadige gevoelens onder Rolands opgeblazen, gladde gezicht en in Piermans wezenloze, pezige lijf.

Ik floot de honden en nam ze mee voor een stevige wandeling naar de asfaltweg. Aan het eind van de zandweg lagen de brievenbussen van het pachtershuis en het oude huis op de grond. De meeste brievenbussen aan Little Croft Road waren gehavend; met honkbalknuppels op brievenbussen meppen was een geliefde nachtelijke bezigheid voor tienerjongens. Maar deze keer waren de palen half uit de grond gerukt. In de brede, zanderige berm waren bandensporen te zien. Iemand was van de smalle asfaltweg

149

afgeweken, met het rechterwiel in de greppel, en had de bussen omvergereden. Iets verder was te zien waar de chauffeur de weg weer was opgegaan, net op tijd om de volgende brievenbus te ontwijken. Ik duwde met mijn voet tegen een van de palen en vroeg me af of Matt Humberston misschien weer vrijgelaten was.

Achttien

Giddy zette de brievenbussen weer overeind en de dagen gingen voorbij tot het zondag was. Eddie kwam drie van de vier avonden die de week nog restte bij ons; hij groeide zichtbaar steeds beter in zijn nieuwe rol. Thomas wierp zich met hernieuwde energie op zijn huisbezoeken en preekvoorbereiding. Hij en Ida Scarborough waren druk bezig met een najaarsfeest voor alle toekomstige peuters en hun ouders. John en Ambrose vormden gezamenlijk een delegatie om Thomas te verzekeren dat Matthew Humberstons vijandelijkheden geen invloed zouden hebben op zijn baan.

'De man heeft verdriet', zei Ambrose. 'Maar dat heeft niets te maken met de kerk. Maakt u zich er maar niet druk over. We weten dat u niet met hem mag praten. Prima. John gaat over de financiën, dus er is niets om u zorgen over te maken.'

'Precies', zei John plechtig. 'Helemaal niets.'

Attaway belde de sheriff over de brievenbussen, met als gevolg dat er zondagmorgen een andere hulpsheriff op kwam draven, die op de parkeerplaats stond te kijken naar de gemeenteleden die naar binnen gingen. Hij was er een van Adkins, een van de blanke Adkinsen die vlak onder Winnville woonden. Hij had een dikke buik en een rood gezicht en had duidelijk geen zin in zijn opdracht op deze zondagochtend: hij rookte drie pakjes Marlboro Light en luisterde naar de politieradio.

Dit was niet de optimale sfeer voor een eredienst, vooral niet omdat het opeens warm geworden was. We duwden de kerkramen open om de warme nazomer binnen te laten en dwars door Thomas' preek konden we de hele tijd het geknetter van Adkins' radio horen.

'...reed over Winneck Road en kantelde in die scherpe bocht daar. Te zwaar beladen...'

'Toen Jezus op weg ging naar Jeruzalem, zond Hij verkenners naar een Samaritaanse stad om onderdak voor Hem te zoeken. Maar de Samaritanen, die Jezus al eerder ontvangen hadden, waren deze keer niet zo gastvrij. Ze wilden niets te maken hebben met iemand die naar Jeruzalem ging.'

'...een ambulance sturen?'

'Jakobus en Johannes waren kwaad om de houding van de Samaritanen. Ze zagen hen toch al als mislukte bastaarden, en wilden vuur uit de hemel vragen om hun een lesje te leren. Maar het antwoord van Jezus is zowel een berisping als een beoordeling van hun geestelijke toestand. Ze begrepen niet wat hun taak was: ze moesten mensen redden, niet hen veroordelen en vernietigen.'

'...een dagvaarding uitschrijven. Geopend blikje bier op de passagiersstoel...'

Thomas preekte hardnekkig door, maar tussen de flarden van zinnen buiten en Eddie Winn in de rij voor me, miste ik vier van Thomas' vijf punten.

Eddie was vlak voor de dienst begon binnengekomen. Hij had veel aandacht besteed aan zijn kleren; zijn haar was vochtig en schoon en hij had zich zorgvuldig geschoren. Maar hoofden draaiden zich om en stemmen fluisterden terwijl hij door het zijpad sloop en een lege bank in glipte. Hij vouwde zijn magere handen in zijn schoot en hield zijn ogen op Thomas gericht, maar steeds gingen er kleine trillingen door hem heen. Ik voelde mijn afkeer verdwijnen en veranderen in medelijden.

Hij kwam na de dienst Thomas een hand geven, als laatste in de rij, en liep alsof de planken wiebelden onder zijn voeten. Deze keer kon er geen misverstand bestaan over de taxerende blik waarmee hij me bekeek.

Ik verontschuldigde me kortaf en liep naar buiten. Sheriff Adkins stond tegen zijn auto geleund te kijken hoe de parkeerplaats steeds leger werd. Ik liep naar hem toe om een praatje met hem te maken.

'Alles goed?' vroeg hij.

'Ja, hoor. U heeft hier waarschijnlijk de hele ochtend voor niets gestaan.'

'Dat denk ik niet. Matthew Humberston kwam halverwege de dienst aanrijden. Hij en zijn zoon. Maar ze zagen me hier staan en maakten meteen rechtsomkeert. Als ik u was, zou ik de deuren goed op slot doen. Zeg maar tegen de dominee dat ik dat gezegd heb.' Hij gaf me een beleefd knikje en stapte in zijn auto.

Thomas liep veerkrachtig over het tegelpad naar me toe, hij bruiste van energie. Eddies gehavende groene pick-up reed langzaam het parkeerterrein af. Thomas legde zijn arm om mijn schouder.

'Had de sheriff nog iets te melden?' vroeg hij.

'Hij zei dat Matthew hier was. En Matt ook.'

'Eddie heeft al vijf dagen niet gedronken. Hij heeft zelfs wat gegeten en is een beetje aangekomen. Ik wou dat ik meer kon doen om hem te helpen.'

'Je steekt er je tijd in.'

'Ja, maar ik zou meer willen doen. Dit is echt pastoraal werk. Eddie is het eerste zichtbare spoortje van Gods werk hier in Little Croft.' Zijn stem klonk vastberaden en enthousiast, dus onderdrukte ik mijn twijfels en zei niets.

Maandagochtend werd ik wakker en dacht: over een paar weken is het allemaal voorbij. Matts rechtszaak doemde steeds dreigend op in mijn gedachten en belette me verder vooruit te kijken. Het was niet eens zozeer de uitspraak waar ik mee bezig was, maar Thomas' aandeel in de zaak. Als hij getuigd had, zou de constante druk die ons leven verstoorde, verdwijnen.

Thomas reed net weg, naar de kerk, toen me iets te binnen schoot dat ik hem wilde vragen. Ik rende naar buiten, achter hem aan en riep: 'Thomas!'

Hij stak zijn hoofd uit het raampje. 'Ja?'

'Hoe heet die advocaat waar je mee gepraat hebt over Matts rechtszaak?'

'De advocaat?'

'Ja.'

'Hoezo?'

'Ik wil even met hem praten over de afspraken met oma.'

'O', zei Thomas ongeïnteresseerd. 'Hij heet Timothy Whitehead en zijn nummer staat in de klapper in de keuken.'

Hij zwaaide en reed de zandweg af. Ik liep naar de keuken en vond het nummer onder de W. Het was een nummer in Williamsburg. Dat verraste me, ik meende dat Thomas naar Richmond was geweest.

Om een uur of twaalf kwam ik terug van oma en toetste het nummer van Timothy Whitehead. Zijn secretaresse zei dat hij net weg wilde gaan, maar dat hij nog wel even tijd voor me had. Ze zette me in de wacht. Ik luisterde naar Neil Diamond en smeerde ondertussen een boterham met pindakaas. Na een poosje verdween Neil Diamond tot mijn genoegen en een gedecideerde mannenstem zei: 'Timothy Whitehead.'

'Meneer Whitehead, u spreekt met Amanda Clement. Mijn man is bij u geweest –'

'O ja. De dominee en de rechtszaak. Wat heeft hij gedaan?'

'De rechtszaak is pas volgende week', zei ik.

'Aha. En hij heeft nog geen besluit genomen?' Het was een welluidende, volle stem en ik stelde me een grote, breedgeschouderde man in een duur pak voor, die achterover leunde in een dure stoel. Een zacht gekraak bevestigde het laatste.

'Niet echt. De toestand is nogal ingewikkeld –'

'Dat is altijd zo.'

'Ik wilde u iets vragen dat ermee te maken heeft. Maar ik probeer niet om gratis advies te krijgen, hoor. U kunt me een rekening sturen.'

'Dat zal ik niet nalaten. Ga uw gang, mevrouw Clement.'

'Als een man sterft zonder een testament achter te laten en zijn enige verwanten zijn een oom, twee halfzussen en een halfbroer, wat gebeurt er dan?'

'Dat wordt een puinhoop', zei Timothy Whitehead opgewekt.

'Echt waar?'

'Hoe groot is de nalatenschap?'

'Ik weet niet precies hoeveel geld het waard is, maar het gaat wel om ruim driehonderd hectare land.'

'Een enorme puinhoop. Niemand zal zich zo'n grote erfenis zonder protest laten afnemen. Ik kan uiteraard niet precies voorspellen hoe het zal gaan, maar ik verwacht dat het bezit in vier gelijke delen zal worden verdeeld tussen de vier verwanten. Het zijn geen volle broer en zussen?'

'Nee.'

'Een volle broer of zus zou voorrang hebben boven een oom, maar halfbroers en halfzussen worden waarschijnlijk gelijkgesteld aan een oom. Er zijn geen ouders bij betrokken?'

'Er is wel een vader, maar hij blijkt niet de echte vader te zijn. Ik bedoel: we dachten allemaal dat hij de vader was – blijft dit onder ons?'

'Uiteraard.'

'Niemand anders weet dat hij de vader niet is. Behalve de zus van de vader, maar die wil het niet toegeven.'

Hij was even stil. 'De overledene wist niet dat zijn vader feitelijk geen bloedverwant was?'

'Ik denk het niet, nee.'

'Dus hij wist ook niet dat hij een halfbroer en halfzussen had?'

'Nee.'

'Als de overledene zonder testament gestorven is, maar met de overtuiging dat zijn vermeende vader zou erven, dan zou die vader heel goed naar de rechtbank kunnen stappen om een deel van de erfenis op te eisen. Met als grond dat de overledene geloofde dat de bezittingen terug zouden gaan naar de vader.'

'Hij had een testament waarin stond dat het land terug zou gaan naar zijn vader, maar dat heeft hij vernietigd twee weken voordat hij stierf.'

'Stond hij op goede voet met de oom?'

155

'Eh… nou, de zoon van de oom heeft hem vermoord.'

Weer een stilte. 'Mevrouw Clement', zei Timothy Whitehead na een poosje, 'wat u hier beschrijft, is een proces waar drie partijen bij betrokken zijn. Misschien zelfs vijf als de halfbroer en halfzussen ruzie hebben met elkaar. U zei dat niemand anders weet dat de vader – die anders zou erven – eigenlijk de vader niet is?'

'Dat klopt.'

'En u weet het niet honderd procent zeker?'

'Nou', zei ik, 'zo zeker als je kunt zijn zonder DNA-test.'

'Hetgeen precies is wat de rechtbank zal eisen.'

'Hij ís al een keer opgegraven.'

'Door wie?'

'Door zijn – hoe zei u dat ook weer? De vermeende vader.'

'Waarom?'

'Ik denk dat die ervoor wilde zorgen dat niemand de bloedverwantschap in twijfel zou trekken, dus hij maakte er een enorme heisa van dat hij zijn zoon op de familiebegraafplaats wilde hebben.'

'U denkt dat de vermeende vader wist dat er geen sprake is van bloedverwantschap?'

'Ja.'

'En heeft het gewerkt?'

'Blijkbaar.'

'Maar u had het door?'

'De zus van de vermeende vader is mijn oma.'

'Eén moment. Ik maak er een schets van op het testament van mijn volgende cliënt.'

'De vermeende vader is mijn oudoom.'

'Mm. Zit dat zo. Mevrouw Clement, u heeft een saaie ochtend van nalatenschapsplanning boeiend weten te maken. Het plezier dat u me gedaan heeft, weegt zwaarder dan geldelijk gewin… Maar ik ga u toch een rekening sturen. Uw vraag is wat er zal gebeuren met het bezit van de overledene als u uw oudoom verlinkt?'

'Eh… ja.'

'En wordt u er zelf beter van?'

'Ik krijg niets van de bezittingen, als u dat bedoelt. Nee, dat neem ik terug. Mijn moeder is een van de halfzussen.'

Ik hoorde Timothy Whiteheads potlood krassen. 'Dat betekent dat de biologische vader uw...'

'Grootvader.'

'...uw grootvader is. Mag ik aannemen dat de grootvader in kwestie de echtgenoot is van de zus van de vermeende vader?'

'Eh...' Hier moest ik even over nadenken. 'Ja. Mijn opa had een affaire met de vrouw van de broer van zijn vrouw.'

'Sorry', zei Timothy Whitehead, ik hoorde hem gesmoord lachen. 'Het is niet grappig, ik weet het.' Hij schraapte zijn keel. 'Mevrouw Clement, mijn advies is dat u zich twee keer bedenkt voor u de deksel van deze beerput haalt.'

'Advocaten leven toch van dit soort zaken?'

'Uw moeder neemt mij hiervoor niet in de arm, wel dan?'

'Ik betwijfel het.'

'Dan snijd ik mezelf niet in de vingers als ik u adviseer het te laten rusten. Mevrouw Clement, ik zit al twintig jaar in het familierecht. Vijftien jaar daarvan werkte ik in het Midwesten. Familieproblemen in het Midwesten, die net zoveel maagzweren veroorzaken als familieproblemen in het Zuiden, zitten meestal niet zo diep. Niet persoonlijk bedoeld, hoor.'

'Oké.'

'Maar ik heb meer dan genoeg families gezien die onenigheid over bezittingen uitvechten voor de rechtbank. En er is niet veel voor nodig om alle bloedbanden aan flarden te scheuren. Ik heb meegemaakt dat een complete familie uit Norfolk kapotging aan een paar porseleinen schalen uit bezet Japan. Het waren unieke exemplaren omdat alle fabrieken gebombardeerd waren. Waardevol, maar niet zo waardevol. U heeft het over zo'n driehonderd hectare landbouwgrond –'

'Landbouwgrond aan het water en oud bos.'

'Toe maar!'

Ik zuchtte. Hij moest het gehoord hebben, want hij zei vriendelijk: 'Gerechtigheid is een prachtig doel, mevrouw Clement.

Maar ik kan u vertellen dat u niet alleen maar gerechtigheid zult oogsten als u deze knoop doorhakt. De uiteinden zullen terugspringen en wonden veroorzaken.'

'Ik ben niet uit op gerechtigheid', zei ik. 'Ik wil gewoon dat mijn familie ophoudt het werk van mijn man kapot te maken.' Ik wilde net losbarsten met een uitleg over de vijandschap van Matthew Humberston en oom Attaways bejegening van zijn vrouw en zoon en Thomas' ongemakkelijke plek ertussenin, toen ik eraan dacht dat Timothy Whiteheads meter doortikte. Ik bedankte hem, gaf hem mijn adres voor zijn administratie en hing op.

Dinsdag was het Halloween, een dag waarop alle plattelanders hun uithangborden binnenhaalden, hun schuren op slot deden en de auto dicht bij huis parkeerden. Thomas ging in zijn oude kloffie op pad; hij beloofde dat hij vroeg thuis zou komen. Hij moest Ida Scarborough helpen met haar peuterfeest, maar we waren uitgenodigd door Joe en Jenny Morehead om te komen eten en Halloweenspelletjes te doen.

Ik liep naar de weg om oma's krant uit de bus te halen. Roland en Pierman waren aan het eind van Poverty Ridge Road in de weer met twee schoppen en een kruiwagen vol grijze, klonterige smurrie. De brievenbussen lagen weer op de grond.

'Hoi', zei ik. 'Wat zijn jullie aan het doen?'

'Goeiemorgen', zei Roland puffend. 'We zetten de nieuwe palen in beton.'

'Welke nieuwe palen?'

'Die daar.' Hij wees op twee stalen pijpen die half bedolven onder het rode zand op de grond lagen. 'Oom Attaway zei dat Giddy die palen knullig gerepareerd heeft, daarom moeten wij het opnieuw doen. Voordat het donker wordt. Hij dacht dat de bussen anders vannacht wel weer vernield zouden worden.'

'Waar is de krant van oma?'

'In mijn pick-up, op een van de voorstoelen.'

'Bedankt', zei ik.

Roland begon het klonterige beton in het gat te scheppen. Pierman, die met zijn rechterhand een sigaret rookte, tilde met zijn linker een van de pijpen op en zette hem in de grijze smurrie. Ik pakte de krant en liep terug over de zandweg. De warme nazomer was bezig te verdwijnen; ik kon kou voelen opstijgen uit de aarde en slierten witte bewolking kronkelden rond de bleke zon.

Toen Thomas en ik thuis waren, was de temperatuur zeven graden gedaald. We overlegden wat we het beste met de honden konden doen en ik opperde tenslotte dat ze het beste in de buurt van de achterdeur konden blijven. Daar lieten we ze achter, vastgebonden aan het ketelhuis.

Joe en Jenny woonden vlak bij de doorgaande weg, in een nieuw huis met een etage. Het jonge gras stak schriel af tegen het rode zand. Jenny's woonkamer zag eruit als een illustratie uit *Good Housekeeping*; ik bekeek jaloers haar Laura-Ashleydessins en hardhouten vloer. Ze hadden nog twee jonge stellen uit de buurt uitgenodigd en we bleven langer dan we van plan waren. We aten snoep en luisterden naar Joe's cd-collectie. De bermen waren bedekt met rijp toen we naar huis reden. Zo nu en dan scheurde er een pick-up met schreeuwende jongens voorbij. De heg bij Cooks Hall was versierd met wc-papier en het bord dat de maximumsnelheid aangaf, vlak voor Poverty Ridge Road, zat vol kogelgaten. De brievenbussen stonden nog rechtop, hoewel die van oma een beetje slagzij maakte.

We draaiden de zandweg op. Terwijl we de kleine heuvel op reden, vingen Thomas' koplampen twee bruine gedaantes, die over de duistere weg glipten, de begraafplaats op.

'Wat zijn dat?'

'Vossen. Het lijkt erop dat ze in de holen van de bosmarmotten wonen.'

'Je oom is beslist bezig het gevecht te verliezen. Wat is dat voor geluid?'

Een zacht, hartverscheurend gejammer weerklonk. Thomas stond boven op de rem en liet per ongeluk de motor afslaan. We stonden in de zanderige bocht vlak voor het pachtershuis. Alle lampen waren uit; het geluid was afkomstig van de pikzwarte schaduwen achter het huis. Ik wilde Thomas' hand pakken en voelde de haren op zijn arm recht overeind staan. Ik moest aan

Quintus denken, die op de veranda van de Fowlerandboerderij stikte in het bloed. Het gejammer zwol weer aan en eindigde plotseling in een gesmoorde kreet.

'De honden', zei Thomas. Zijn stem trilde. 'Het zijn echt de honden – Amanda!' Hij gooide het portier open en rende naar het huis. De achtertuin was een lappendeken van maanlicht en schaduw, en half in een donkere plek lagen de honden op een hoop. De in de war geraakte lijnen zaten om hen heen gewikkeld. Chelsea jammerde en duwde met haar neus tegen Daphne. Daphne lag uitgestrekt op haar zij, haar zware, zachte hoofd lag onnatuurlijk achterover.

'Er zit een dierenarts aan de doorgaande weg', zei ik dringend.

Thomas was al bezig de lijn los te maken van haar halsband. Ik duwde Chelsea aan de kant. Ze jankte en probeerde op haar buik achter ons aan te krabbelen. Het kostte ons veel moeite om Daphne bij de auto te krijgen. Terwijl we ons schrap zetten om haar op de achterbank te tillen, ging er een stuiptrekking door haar heen en ze hield op met ademhalen.

'Thomas!' zei ik.

Hij probeerde nog steeds haar voorkant door de deur te manoeuvreren. In het maanlicht kon ik alleen de contouren van zijn gezicht zien en zijn gespannen schouders. Hij had zijn knie onder Daphnes lijf geklemd. Chelsea lag op haar buik aan de lijn te trekken en bleef maar janken.

Ik zei weer: 'Thomas.'

'Oké. Leg haar neer.' Zijn stem klonk hard.

We lieten Daphne op de grond zakken. Thomas ging naast haar zitten. Hij hield zijn hand op haar stille kop. Ik veegde met de rug van mijn hand over mijn gezicht.

'Ik zal de sheriff bellen', zei ik tenslotte.

Hij knikte, bijna onzichtbaar in het donker. Ik ging naar binnen en toetste het nummer van de sheriff, dat ik inmiddels uit mijn hoofd kende. Een onbekende stem vertelde me zonder haast dat sheriff White de boodschap zo spoedig mogelijk zou krijgen.

Ik liep weer naar buiten en ging naast Thomas op de koude grond zitten. Hij streelde Daphnes kop. Hij sloeg zijn andere

160

arm om mij heen. We bleven daar zitten in het donker terwijl de Melkweg langzaam boven onze hoofden verscheen en een uil zijn roep liet horen op de rivieroever.

Negentien

We legden een deken over Daphne en brachten Chelsea naar de achterveranda. Thomas, die nog steeds niets had gezegd, liep de donkere keuken in en kwam terug met een paar hamburgers die ik de volgende dag had willen eten. Chelsea snuffelde eraan, maar nam geen hap. Ze kroop tegen zijn benen en tenslotte namen we haar mee naar binnen en sloten haar op in de badkamer.

We deden de lampen aan, knipperend tegen het felle licht. In Thomas' gezicht stonden diepe lijnen die ik nog niet eerder gezien had. Zijn ogen waren droog, maar stonden boos.

'We kunnen haar niet de hele nacht buiten laten liggen', zei hij.

'De sheriff zal haar wel willen zien.'

Thomas liep naar het raam en keek naar buiten. De ruit was een plat, donker vlak; de auto en Daphne waren onzichtbaar. Hij zei, na een lange, sombere stilte: 'Ik ga aan m'n preek werken.'

'Ik blijf bij je.'

Dus maakte ik een pot koffie en deed de open haard aan, en zo hielden we een wake voor Daphne. Thomas spreidde zijn bijbel en commentaren uit over de keukentafel en legde een schrijfblok voor zich neer. Ik haalde mijn Hebreeuwse bijbel tevoorschijn en dompelde mezelf onder in de rustgevende precisie van grammatica en woordenlijst. Ik was bezig met Exodus. De oude, prachtige geloofstaal had mij altijd opgetild uit het hier en nu en mijn blik gericht op de stralende werkelijkheid van het onzichtbare. Maar

162

vannacht was het heden te sterk en te zwart en de verschijning van God aan zijn volk, in een wolk van vuur, leek een sprookje uit een ver verleden.

Om een uur of drie 's ochtends was ik vreselijk moe. Ik liep naar boven, ging op bed liggen en viel direct in slaap. Ik werd meegesleurd in een donkere stroom die zich splitste en twee hoge, donkere muren vormde. Quintus stond daar tussenin met een baby op de arm; zijn hoofd, met de blauwe ogen en het blonde haar, gebogen over het kind. De scherpe lijnen waren uit zijn gezicht verdwenen. Een zuil van rook en vuur verwijderde zich van hem, de duisternis in. De grond beefde. Er kwam iets aan, tussen de donkere muren door; iets dat in het duister nog niet te onderscheiden was. Het kwam dichterbij en ging vergezeld van een steeds sterker wordend geluid.

Ik gilde het uit en schoot overeind. Buiten was het al licht. In de keuken rinkelde de telefoon. Ik strompelde naar beneden om op te nemen en hoorde Thomas buiten op de veranda lopen.

Helen Adkins' stem zei: 'Amanda?'

'Goedemorgen.'

'Jimmy White heeft me gevraagd of ik jullie wilde bellen om te zeggen dat hij over ongeveer een uur bij jullie is. Hij wil even naar de hond kijken.'

'Oké, Helen. Bedankt.'

'Wat vervelend dat jullie dit overkomt.'

'Ja', zei ik en hing op.

Thomas kwam binnen. Zijn korte haar stond alle kanten op en zijn ogen waren rood. Chelsea stond te janken achter de badkamerdeur.

'Gaat het?' vroeg Thomas.

'Jawel, hoor. Hoezo?'

'Ik hoorde je gillen, net voordat de telefoon begon te rinkelen.'

'Ik heb steeds nachtmerries.'

'Verbaast me niets.'

'Zullen we even met Chelsea naar de brievenbus lopen?' stelde ik voor. Ik moest om negen uur bij oma zijn en kon wel een opkikkertje gebruiken; koffie had ik al meer dan genoeg gehad.

'Ja, oké. Ik heb zelf ook wel behoefte aan wat frisse lucht.'

Ik ging Chelseas riem halen. Stilzwijgend stapten we de voordeur uit en liepen over de zandweg naar de brievenbussen. Nu ze uit de buurt van Daphnes lichaam was, richtte Chelsea haar oren op en leek ze rustiger. Nu en dan stak ze haar staart tussen haar benen en keek zenuwachtig rond, maar onze stemmen leken haar te troosten. Ze liep zelfs een eindje bij ons vandaan toen we de begraafplaats passeerden en snuffelde op de plek waar de vossen de vorige nacht waren overgestoken. We klommen het heuveltje in Poverty Ridge Road op en liepen aan de andere kant weer naar beneden, richting de asfaltweg.

Eerst dacht ik dat oma's brievenbus scheef stond omdat Roland en Pierman hem niet goed in de grond gezet hadden. Thomas hurkte bij de paal om te kijken wat er aan de hand was. Chelsea likte blij aan zijn oor. Hij duwde haar kop weg.

'Er heeft weer iemand tegenaan gezeten', zei hij na een poosje. 'Zie je de sporen? En er zit een scheurtje in het beton. Een auto is hier tegenaan gereden en toen weer achteruit.'

'Die zal wel een fikse deuk in z'n grille hebben.'

Een zwarte pick-up naderde. Thomas ging weer staan. Van de andere kant verscheen een tweede pick-up van achter een heuveltje. De twee pick-ups reden tegelijk Scarborough Lane in, minderden vaart en stopten precies waar wij stonden, voor de brievenbus van het pachtershuis. De chauffeur van de tweede pick-up zette zijn auto aan de kant van de weg en stapte langzaam uit: Attaway Fowlerand in een grijs overhemd met geel vlinderstrikje, zijn witte haar verborgen onder een groene pet; zijn blauwe ogen schoten vuur.

Het raampje van de zwarte pick-up ging omlaag. Matthew Humberston keek ons strak aan. Ik had Matthew niet meer gezien sinds hij twee weken geleden Thomas gewaarschuwd had bij de kerk. Zijn dikke, donkere wenkbrauwen staken af tegen zijn gezicht waaruit al het bloed weggetrokken was.

'Kom je je beschermeling controleren, Fowlerand?' Matthews stem klonk rauw.

Attaway snauwde: 'Ik ben hier voor mijn zuster. Een slang schijnt de buurt onveilig te maken.'

'Slangen bijten als je niet oppast.'

'Ik stuur ze een maïsplukker op hun dak.' Hij maakte een snel, veelzeggend gebaar met zijn linkerhand; zijn rechter omklemde zijn wandelstok, die stevig in het zand geplant was.

'Vertel mij wat', zei Matthew. 'Jij bent de duivel in eigen persoon, Fowlerand. Al jaren heb ik dat aan moeten zien. Dictator, die je —'

'Je pick-up heeft een flinke klap gehad, zo te zien', grauwde Attaway.

'Een hert geraakt.'

De motorkap van Matthews pick-up was verbogen en de grille had een rechte, verticale deuk, precies in het midden. Attaway snoof minachtend. Ik hoorde Thomas naast me onregelmatig ademen. Chelsea zat naast hem, haar tong hing uit haar mond.

'Meneer Humberston!' zei Thomas.

Matthew draaide zijn hoofd een beetje. Ik zag toen pas dat Matt op de stoel naast hem hing. Ik kon zijn gezicht niet zien in de schemerige cabine van de pick-up.

'Mijn hond is vergiftigd. Weet u daar iets van?'

Thomas' stem dreunde van woede. Matthew liet zijn blik over ons beiden gaan en haalde zijn schouders op; een kleine, nauwelijks zichtbare beweging.

Attaway snauwde: 'Hij heeft het te druk met rondhangen bij Jimmy White. Om te zeggen dat z'n zoon helemaal verkeerd begrepen wordt.'

'Ik ben niet degene die praatjes rondstrooit', zei Matthew. 'Ik begrijp niet waar jij de tijd vandaan haalde om met iedereen in dominee Clements kerk te praten, terwijl je in je vrije tijd Quintus ook nog heen en weer moest slepen.'

'Spot maar met mijn verdriet!' beet Attaway hem toe. Zijn gezicht werd steeds paarser en zijn adem kwam in snelle, harde stoten. Matthew gooide het portier van de pick-up open en sprong de auto uit. Thomas en ik deden een stap achteruit. Attaway zette zich schrap, leunend op zijn stok en bevend van woede.

'Jouw verdriet?' schamperde Matthew. 'De enige keer in je leven dat je verdriet had, was toen ik het stuk land kocht dat jij

165

hebben wilde, daar bij de steiger. En misschien ook toen Nathaniel Scarborough je de landerijen bij Brickyard voor een appel en een ei afhandig maakte. Je treurde niet toen Quintus stierf. Je was blij – blij dat mijn zoon in de gevangenis zat, blij dat Doris' zoon dood was. Verdriet? Ik heb op je gelet bij haar begrafenis, Attaway. Je zat daar met droge ogen en keurde haar geen blik waardig en Quintus, die om zijn moeder huilde, ook niet. Je keek naar Nathaniel Scarborough en glimlachte. Maak je je nu zorgen of het recht wel zijn loop zal hebben? Waarom deed je dat niet toen mijn zuster stierf, alleen thuis met jou?'

'Ik was niet thuis die dag', brulde Attaway. De stok kwam los van de grond. Hij schudde de stok naar zijn zwager. 'Ik wil hier niet weer met jou over praten, Matthew Humberston. Jij vertelt die onzin al twintig jaar. Ze heeft zelfmoord gepleegd, omdat ze een hoer was die in de steek gelaten werd door iemand van wie ze dacht te houden.'

'Ze is jou altijd trouw gebleven. Ze bleef van je houden, al behandelde je haar als een hond; je wierp haar nu en dan een kruimel toe en gaf haar een schop als je daar zin in had.'

'Je weet er helemaal niets van.'

'Ga maar eens met je zuster praten, Attaway. Vraag maar eens wat zij allemaal weet.'

'Cora? Wat heeft Cora hiermee te maken?'

'O, ze is toch een Fowlerand?' sneerde Matthew. 'Ze zit boven op die geheimen, net als jullie allemaal – jij en Giddy – mooi weer te spelen. Aan de buitenkant ziet alles er keurig uit, maar van binnen is ze hartstikke verrot.'

Hij kwam een stap dichterbij. Attaway richtte de punt van zijn wandelstok op hem, maar Matthew deed een stap opzij en bracht zijn gezicht vlak bij dat van de oude man.

'Denk jij soms dat het me koud laat dat Quintus gestorven is?' vroeg hij zacht maar nadrukkelijk. 'Doris was als een moeder voor me. Ze heeft me grootgebracht. Ze kleedde me aan als ik naar school moest en zorgde voor me toen mijn moeder dagenlang haar bed niet uitkwam. Ze heeft van niemand ooit een vriendelijk woord gehad. Ze had nooit een momentje van geluk, totdat ze met jou trouwde en ik ga ervan uit dat het de nacht na de bruiloft afgelopen was met haar blijdschap.'

Attaway haalde moeizaam adem en zijn lippen waren blauw van inspanning. Matthews mond bevond zich vlak bij zijn oor, maar we konden de sissend uitgesproken scherpe woorden duidelijk verstaan.

'Als Quintus praatte, hoorde ik Doris. Hij kon zo lachen, met z'n hoofd een beetje schuin, en dan zag ik haar naar me glimlachen. En mijn zoon heeft hem vermoord. Denk je soms dat ik Matt vrij wil hebben omdat Quintus niets voor me betekende? Je bent een stommeling, Attaway Fowlerand, een stommeling en een moordenaar. Je bent aan 't rommelen met cement voor de brievenbussen terwijl je hele familie naar de filistijnen gaat. En u', voegde hij eraan toe, terwijl hij zich zo woest omdraaide naar Thomas dat we allebei stonden te wankelen van schrik, 'hebt u niets beters te doen dan treuren om een dode hond? Ik dacht dat u hier was om als christen te leven en ons het goede voorbeeld te geven. U hebt nog geen gedachte aan mijn zoon gewijd. U hebt hem niet één keer bezocht toen hij in de cel zat.'

Ik keek langs Matthew heen naar Matt die als een zoutzak in de pick-up zat. Hij was op Matthews stoel geschoven en zat naar ons te kijken. Zijn donkere haar kwam slierterig onder zijn pet vandaan en een verwilderde baard bedekte het onderste deel van zijn gezicht. Zijn ogen stonden donker en somber onder de klep van zijn pet. Toen hij merkte dat ik naar hem keek, ging hij weer op de passagiersstoel zitten. Zijn handen beefden.

Attaway siste: 'Ik zal je aanklagen voor laster, Matthew Humberston.'

'Je doet maar', zei Matthew. 'Dan zal ik alles tegen de rechter zeggen. Wil je dat soms?'

'Je weet er niets van', zei Attaway weer.

'Ik kende Doris. Ze hield als een moeder van me en van Quintus hield ze nog meer. Ze zou hem nooit bij jou achtergelaten hebben, Attaway. Ze zou nooit zelfmoord gepleegd hebben met haar jongetje erbij. Maar dat interesseerde jou niet. Je behandelde Quintus als een hond en hij stierf als een hond, krabbelend aan jouw deur, en jij genoot ervan. Als God rechtvaardig is, zoals Clement altijd verkondigt, dan zul jij voor eeuwig branden in de hel.'

Hij klom weer in zijn auto, startte de motor en scheurde de asfaltweg op. Matt hing in elkaar gedoken tegen het raampje. Terwijl de zwarte pick-up met veel lawaai wegreed en verdween achter het heuveltje, kwam de auto van de sheriff de bocht om. Hij stopte naast Attaway. Jimmy White rekte zich eens lekker uit toen hij naast de auto stond. Hij keek van onze verbijsterde gezichten naar Attaway die stond te trillen en paars van woede was.

'Goeiemorgen', zei hij. 'Iets vervelends gebeurd met Halloween?'

Sheriff White wilde een autopsie laten doen op Daphnes lichaam. Hij liep door de achtertuin, controleerde de kettingen waarmee de honden sinds vorige vrijdag vastgelegd waren en boog zich over het hondenvoer dat nog steeds in de bak zat. Na een poosje zei hij: 'Als ze hier de hele avond vastzat, moet er iemand in de tuin geweest zijn.'

'Wij waren gisteravond allebei weg', zei Thomas.

'Was er iemand in het oude huis?'

'Amanda's oma.'

'Kan zij het zien als er iemand over de zandweg komt?'

Thomas knipperde met zijn ogen. Hij leek moeite te hebben zijn gedachten te ordenen.

'Ze zou een vlieg nog over die heuvel zien lopen', zei ik. 'Ze zit altijd in haar voorkamer naar de weg te kijken.' En al dat verkeer over Poverty Ridge Road vandaag zou haar gek maken van nieuwsgierigheid. Ik had de telefoon al twee keer horen rinkelen, maar had geen zin om naar binnen te gaan en op te nemen.

'Nou, ik vind dit maar niks', zei Jimmy White. 'Iemand vergiftigt een hond die vastgebonden is. Dat betekent dat ze in jullie tuin rondsluipen. Dat is behoorlijk doelbewust en het is een graadje erger dan in je band snijden. Maar we weten pas zeker dat de hond vergiftigd is als we een autopsie laten doen. Ik kan haar naar het lab sturen –'

'Kan dat ook met honden?' vroeg ik verbaasd.

'Die gaan naar de afdeling diergeneeskunde. Daar onderzoeken ze haar en kijken wat ze binnen gekregen heeft.'

Ik wist, een halve seconde van tevoren, dat Thomas zijn hoofd zou schudden. 'Nee', zei hij. 'Dat is het niet waard.'

'U moet het zelf weten', zei Jimmy White. 'Maar als het mijn tuin was, mijn hond en mijn vrouw die daar binnen sliep, zou ik precies willen weten wat er aan de hand was.'

'Ik weet wel wat er aan de hand is.'

'Dat zou ik niet te hard zeggen', zei de sheriff.

'Wat zou u doen als vaststond dat ze vergiftigd is?'

'Nou, niet zoveel. Ik zou eens met je oma gaan praten, Amanda, maar als zij niemand gezien heeft, kunnen we niet in het wilde weg met beschuldigingen gaan strooien. En het was tenslotte Halloween. Elke nietsnut hier in de buurt kan het nodig gevonden hebben jullie een poets te bakken.' De frustratie stond op zijn gezicht geschreven. 'Ik zal hulpsheriffs blijven sturen, hoewel die tot nu toe van weinig nut geweest zijn. Goed. Bel me als er weer iets gebeurt. Ik zal vrouw Scarborough maar eens met een bezoekje vereren.'

Thomas en ik droegen Daphne naar de kleine open plek achter de varkensschuur, begroeven haar en legden stenen op het graf. Thomas ging er op zijn hurken naast zitten en wreef afwezig over het vuil op zijn handen. Zonlicht viel door de takken en maakte strepen op de grond; het bos rook naar varens en blad. Zijn vingers trilden. Ik dacht dat hij verdrietig was, maar toen hij zijn hoofd ophief, zag ik woede op zijn gezicht. Zijn bruine ogen waren donker van kwaadheid.

'Hoe durft hij?' zei hij. 'Hij weet dat ik niet bij Matt op bezoek kon, tot de rechtszaak voorbij is. Sinds Quintus dood is, treitert hij ons. Wat denkt hij dat ik zal doen? Op m'n knieën vallen en zeggen: "O, sorry, Matthew, ik ben bang dat je m'n andere hond ook vergiftigt, dus ik zal niets zeggen? Of: ik ben bang dat er mensen bij de kerk weg zullen gaan, dus ik zal m'n mond houden"?' Hij pakte een kluit modder, ging rechtop staan en smeet de kluit zo hard hij kon tegen de stam van een boom. Een kraai vloog luid protesterend op.

169

'Ik wilde graag familie', zei Thomas, 'geen burgeroorlog.' Hij duwde zijn handen diep in zijn zakken en beende, met zijn hoofd omlaag, weg door het bos.

Ik bleef bij het graf zitten met mijn armen om mijn knieën geslagen tot ik Jimmy Whites auto weg hoorde rijden; toen kwam ik overeind en liep naar huis om andere kleren aan te doen. De telefoon rinkelde. Deze keer nam ik op.

Oma Cora's oude stem zei: 'Amanda? Ik ga naar bed. Kom vandaag maar niet.'

'Zal ik komen om u weer in bed te helpen?'

'Nee.'

'En uw middageten dan?'

'Giddy kan wel een boterham voor me smeren als hij thuiskomt. Ik voel me niet lekker en kruip in bed.'

'Zal ik dokter Jones-Boston bellen?'

'Niet nodig. Ik wil alleen zijn. Giddy kan ook wel warm eten voor me maken. Kom morgenvroeg maar om rollers in mijn haar te zetten.'

Ze hing op voordat ik nog iets kon zeggen. Ik keek naar de stofwolk die sheriff Whites auto achterliet en vroeg me af wat hij tegen haar had gezegd.

Twintig

Oma belde donderdagmorgen om te zeggen dat ze weer in bed bleef, dat Louella Watkins langs zou komen en dat ik dus net zo goed thuis kon blijven. Ik gaf de keuken een flinke schoonmaakbeurt en bestudeerde een hoofdstuk Hebreeuws.

Vrijdagochtend kwam de regen met bakken uit de grijze hemel. De temperatuur bleef net boven het vriespunt. De telefoon rinkelde weer, maar ik nam niet op; ik begon me zorgen te maken over oma en ik wilde niet dat ze nog een keer tegen me zou zeggen dat ik thuis kon blijven.

Thomas gaf me een lift naar het oude huis. Hij had al vroeg een afspraak met Ambrose en John, om te praten over het voedselbudget. Hij was nog steeds kwaad, maar verborg zijn kwaadheid achter een pokerface. Hij zette me voor oma's deur af; ik klopte op de hordeur en stapte meteen naar binnen. Om negen uur 's ochtends was oma meestal al op en zat ze in haar stoel naar het nieuws te kijken. Ik rook wel koffie, maar de stoel was leeg.

'Oma?'

'Ik ben hier.'

Ik liep in de richting van het geluid, naar oma's slaapkamer. Ze lag nog steeds in bed, onder een roze chenille sprei en verkreukelde stukken krant. De kamer rook muf, naar krantenpapier en hond. Ik boog voorover en zei gebiedend: 'Kom daar onder vandaan, Hond!'

Hond sloop onder het bed vandaan en trok zijn lip naar mij op.

'Op de tafel staan kaantjes', zei oma van achter de sportpagina. 'En breng me nog maar wat koffie. Giddy heeft die vanmorgen te pruttelen gezet.'

'Komt u niet uit bed?'

'Nee', zei oma en bracht de krant met bevende handen dichter bij haar gezicht.

Ik duwde Hond de gang in en zette hem buiten op de trap met de glibberige schaal spek. De koffie was zwart en dik geworden. Ik schonk een kop in en bracht die naar oma. Ze legde de krant neer.

Ik had oma niet meer gezien sinds dinsdagavond. In drie dagen tijd was ze zichtbaar gekrompen; ze leek te slinken onder haar huid. Ze had zelf haar haren geborsteld en witte plukken stonden alle kanten op. De staalblauwe ogen gingen bijna schuil onder gezwollen oogleden. Haar handen beefden toen ze de koffiekop aanpakte. Ik bleef hem vasthouden en zei: 'Kijk uit dat u zich niet brandt, oma –'

'Ach, schei uit, meid', zei ze, met een vleugje van de gebruikelijke irritatie. 'Geef hier die mok. Ik ben niet zo oud dat ik zelf niet meer kan drinken.'

Ik liet los en ging op de rand van het bed zitten toekijken terwijl oma de koffie opdronk. De uitdrukking van haar mond en ogen paste niet bij haar verbitterde gezicht. Ik had zulke groeven eerder gezien. Ik doorzocht een hele hoop beelden in mijn geheugen en vond uiteindelijk het bijbehorende plaatje: de afwezige blik en dichtgeknepen mond van een oude, zieke vrouw uit de kerk in Philadelphia. Ze had kanker en haar geest en lichaam waren slaven van dat ding dat van binnenuit aan haar vrat.

'Bent u nog van plan er vandaag uit te komen?' vroeg ik, toen ze het laatste restje koffie opgedronken had.

'Misschien straks.'

'Oma, als u te lang in bed blijft, kunt u er straks helemaal niet meer uit komen. Uw spieren worden steeds slapper als u niet in beweging komt.'

172

Oma Cora snoof. 'Bemoei je met je eigen zaken, goed? Ga de keukenvloer maar voor me boenen. Giddy heeft gekookt en hij strooit met eten alsof hij een hok vol kippen moet voeren. En ik heb gisteren een glas melk gemorst en had geen zin om op m'n knieën de troep op te dweilen.'

'Geweldig', zei ik, terwijl ik het kopje aanpakte. 'Zal ik dokter Jones-Boston bellen?'

'Nee, ik ben niet ziek.'

'Nee, dat weet ik wel. Maar ik dacht dat ze misschien op zoek kon gaan naar een plek in een verzorgingstehuis, omdat u niet meer van plan bent uit bed te komen. U bent te zwaar voor mij om te tillen.'

Oma snoof weer, maar deze keer met iets minder minachting. 'Ga de vloer doen en hou op mij de stuipen op het lijf te jagen. Ik ga uit bed als ik er zin in heb.'

'U zoekt het maar uit. In de koelkast staat lekkere bouillon. Die zal ik u brengen als u om een uur of twaalf nog steeds in bed ligt. Het is prima eten voor zieken. Geeft niet veel energie, maar die hebt u ook niet nodig als u de hele dag in bed ligt.'

Ik liep weer naar de keuken en diepte een emmer en een spons op. Oom Giddy had inderdaad behoorlijk gemorst bij het koken. Ik zocht de plastic handschoenen op, bewapende mijzelf tot de ellebogen en boende het groen-met-witte linoleum tot het glom.

Ik was bijna klaar toen ik het bed hoorde kraken. Oma's onzekere voeten schuifelden over de houten vloer van haar slaapkamer naar de wc. De ketting ratelde.

'Amanda!'

'Ja?'

'Haal mijn krullers maar en doe mijn haar. Ik zie eruit als een ragebol. En maak ontbijt voor me klaar.'

'Gaat u eerst uw haar wassen?'

'Wat dacht je?' Ze kwam de slaapkamer uit gestrompeld en trok ondertussen haar nachthemd uit. Ik hield haar vanuit mijn ooghoeken stiekem in de gaten tot ze in de badkamer verdwenen was. Toen trok ik de handschoenen uit en zette een beetje bloempap op het fornuis.

Oma zei: 'Huh!' over de bloempap, maar ik strooide er een paar scheppen suiker over en ze at de helft ervan op terwijl ik haar natte haren om de rollers vastzette.

'Oma', zei ik, terwijl ik een roller indraaide, 'herinnert u zich juffrouw Bonnie nog, die even verderop woonde?'

Oma Cora draaide haar hoofd om me aan te kunnen kijken. 'Hoezo?'

'Haar broer schoot zichzelf dood terwijl hij met een geladen geweer over prikkeldraad probeerde te klimmen, weet u nog? En iedereen dacht dat het een ongeluk was. Hoe heette hij toch?'

'Edwin', zei oma.

'O, ja, Edwin. En juffrouw Bonnie bleef vijftien jaar lang volhouden dat hij zo'n goede broer geweest was en zei tegen niemand dat hij haar vaak in het gezicht sloeg en dan dagenlang huilbuien had en bezwoer dat hij zelfmoord zou plegen en het niet waard was om te leven. En niemand wist dat tot ze stierf en haar dagboek gevonden werd onder in haar kast.'

'Ja', zei oma; in haar stem klonk een groeiend wantrouwen door.

'Ze was een kleine, stille vrouw, juffrouw Bonnie. Niet groter dan ik, terwijl ik pas tien was.'

'Verschrompeld stukje mens. Zat geen pit in. Ze verschrompelde als een gedroogde appel en was even smakeloos.'

'Ze heeft de rest van haar leven niets nuttigs gedaan', zei ik. 'Ze had al haar energie nodig om dat geheim te bewaren. Het zoog alle leven uit haar.' Ik zette een roller achter op oma's hoofd vast. 'Ik had medelijden met haar toen het allemaal uitkwam. Maar ik denk dat iedereen juffrouw Bonnie beklaagde omdat ze haar hele leven had verknoeid met het bewaren van het geheim van iemand anders.'

'Dat plukje haar moet over mijn oor', zei oma Cora. Ze zat doodstil terwijl ik het laatste plukje om een kruller rolde. Toen ik klaar was, ging ze bij de tafel vandaan en liet zichzelf met een plof in haar luie stoel zakken. Het oude gezicht stond strak als altijd.

'Je moet vandaag of morgen even een boodschap voor me doen', zei ze. 'Ik wil vrouw Whitworth wat jam geven.'

'De vrouw van de diaken?'

'Die, ja. Heeft een tong als een scheermes en is zo zuur als azijn. Maar ik heb haar kersenjam beloofd en jij moet het naar haar toe brengen als ze thuis is. En het recept. Dan hoeft ze daar niet meer om te zeuren. Ik wil dat je met mijn auto gaat.'

'Oma –'

'En vandaag moet je verdergaan met het schoonmaken van die potten jam uit de kelder. En de was doen. Ik heb tegen Giddy gezegd dat hij de was in de machine moest doen, maar hij durft mijn ondergoed niet aan te raken en de bodem van mijn kast ligt vol wasgoed.'

Ik bedacht dat een beetje psychiater wel drie of vier artikelen over oom Giddy zou kunnen schrijven. Ik liep naar beneden, naar de kelder en berustte erin dat ik gefaald had. Dat oude Fowlerand-geheim zat in oma en kwam er ook niet uit; het kon haar nog zo dwarszitten, ze zou het nooit over haar lippen laten komen. Boven me hoorde ik het schuiven van oma's stoel over de vloer, naar de telefoon. Een korte stilte en dan haar stem.

'Amelia? Met Cora Scarborough. Ik wilde je wat jam sturen.' Stilte. 'Hoe bedoel je, je hebt genoeg?' Stilte. 'Nou, dit is van die kersenbomen uit de achtertuin, zulke als John ook wilde planten. Wil je niet weten wat voor jam je daarvan kunt maken?' Stilte. 'O, maar je kunt nooit te veel jam hebben. Ben je vanmiddag thuis? Morgen dan? Waar ga je naartoe?' Weer een stilte, iets langer nu. 'Goed dan. Ik zal Amanda maandagmiddag naar je toe sturen; moet je haar wel een kop thee geven.'

De hoorn werd teruggelegd. Ik ging verder met het afstoffen van potten jam, tot oma riep: 'Komt er nog wat van dat middageten, Amanda?'

We lieten Chelsea los rondlopen. De ketting had Daphne niet beschermd en Chelsea bleef steeds in de buurt van ons huis. Ze sleepte de dode bosmarmot de achterveranda op, schurkte ertegenaan en lag er vergenoegd op te kauwen. Zelfs ik kon het niet over mijn hart verkrijgen om hem af te pakken.

Maar de geur van dood dier hing om haar heen en omdat Thomas per se wilde dat ze aan ons voeteneind sliep, hees ik haar

175

elke avond het bad in en hield haar vast terwijl Thomas haar schoonboende met shampoo. Het resultaat was niet helemaal wat we wensten. Haar vacht glansde prachtig, maar als ze door het huis draafde, slierde een geurwolk van hond en dode bosmarmot en conditioner achter haar aan.

Zaterdagochtend werd ik wakker van de geur van shampoo, sint-bernard en koffie door elkaar heen. Thomas kwam binnen met een dienblad met koffie en bagels. Ik ging rechtop zitten en rekte me op mijn gemak uit. Hij had de bagels precies zo gebakken als ik lekker vond: heel kort in een hete oven, zodat de onderkant warm en zacht was en de bovenkant krokant. De koffie was sterk en heet. De takken van de oude esdoorn in de zijtuin sloegen tegen het kozijn; de regen van vrijdag had plaatsgemaakt voor een onbestendige koude wind en droge lucht. Ik hoorde de wind fluiten over het dak. Een loszittend stuk zink begon boven onze hoofden te klapperen. De zaterdagochtenden waren van ons tweeën; het pachtershuis was een kleine schuilplaats in de storm om ons heen.

'Ik wil je iets vragen', zei Thomas na een poosje.

Ik likte mijn vingers af. 'Wat dan?'

'Je moet luisteren tot ik klaar ben en dan pas mag je ja of nee zeggen.'

'Waarom?' vroeg ik, een beetje wantrouwig.

'Omdat ik dat belangrijk vind.'

'Thomas –'

'Ik zou graag willen dat Eddie een paar maanden bij ons komt wonen.'

Ik nam nog een hap van mijn bagel. 'Waar?' vroeg ik tenslotte.

'In de logeerkamer. Die gebruiken we toch niet, behalve als bergruimte.'

Ik stelde me Eddie voor in het pachtershuis, op de loer liggend op de overloop terwijl wij in bed koffie dronken, en tussen ons in aan de keukentafel als we aten.

Thomas zei: 'Ik heb geprobeerd hem in een afkickprogramma te krijgen, Amanda, maar hij heeft geen rooie cent en hij is ook

176

niet verzekerd. Elke dag dat hij alleen in die caravan zit, is een dag waarop hij de strijd tegen zichzelf op kan geven. Geef maar.' Hij pakte mijn lege koffiekop aan, wipte van het bed af en verdween naar beneden.

Toen Thomas weer verscheen, met een veerkrachtige tred en energieke gebaren, een stomende mok in zijn hand, vroeg ik: 'Denk je echt dat we dit moeten doen?'

'Ik geloof dat ik eigenlijk niet weet wat ik hier moet doen', zei Thomas, 'of hoe, of waarom; afgezien van Eddie. Wat ik voor Eddie moet doen, lijkt me glashelder. De rest is allemaal...vaag.' Hij gaf me de koffiekop en trok het rolgordijn omhoog. Het morgenlicht kroop door het glas naar binnen, grijs en bleek en schimmig. Hij duwde het raam aan de bovenkant open. Een stroompje koude lucht kwam de warme kamer binnen.

'Als dominee heb ik hier nog niet veel betekend. Tot nu toe', zei hij na een poosje. Hij stond met de rug naar me toe en ik kon zijn gezicht niet zien.

'Oké dan', zei ik.

'Echt?'

'Ja.'

Hij ging op het bed zitten en gaf me, voorzichtig in verband met de koffie, een kus.

'Ik hou van je', zei hij.

'Ik ook van jou.'

'Kan ik het hem maandag vertellen?'

'Tuurlijk.'

'Nog een kopje?'

Ik stemde in met vers gezette koffie. De hor aan de buitenkant van het raam was bezig krakend los te gaan. Ik ging uit bed, deed het raam verder open en duwde de hor weer op zijn plaats. Ik hoorde Thomas in de keuken neuriën 'Bind ons tezamen, Heer', terwijl hij energiek een tweede pot koffie zette.

Chelsea maakte me zondagochtend vroeg wakker. De ramen waren nog donkergrijs. Een harde novemberwind gierde om het pachtershuis. Thomas was al weg.

Ik liet Chelsea de achterdeur uit. Ik stak mijn hand uit in de donkere lucht en voelde een paar regendruppels als ijsklonten neerkomen op mijn hand. De grote eik achter de varkensschuur kreunde zacht; in het voorjaar was hij getroffen door de bliksem en een dikke tak bovenaan kraakte als het hard waaide. Chelsea schoot er met de staart tussen haar poten vandoor, het donker in.

Ik zette koffie en deed suiker, bloem en melk bij elkaar om een cake te bakken. Meestal nam ik zondagochtends wat geestelijk voedsel tot me – François Fénelon, of de psalmen, of een van de puriteinse schrijvers, van wie ik hield om hun gezond verstand. Maar vandaag werd ik van mijn stuk gebracht door de wind, het gekletter van de regen en het voortdurende gekreun van het donkere bos achter het huis. Ik had geen zin om te gaan zitten en naar de geluiden van de ochtend te luisteren. Ik rammelde zo hard met het serviesgoed dat ik Chelseas gejank bij de achterdeur bijna niet opmerkte. Toen ik haar binnenliet, vloog ze de keuken door naar de kleine woonkamer en verstopte zich achter de bank.

De dageraad wilde maar niet aanbreken. Een dikke laag grijze wolken bedekte de lucht, aan de randen was een straaltje licht te zien, alsof er een enorme metalen schaal over ons heen was gezet die een klein stukje boven het aardoppervlak zweefde. De wintertarwe bewoog heen en weer onder de loodgrijze wolken. Ik dronk drie koppen koffie. De cake werd mooi bruin en ik haalde hem uit de oven.

Tenslotte dwong ik mezelf te gaan zitten lezen, maar de geestelijke checklist van de puriteinen werkte me alleen maar op de zenuwen. We hadden alles goed gedaan, voorzover ik wist, en toch was het een chaos om ons heen. Thomas' *De navolging van Christus* lag boven op zijn bijbel voor me. Ik bladerde door de evangeliën en maakte me in gedachten een voorstelling van Christus: God op aarde, knopen ontwarrend, genezend en licht brengend; Hij bracht inzicht en begrip, ruimde rommel op en liet chaos verdwijnen.

De achterste rijen waren leeg toen Thomas met zijn preek begon. Niet alle luisteraars van vorige week waren teruggekomen. Ik zag

Joe en Jenny en Eddie zat op een hoekje en Ambrose en Ida, John en Amelia waren er. Maar andere gezichten die me vertrouwd waren geworden, ontbraken. Een lange, bleke boer en zijn spichtige vrouw waren afwezig; de zorgelijke vrouw met drie nukkige puberjongens was verdwenen van de tweede rij van voren; de pafferige familie die verderop in het graafschap woonde, kwam niet meer. Ik zat erover te peinzen terwijl Thomas het verhaal van de herders in het veld vertelde. Ik had Daphnes vergiftiging en de kapot gesneden band beschouwd als uitingen van Matthew Humberstons kwaadaardigheid. Maar misschien was het alleen maar een teken van haat die de gemeente doortrok als gist in deeg. Geroddel was net zo verwoestend en werkte net zolang door als een fosforbrand.

Thomas was zwijgzaam geweest sinds we Daphne begraven hadden en ik had hem met rust gelaten. Hij was bezig een knoop in zijn eigen gedachten te ontwarren. Ik had al snel geleerd dat bemoeizucht van mijn kant averechts werkte; dus als hij ergens mee worstelde, hield ik meestal mijn kaken op elkaar en wachtte tot hij er zelf uitkwam. Deze keer was dat niet moeilijk geweest. Ik werd in beslag genomen door mijn eigen problemen. Ik hoorde op de vreemdste momenten Matthew Humberstons woorden: 'O, ze is toch een Fowlerand? Ze zit boven op die geheimen, net als jullie allemaal, mooi weer te spelen. Aan de buitenkant ziet alles er keurig uit, maar van binnen is ze hartstikke verrot.' Ik koesterde mijn eigen geheimen en zei niets.

Welk probleem Thomas ook bezighield, het had zijn preken niet beïnvloed. De preek tilde me boven mijn eigen verstrooide gedachten uit met het verhaal van Gods glorie die naar de gebrekkigen en weerlozen toekomt. Toen hij zijn hoofd boog voor het laatste gebed, ging er een zucht door de kerk.

'Almachtige Vader –'

Voordat hij de eerste zin van het gebed helemaal kon uitspreken, kwam er iemand langs me heen stommelen. Eddie Winn ging voor in de kerk op zijn knieën. Hij huilde; niet hysterisch, maar intens en zonder zich ervoor te schamen. Ik hoorde gemompel om me heen terwijl de gemeenteleden zich uitrekten om te zien wat er gebeurde. Onze kerk was nooit erg uitbundig geweest; als de Heilige Geest per se wilde neerdalen, moest Hij dat maar onopvallend doen en de gemeenteleden zouden die gebeurtenis vieren met een gepast gezang.

John Whitworth was wakker geworden. Ik zag, van de zijkant, nieuwsgierigheid en verontwaardiging vechten om voorrang op zijn gezicht. Maar Thomas kwam van de kansel af. Hij knielde naast Eddie, legde zijn hand op Eddies bevende rug en sprak hem rustig toe. De kleine, oude organist wrong haar handen. Thomas leek zich niet bewust van de opwinding, maar ik vroeg me af hoe Eddie zich moest voelen met vijfendertig paar nieuwsgierige ogen op zich gericht.

Aan de andere kant van het gangpad sprong Ambrose Scarborough op. 'Breng ze thuis, breng ze thuis, breng de dwalenden naar 't Vaderhuis', zong hij. Voor zo'n kleine, dikke man had hij een indrukwekkende bariton. 'Breng ze thuis, breng ze thuis, breng de dwalenden naar Jezus!'

Naast me viel iemand in.

'Hoor, 't moet des Herders stemme zijn, Die daar weerklinkt in de woestijn!'

Voor en achter me vielen stemmen in.

'Roepend het schaap, dat angstig krijt en om des Heeren liefde schreit!'

De organist wrong haar handen niet meer. Heftig trappend op het pedaal stortte ze zich in het gezang. De hele kerk – behalve John Whitworth en zijn vrouw – stond nu te zingen.

Breng ze thuis, breng ze thuis,
breng de dwalenden naar 't Vaderhuis.
Breng ze thuis, breng ze thuis,
breng de dwalenden naar Jezus.

Bij het tweede vers stond Amelia Whitworth bijna rechtop en bij het derde vers was John ook gaan staan. Op aanwijzing van Thomas kwam Eddie overeind en draaide zich schoorvoetend om, om de gemeente aan te kijken. Zijn ogen waren nat en rood. Maar zijn gezicht had niet meer de steelse, schichtige uitdrukking van een indringer. Hij leek opgelucht, alsof een heftige strijd binnen in hem eindelijk beslist was. Ik zag een glimp van de stoere, mooie man die hij eens moest zijn geweest.

In de woestijn hoor ik hun klacht;
zij zijn verleid door Satans macht;
Luister nu naar des Herders kreet,
en vindt het schaap, voor 't welk Hij leed.'

Terwijl het laatste refrein naklonk, hief Thomas zijn hand op.

'We heten Eddie Winn welkom in het koninkrijk van God', zei hij met krachtige en triomfantelijke stem. 'Laten we allemaal naar voren komen en onze nieuwe broeder begroeten. Moge de God van de vrede, die onze Here Jezus, de grote herder der schapen, door het bloed van het eeuwige verbond uit de dood heeft teruggebracht, u bevestigen in alle goeds om zijn wil te doen. Moge Hij in u uitwerken wat Hem behaagt door Jezus Christus. Hem zij de heerlijkheid tot in de eeuwen der eeuwen. Amen!'

'Amen!' antwoordde de gemeente opgewekt en drong naar voren om Eddie te verwelkomen in Gods gezin.

Ik liet mezelf meevoeren naar voren en ontmoette Thomas' blik die over de gemeente ging. Ook zijn ogen waren vochtig. Ik liep verder, gaf Eddie een hand en nam mijn plaats naast Thomas in.

Ik mocht niet twijfelen aan Eddies oprechtheid of aan de realiteit van wat er zojuist gebeurd was. Maar ik wenste, met heel mijn hart, dat ik de man aardig vond.

Eenentwintig

Maandagochtend ging Thomas naar Eddie om hem te vertellen dat hij bij ons in kon trekken. Ik sjokte naar het oude huis, zorgde ervoor dat oma uit bed kwam, maakte het ontbijt voor haar klaar en zette een paar potten kersenjam in haar oude auto. Amelia Whitworth zat erop te wachten, zei oma Cora tegen me.

John en Amelia Whitworth woonden in een oud bakstenen huis aan de andere kant van de doorgaande weg, in een stukje eeuwenoud bos dat bij een van de plantages gehoord had. Het was een klein huis en de bakstenen brokkelden hier en daar af, maar het waaiervormige bovenlicht verlegde de aandacht naar de sierlijke dakramen; langs het oude pad stond Engels bukshout.

Amelia Whitworth deed de deur open: klein en slank, in een onberispelijk schort, haar bruine haren in een keurig knotje en haar bril aan een kettinkje om haar hals. De hal achter haar was smal en donker, maar ze ging me voor naar een keuken met grote ramen, potten met kruiden op de vensterbank en een geruit kleed op tafel. Ze pakte de twee potten jam van me aan met een onge-duldige beweging van haar hoofd.

'Ik heb drie planken met potten jam in de kast', zei ze, 'maar als je oma iets in haar hoofd heeft, kan zelfs de engel Gabriël haar niet op andere gedachten brengen. Ga zitten en neem een muffin, Amanda.'

Ze liep gehaast weg met de jam. Ik ging op een stoel zitten en keek rond. De keukenramen waren donker vanwege de schaduw,

182

maar het grasveld werd beschenen door de zon. Geen dennen-naald ontsierde het verzorgde gazon. De ramen glommen als kristal en de bussen op het aanrecht waren precies symmetrisch neergezet. Naast de koelkast stond een vierkante schaal met een volmaakte appelpiramide. Bosbessenmuffins stonden te dampen op een schaal midden op de tafel.

Amelia Whitworth kwam even later terug, pakte de boter uit de koelkast, schonk thee in, ging zitten en vouwde haar handen.

'Jam?' vroeg ze. 'Ik kom er bijna in om.'

'Nee, dank u wel, mevrouw Whitworth.' Ik smeerde boter op een muffin. Het waren heerlijke muffins, zacht en zoet met grote, stevige bosbessen.

'Klopt het dat die waardeloze Winn bij jullie gaat wonen?'

'Thomas helpt Eddie om van de drank af te komen, mevrouw Whitworth.'

'Je kunt er maar beter voor zorgen dat dat niet het enige is waar hij van afkomt', zei Amelia Whitworth. Ze kneep haar kleine, doordringende ogen samen. 'Als die nietsnut ooit ruggengraat krijgt, is dat heus niet te danken aan een hele kerk vol hardwerkende mensen die op zondag over hem heen kwijlen. Krijgen we nog meer van die uitbarstingen?'

'Dat hangt van de Geest af', zei ik, niet bij machte verzet te bieden.

Amelia snoof verachtelijk. 'Hij zal wel belangrijker mensen hebben dan Winn om zich mee bezig te houden. Hoe gaat het met je moeder?'

'Goed. Ze vindt het prettig in Montana.'

'Droge lucht. Ze wordt daar sneller oud. Weet je nog dat je hier een keer kwam met Halloween toen je klein was? Je had je verkleed als het Vrijheidsbeeld en je broer was een robot; jullie hadden de kostuums zelf gemaakt.'

Ik wist het nog; ze torende hoog boven ons uit in de deur-opening en deelde met een strak gezicht marshmallows uit. Ze had één Halloweenversiering: midden op de deur de kop van een monster met echt opgloeiende ogen. We smeekten mam of we er niet weer naartoe hoefden.

'Jullie zijn nooit meer geweest', zei Amelia Whitworth. 'Ik vroeg me altijd af waar jullie de volgende keer mee aan zouden komen, na het Vrijheidsbeeld. Trouwens, jij en dominee Clement wonen hier al sinds augustus en John en ik hebben jullie nog steeds niet uitgenodigd voor het eten. Geen kwaadwilligheid, hoor, maar we hebben het zo druk gehad. Onze kleinkinderen zijn bijna de hele zomer en herfst bij ons geweest – wist je dat? Ze zijn net weer weggegaan, begin deze week. Neem nog een muffin.'

Ik pakte een muffin. 'Kwamen ze 's zondags ook met jullie mee? Ik heb ze nooit gezien.'

'Nee. Nee. Ik wilde wel, maar hun moeder – mijn dochter – kwam ze altijd vrijdags ophalen en bracht ze op zondagavond weer terug. Mijn dochter... Amy... Ze kan niet – ze is een lieve meid, maar ze kan niet goed voor twee kleine kinderen zorgen, niet zoals het moet.'

'Hoe oud zijn ze?'

'Vier en twee, dus kleintjes nog. Allebei jongens.' Haar stem klonk kordaat en opgewekt, maar haar donkere ogen keken langs me heen, de lege gang in.

'Ik herinner me Amy nog wel', zei ik, op goed geluk. Ik wist eigenlijk niet waarom oma Cora me opeens hiernaartoe had gestuurd, maar ik hoorde iets ongrijpbaars in Amelia's nuchtere woorden. 'Ze kwam op mijn verjaardag toen ik acht werd.'

'Ze is toch ouder dan jij', zei Amelia weifelend.

'Een paar jaar. Ze kwam mijn moeder helpen met al die acht-jarige kinderen en hun broertjes en zusjes. Ze lijkt op u, hè?'

'Ze lijkt heel veel op mij. Ze doet wat ze zich in haar hoofd heeft gezet, wat er ook gebeurt. Maar ze is knapper dan ik was.'

Ik herinnerde me een tenger meisje met bruin haar, ogen-schijnlijk volgzaam, met kleine, donkere ogen waarin een onver-zoenlijke uitdrukking lag. Amy Whitworth had doelloos in Little Croft rondgezworven toen ik een tiener was, had zichzelf na een tijd aangepakt en was ergens in het noorden van Virginia gaan werken.

'Voor we het doorhadden, was ze getrouwd', zei mevrouw Whitworth, terwijl ze denkbeeldige pluisjes van het tafelkleed

184

plukte. 'John zei steeds: "Ze is tenminste getrouwd, Melia. Ze is tenminste getrouwd." Hij maakte zich altijd zorgen om Amy. Maar ze...hij... Soms moest ze de kinderen bij ons brengen. Zodat ze even weg waren. Ze...ze blijft bij hem. Ze zegt dat hij echt een goeie man is. Hij wou de jongens terughebben, ze mochten niet langer bij ons blijven. Nou ja, 't zijn tenslotte zijn jongens.' Haar nerveuze vingers plukten aan een servet dat voor haar lag en streken de zoom glad. 'Voelen jullie je al een beetje thuis in Little Croft? Matthew Humberston kwam op een avond met John praten en klonk niet bepaald vrolijk wat dominee Clement betreft. Ze gingen buiten, op de veranda, staan. Toen hij weg was, wou John niet meer loslaten dan: "'t Komt allemaal goed, Melia."' Ze wierp een snelle blik op me, met een mengeling van nieuwsgierigheid en verdriet.

'Matthew wil niet dat Thomas een verklaring aflegt in Matts rechtszaak.'

'Dan had hij de jongen maar moeten leren om niet zomaar mensen neer te schieten.'

'Ja, nou ja, dat zegt Thomas ook.'

'Nog een kopje thee?'

Ik nam nog een kop thee. Het stof in de kelder had mijn keel uitgedroogd. Amelia schonk thee in, haar lippen aandachtig getuit.

'Matt is niks meer dan een kind van zijn vaders haat', zei ze. 'Matthew heeft hem zo volgestopt met de misdaden van de Fowlerands, dat hij al jaren borrelt als een vulkaan. Maar volgens mij heeft Attaway dit zelf over zijn familie gehaald. Hopelijk vind je het niet erg dat ik zo over je oudoom praat?'

'Helemaal niet', zei ik.

'Toen hij aan Doris kwam, kwam hij aan Matthews oogappel. Hij was bezig wind te zaaien. Matthew zag Doris veranderen van een lief meisje in een vrouw die een glas whisky dronk voor het eten om zichzelf moed in te drinken voordat Attaway thuiskwam en een halve fles na het eten om te vergeten hoe hij haar had behandeld. Muffin?'

Ik schudde mijn hoofd.

'Vind je het echt niet erg dat ik zo over Attaway praat?'

'Ik ben jarenlang uit Little Croft weggeweest', zei ik. 'Ik wilde altijd graag weer terug, mevrouw Whitworth. Maar nu tref ik een puinhoop aan. Te veel geheimen, die weggestopt zijn en binnen de familie gehouden.'

'Je oma kan je wel vertellen wat er tussen Attaway en Doris voorgevallen is.'

'Maar dat wil ze niet.'

'Nee. Ik kan het haar niet kwalijk nemen, geloof ik.'

'Dat ze niets wil vertellen?'

'Nee, dat ze Attaway bij zich wil hebben. Hoe oud is je oma, Amanda? Tachtig?'

'Eenentachtig.'

'En nog steeds gezond. Maar hoe lang nog? Ze wordt al wat trager. Straks wordt ze bedlegerig en wie moet dan voor haar zorgen? Niet je oom Giddy. Volgens mij houdt hij wel van z'n moeder, maar hij zal geen tien jaar bij haar bed gaan zitten om haar hand vast te houden als ze iets breekt en nooit meer uit bed komt. Jouw moeder zou dat wel doen, maar die woont te ver weg, en Winnie wordt zo in beslag genomen door al haar mannen en kinderen, en de kinderen en ex-vrouwen van die mannen dat ze geen tijd en energie heeft om zich druk te maken om Cora. En jullie zullen zelf kinderen krijgen en een huis kopen en misschien ergens anders naartoe verhuizen. We weten allemaal dat Little Croft geen plek is voor een jonge man als dominee Clement om voor eeuwig te blijven. Cora heeft niets om op terug te vallen, behalve Attaway en zijn geld. Ze heeft, volgens mij, nu al moeite om de eindjes aan elkaar te knopen. Je opa heeft haar wel wat beleggingen nagelaten, maar Giddy zei een keer tegen John dat ze zo nu en dan haar vermogen moet aanspreken om de rekeningen te betalen.'

Ze brak een suikerrandje af van de muffin die voor haar lag en stak het in haar mond. Ik roerde wat in het bodempje thee dat nog in mijn kopje zat. Oma had mijn hele leven in dat stenen huis boven aan de heuvel gewoond. Ik had nooit nagedacht over wat ze zou doen als ze niet meer op zichzelf kon wonen.

'Je kunt zeggen wat je wilt over de Fowlerands – en er valt heel wat te zeggen – maar ze zijn loyaal tegenover hun familie', zei Amelia Whitworth. 'Attaway zal nooit toestaan dat Cora in een verzorgingstehuis belandt, en ik denk dat hij, als hij eerst sterft en zijn geld nalaat aan Roland en Pierman, iets voor Cora zal regelen. Ze gaat echt niet over hem zitten kletsen, niet zolang hij leeft.'

'Niemand durft over oom Attaway te kletsen.'

'Nee. Hij doet wat hij wil en dat is altijd al zo geweest. We hebben altijd daar in Winnville gewoond, voordat John een aardige boterham verdiende. We deden net als iedereen, Amanda. We zeiden nooit iets tegen Attaway over... nou, ja, over Doris. Ik wist niet... We wisten niet...' Ze zweeg en nam een hapje van haar muffin. Haar ogen waren donker en ik kon er niets uit aflezen, maar de spieren om haar mond trilden. Ik wachtte zwijgend.

Amelia Whitworth barstte opeens los: 'Als ik toen had geweten wat ik nu weet, had ik er vast wel iets van gezegd en dan had hij ons eruit gezet. Maar dat was toen. We praatten niet over onze mannen in die tijd. Doris kwam vaak bij ons en dan speelden Quintus en Amy met elkaar. In de zomer had ze altijd kleren met lange mouwen aan. Soms had Quintus een blauw oog of een rode buil op z'n hoofd. En we hadden het er nooit over. We dronken koffie en praatten over de tuin en ik vroeg haar nooit iets. Toen stierf ze. Ik dacht dat ze wel bij hem weg zou gaan als het te erg werd. Ik snapte niet waarom ze bij een man bleef die haar zo behandelde. Ik begreep er niets van, tot... tot de laatste paar jaar. Ze zou nooit bij hem weggegaan zijn. Ze ging eraan kapot dat hij niet van haar hield, maar ze bleef proberen.'

Ze ging opeens staan. 'Ik heb een paar foto's van Amy en de kinderen. Wil je ze zien?'

'Ja. Graag. Mevrouw Whitworth, een paar dagen geleden hadden oom Attaway en Matthew Humberston ruzie midden op straat en Matthew noemde Attaway een moordenaar. Bedoelde hij daarmee dat Attaway Doris zo ongelukkig maakte dat ze niet langer meer wilde leven?'

'Nee', zei Amelia, 'ik denk dat Matthew zei wat hij bedoelde. Ik vermoed dat hij denkt dat Attaway haar vermoord heeft.'

Eddie Winn was dinsdagochtend al vroeg bij het pachtershuis. Hij had een versleten boodschappentas bij zich en twee dozen met troep: oude boeken, een paar potten en pannen, een pistool en een stapel tijdschriften. Toen hij aanklopte, stond ik in de keuken mijn cornflakes en geroosterd brood naar binnen te werken.

'Thomas', riep ik.

Geen antwoord. Eddie klopte weer. Ik legde mijn brood neer en holde de trap op, maar de kamers boven waren leeg. Ik bedacht dat Thomas de voordeur uit moest zijn gegaan om Chelsea uit te laten. Weer werd er geklopt, kort en dringend. Ik ging weer naar beneden, deed de deur open en probeerde zo vriendelijk mogelijk naar Eddie te glimlachen.

'Goeiemorgen', zei ik. 'Kom erin.'

'Ik ben hier echt heel blij mee, vrouw Clement.' Eddie had een zachte, innemende stem. Hij zag er elke dag fatsoenlijker uit; hij had weer kleur op zijn gezicht, zijn golvende, donkere haar was keurig geknipt en hij had zich voor deze gelegenheid geschoren.

'We vinden het fijn dat je onze gast wilt zijn', zei ik.

Eddie sleepte een doos en de boodschappentas naar binnen. De andere doos stond boven aan de verandatrap. Ik hield de deur open en haalde de doos voor hem binnen. De dozen roken schimmelig. Ik nam me voor Eddies spullen een keer met lysol te behandelen als hij weg was. Hij bleef midden in de keuken staan. Zijn schouders waren vierkant, maar toen hij zijn tas even anders vastpakte, zag ik dat zijn handen nog steeds trilden.

'Kom maar mee naar boven', zei ik. 'Ik zal de andere doos voor je meenemen.'

Ik ging hem voor op de trap, me bewust van zijn stappen achter me. Ik duwde de deur van het logeerkamertje open en besefte ineens hoe akelig dichtbij hij stond en hoe klein de overloop was. Ik zette zijn doos in de deuropening.

'Neem gerust de tijd om je spullen uit te pakken', zei ik. 'Er staan cornflakes op de koelkast en het brood ligt in de mand op het aanrecht.'

Ik ging naar beneden om verder te gaan met mijn cornflakes die nu helemaal papperig waren. Chelseas poten tikten op de

veranda en even later hoorde ik Thomas op de trap. De keukendeur kraakte en hij kwam binnen in een vlaag frisse november-
lucht.

'Ik dacht dat je al wel bij je oma zou zijn', zei hij.

'Ik kom een beetje langzaam op gang vanochtend.'

'Eddie is er al?' Zijn stem klonk tevreden.

'Hij is aan 't uitpakken.'

'Mooi. Ik wil Romeinen met hem bestuderen. We kunnen een
uur bezig zijn voordat ik naar de kerk ga. Heb jij in z'n dozen
gekeken?'

'Waarom?'

'Om te kijken of er flessen in zitten.'

'Nee, ik wilde niet in zijn spullen snuffelen.'

'Ik zal het wel even doen.'

Ik liet mijn cornflakes voor wat ze waren en hield hem tegen
bij de deuropening. Hij sloeg zijn armen om me heen. Zijn lijf
was dun en warm en sterk, en ik stopte mijn armen onder zijn jas
en duwde mijn gezicht tegen zijn borst.

'Wat is er?'

'O… niks. Ik ben moe en oma is niet de makkelijkste.'

Thomas gaf me een zoen op mijn hoofd. Zijn jas rook naar
herfst en bladeren en waar zijn rits open had gestaan, was zijn
overhemd een beetje vochtig van de ochtendlucht. We bleven een
poosje zo staan, totdat de oude trap kraakte onder Eddies voeten.
Thomas liet me los.

'Ik hou van je', zei hij.

'Ik ook van jou. Zullen we komende zaterdag gaan picknicken?'

'In november?'

'We kunnen ons toch warm aankleden? Dan nemen we Chelsea mee en lopen naar de dam en nemen kaas mee en crackers en
die halve fles wijn…'

'Die heb ik weggegooid', zei Thomas. 'Ik wilde die niet in huis
hebben met —' Hij gebaarde met zijn hoofd naar de deur.

'Oké', zei ik. 'Nou, dan wandelen we naar de dam met een
thermoskan koffie.'

189

Thomas wierp me een glimlach toe. Eddie kwam weer binnen, dus ik ging ervandoor. Chelsea zat tevreden op haar bosmarmot te knagen op een hoekje van de veranda. Ze zwaaide met haar staart naar me zonder overeind te komen.

'Leuk gehad bij vrouw Whitworth?' vroeg oma van achter haar krant.

Ik stond in haar havermoutpap te roeren. Een eenzaam worstje lag in een koekenpan op de achterste pit te spetteren. Ik hoopte dat het stukje vlees haar ertoe zou bewegen de havermout te accepteren. Ik was maandagmiddag direct naar huis gegaan, zonder eerst nog langs oma te rijden.

'Ik kreeg heerlijke muffins van haar', zei ik tenslotte.

'O, Amelia kon altijd al goed bakken. De mensen zeggen dat John daarom haar bazigheid verdraagt.'

'Is ze bazig?'

'Ze behandelt hem alsof ze een kloek is met een ziek kuiken.'

'Misschien vindt hij dat prettig.'

'Hm.'

'Of misschien heeft ze die reputatie omdat ze zich niet door hem laat commanderen.' Ik liet het worstje op een bord glijden en schonk de havermout in een schaaltje.

'Hij mag niks van haar', zei oma, terwijl ze de krant weglegde en haar blik liet gaan over het eten dat ik voor haar had neergezet. 'Als je wilt dat ik dat spul opeet, kun je er beter wat meer suiker op doen zodat ik het niet kan proeven.'

Ik strooide een dikke laag bruine suiker over de havermout.

'Dat is beter', zei oma tevreden. Ze pakte haar lepel. 'John en Giddy gingen eens een avond op stap en kwamen dronken thuis, ongeveer vijftien jaar geleden. Giddy had het niet meer van het lachen toen hij thuiskwam. Hij was nog niet zo ver heen, maar John Whitworth was stomdronken en zo gelukkig als een kind. Dat was zijn enige pleziertje in die vierentwintig jaar dat hij met Amelia getrouwd was. Zo gauw ze één blik op hem geworpen had, greep ze een koekenpan en begon hem achterna te zitten op de veranda. Giddy zei dat ze hem van de ene kant naar de andere joeg en dat hij z'n armen boven zijn hoofd hield en gilde: "Niet slaan, Melia! Niet weer slaan, Melia!" Zover ik weet, heeft hij nooit meer gedronken, die arme kerel.'

'Hij ziet er wel tevreden uit.'

'Och', zei oma, terwijl ze in haar havermout porde, ''t kon minder.'

'Denkt u dat hij gelukkiger zou zijn als hij haar een klap kon geven als hij er zin in had?'

'Sla niet zo'n toon tegen me aan. Heb je dat spek voor Hond gevonden?'

'Hij zit het buiten op te eten, op de trap. Oma…'

'Wat?'

'Ik herinner me opa nauwelijks meer. Ik was pas negen toen hij stierf.' Ik herinnerde me een lange, magere man met handen met grote knokkels en een harde stem, bewegelijk en lichtgeraakt. Hij kreeg een hartaanval toen ik zes was en bleef de laatste drie jaar van zijn leven ziek, steeds dieper wegzakkend in een vroege seniliteit.

'Hij heeft er lang over gedaan om te sterven', zei oma, een beetje kortaf.

'Mag ik u iets persoonlijks vragen?'

'Wie mijn ondergoed wast, heeft alles gezien wat er te zien valt, Amanda.'

'Bent u ooit bang voor hem geweest?'

Ik dacht even dat ze het bord van zich af zou duwen en opstaan en zichzelf zou opsluiten in de badkamer of in haar slaapkamer. Maar ze hield zich in en bleef stil zitten met haar oude handen gevouwen in haar schoot. Ze wendde haar hoofd af en keek uit het raam, over de uitgestrekte landerijen met de wolken erboven en de glanzende wintertarwe die boven de maïsstoppels uit groeide.

'Nee', zei ze tenslotte. 'Nee. Nat zou nooit zijn hand tegen een vrouw opheffen. Dat was niet zijn manier van doen.'

Ik was teleurgesteld. Ik had alle spelers op het toneel bij elkaar gezet: Cora Scarborough, te hevig geterroriseerd door haar man om haar schoonzus te redden; Attaway en Nathaniel Scarborough, opvliegend, zwaar drinkend en ruziënd. Oma ving de uitdrukking op mijn gezicht op.

191

'Hoe oud ben je?' vroeg ze. 'Zesentwintig? Zevenentwintig? Denk je dat een vuist het enige is waarmee een man zijn vrouw pijn kan doen? Je bent nog zo groen als gras, Amanda. Nat Scarborough kon al het leven uit een vrouw zuigen en haar leeg achterlaten. Zie je die foto's?' Ze wees naar de tafel, waarop ik de oude foto's in keurige stapels had gelegd. 'Zie je hoe hij glimlacht en hoe zijn ogen stralen van levenslust? Dat pakte hij van vrouwen af. Hij voedde zich met hen, zoog alle leven uit ze en liet ze alleen. Ik heb nooit geweten hoeveel het er waren. Ik was blij toen die man doodging. Ik zou gezongen hebben op zijn begrafenis als ik niet bang was geweest dat al die wijven van de kerk geschokt zouden zijn. Ze stonden maar te treuren om mijn verlies en volgens mij waren er maar drie of vier waar hij niet mee had gerotzooid. Het enige goeie dat Nat Scarborough in zijn leven heeft gedaan, was "Armoe troef" opbouwen uit het zooitje akkertjes en varkensstallen uit de tijd dat mijn vader nog leefde. Ik was niet bang voor Nat Scarborough. Ik haatte hem.'

Ze duwde zichzelf overeind aan de rand van de tafel. 'Nu ga ik naar de badkamer en jij gaat het gras tussen mijn chrysanten weghalen. Ben je tevreden, nu je het naadje van de kous weet?'

Ze strompelde naar de badkamer en sloeg de deur met een klap dicht. Ik ruimde de tafel af en zette de havermout die maar half op was buiten neer voor Hond. Die zou zelfs karton eten als er suiker op zat. Daarna ging ik naar buiten om onkruid te wieden. Af en toe kwam er een chrysant mee naar boven; het gras was zo vervlochten met de chrysanten, dat ik de bloemen niet meer kon scheiden van het onkruid.

Tweeëntwintig

Die donderdag werd het echt winterweer. Het was minstens vijf graden onder nul toen ik wakker werd; de ramen waren bevroren, er lag een dikke laag rijp op het land en de toppen van de pijnbomen stonden roerloos tegen de bleekblauwe lucht. Donderdag 9 november: de eerste dag van Matt Humberstons rechtszaak.

Eddies deur was nog dicht. Ik liet Chelsea naar buiten en zette koffie; ik vroeg me af waar Thomas uithing. Ik hoorde zijn stem een paar minuten later. Hij riep de hond, ergens voor het huis.

Ik tuurde door het raam van de kamer met de haard. Hij zat buiten op de voorveranda die we zelden gebruikten, naast de voordeur die we nooit opendeden, in juffrouw Clunies oude schommelstoel. Hij had zijn pak voor bruiloften en begrafenissen aan en een donkere stropdas om. Chelsea was tevreden naast hem neergeploft. Thomas leunde voorover, zijn handen tussen zijn bovenbenen geklemd, en staarde over Poverty Ridge Road. Zijn adem vormde wolkjes, in ongelijkmatige pufjes.

Ik liep naar buiten en ging naast hem staan. De kou deed pijn aan mijn ogen. Ik vroeg zacht: 'Kan ik iets voor je doen voordat ik wegga?'

Hij schudde zijn hoofd. 'Ik heb dit zelf gewild. Ik wil ze vertellen wat Quintus zei, voor hem. Maar ik zit gevangen tussen boosheid op je oudoom en boosheid op Matthew; ik weet niet of mijn motieven om te getuigen wel zuiver zijn.'

Ik streelde zijn achterhoofd. 'Zal ik vandaag ook komen?'

193

'Nee.' Hij streek vluchtig met zijn lippen over mijn handpalm. 'Bid maar voor me. Ik wilde vanochtend bidden en begon met "Almachtige Vader" en hoorde mezelf... Wat een onpersoonlijk begin, maar die woorden gebruik ik altijd. God is echt een afstandelijke vader voor mij. Hij lijkt op m'n eigen vader, die ons in de steek liet; we moesten ons maar zien te redden. Ik ben steeds op zoek geweest naar een aardse familie, zodat ik het gevoel kon hebben ergens bij te horen, maar ik geloof niet dat ik die familie hier zal vinden.'

Hij bleef een hele poos zitten met mijn hand tegen zijn gezicht. 'Ik wil het toch', zei hij. 'Ik wil net zo zijn als Christus, omringd door broers, een moeder, de discipelen die meer dan familie waren. Overal om Hem heen mensen. Ik weet niet hoelang ik het nog volhoud om in m'n eentje te vechten.'

Ik liep naar oma terwijl ik in gedachten bleef herhalen: Heer, ontferm U. Christus, ontferm U. Oma gaf me de sleutels van haar oude, marineblauwe Ford zodra ik haar woonkamer binnenstapte.

'Rechtbank', zei ze. 'Die Humberstonrechtszaak is vanmorgen. Ik wil erbij zijn.'

'Maar, oma –'

'Sst! Matthew is de neef van wijlen mijn schoonzus, en hij heeft haar zoon vermoord. Ik heb de plicht om erachter te komen wat er met hem is gebeurd.'

Een bijzonder slecht excuus, dacht ik, voor zo'n nieuwsgierig Aagje.

'Kan het niet wachten tot vanmiddag? Voor het middageten zal er niet veel interessants gebeuren.'

'Kan me niet schelen. Ik wil geen seconde van Matthews gezicht missen. Ze zullen hem toch zeker wel oproepen?'

'Lijkt me niet. Hij was er niet bij.'

'Des te beter', zei oma. 'Die man kan liegen alsof het gedrukt staat en geen eed verandert daar iets aan. We gaan. Stop Hond eerst nog in de kelder. Ik heb een lekkere hertenschenkel voor hem.'

Dus joeg ik Hond de steile keldertrap af, reed oma over de doorgaande weg onder de takken van de oude bomen door en liep met haar Courthouse Hill op naar het stenen gebouwtje dat boven op de heuvel was neergezet. Thomas' auto stond al op de parkeerplaats.

De rechtbank van Little Croft was een piepklein, oud, donker gebouw. Er was al in geen honderd jaar iets aan veranderd. De rechtszaal zelf was uitgevoerd in donker notenhout, met banken als in een kerk en boven de stoel van de rechter het glimmende rood-met-gouden zegel van Little Croft. Het rook er ook net als in de kerk: naar oud hout en tapijt en boenwas. Thomas zat al op de hoek van een van de voorste banken. Zijn blonde hoofd was gebogen; hij had zijn ellebogen op zijn knieën, zijn lange vingers in elkaar verstrengeld in zijn nek.

Mensen uit het dorp druppelden gestaag binnen. Attaway was er niet; zijn neef Roland, gedrongen en somber, liet zich op een bank voorin neervallen. We gingen zelf achterin zitten, nauwelijks een minuut voordat de hulpsheriff voor in de zaal zei: 'Ik verzoek u te gaan staan' en de rechter binnenkwam. Rechter Ryland Banks was een verre neef van mij, hoewel ik een groot schema van de familie zou moeten maken om erachter te komen waar ons bloed zich vermengde. Hij was groot en blond, enigszins grijzend. Dat zou betekenen dat de verwantschap zich ergens aan oma's blonde kant van de familie moest bevinden.

Hij ging zitten en richtte zijn blik een poosje op de voorste bank. Matthew Humberston keek peinzend naar de lege jury-bank.

'Goeiemorgen', zei de rechter tenslotte. 'Laten we eerst eens voor een jury zorgen.'

Het kiezen van een jury was een saaie, langdurige en voorspelbare aangelegenheid. Oma Cora zorgde voor een niet-aflatende stroom gefluisterd commentaar terwijl het ene jurylid na het andere plaatsnam of weggestuurd werd. Heel weinig inwoners van Little Croft leidden, zo bleek, een onberispelijk leven. Van de twaalf die op de voorste banken terechtkwamen, waren er bijna evenveel zwart als blank, de meesten waren mannen: een

195

smetteloos ogend gezelschap. Volgens oma zaten er twee dieven bij, iemand die zijn vrouw mishandelde, drie dronkaards en een wietkweker.

Toen ze allemaal zaten, keek rechter Banks op zijn horloge. 'Het is bijna één uur', zei hij. 'We nemen eerst een middagpauze voor we verdergaan.'

De griffier kondigde punctueel de lunchpauze aan. De toeschouwers om ons heen begonnen te bewegen en te kletsen. Oma zei: 'Ik wil een broodje ham.'

'Veel te zout', zei ik, terwijl ik mezelf losrukte uit een mijmering.

Matthew Humberston zat doodstil op de hoek van de voorste bank. Thomas had zich ook nog niet bewogen.

'Ik mag van jou niks eten wat ik lekker vind', zei oma hard.

'Zullen we naar huis gaan? Dan kan ik iets lekkers voor u klaarmaken.'

'Nee. Ik wil de getuigenissen horen. Ga een broodje voor me halen.'

'Maar van al dat zout krijgt u dikke benen!'

'Dat gebeurt anders ook niet. En ik heb altijd al dikke benen gehad. Haal bij Winn een broodje ham voor me en hou op die rottige dokter na te praten.'

Winns Kruidenierswaren stond onder aan Courthouse Hill, in de bocht van de smalle asfaltweg. De twee bejaarde broers Winn verkochten belegde broodjes bij de slagersafdeling achterin: eisalade, spek en ei, vette, zoute ham met mayonaise op witbrood. Ik sjokte de heuvel af en ging in de rij staan. Af en toe ving ik flarden van gesprekken op. De winkel was donker en benauwd, de ramen waren half bedekt door vitrines.

'Matthew heeft een enorme hekel aan die dominee', kraste een stem voor me. 'Zag je hoe kwaad hij naar hem keek?'

'Da's geen nieuws', antwoordde iemand.

'Waar is Attaway vandaag?'

'Die zit thuis te mokken', zei een jongere stem.

'Hij had vast graag gewild dat Quintus gestorven was voordat die akte getekend was. Hoeveel zal hij moeten betalen, denk je?'

196

De eerste stem zei: 'Als het goed is helemaal niks.'

En toen werd mijn aanwezigheid waarschijnlijk opgemerkt, want de zware accenten stierven weg en de oude Charlie Winn vroeg: 'Wat mag het zijn, Amanda?'

'Oma wil graag een broodje ham', zei ik. Ik wachtte terwijl hij de roze plakken ham op de witte sneetjes kwakte en het broodje in papier wikkelde. De rij achter me was stil geworden. Toen ik me omdraaide, was er niemand die me aankeek.

Ik stapte de hordeur uit. De oude bossen aan de overkant van de doorgaande weg hingen vol late rood- en bruintinten. Courthouse Hill rees voor me op. De eeuwenoude eik achter de rechtbank strekte zijn dikke takken de blauwe lucht in en een havik hing er doodstil boven. Hij draaide en schoot naar beneden; zijn klagende geluid kwam op de novemberwind naar me toe. Ik bleef op de weg staan en verwenste de Fowlerands en Scarboroughs en Humberstons met heel mijn hart.

De kleine achterveranda van de rechtbank was leeg, maar de lucht was zwaar van de sigarettenrook. Binnen namen de toeschouwers ritselend hun plaatsen weer in. Ik liep naar oma en gaf haar het papieren pakketje.

'Moet je dat kraakbeen zien', zei oma. 'Charlie Winn wordt gierig. Ga je niet met dominee Clement praten?'

'Nee. Hij zit na te denken.'

Thomas zat nog steeds op zijn plek en zijn gezicht had een gesloten uitdrukking; ik had geleerd hem op zo'n moment met rust te laten. Matthew zat roerloos op de hoek van de bank. De juryleden kwamen een voor een weer binnen. Het werd stil in de rechtszaal; hier schuifelde een voet, daar klonk een kuchje.

'De staat Virginia tegen Matthew Humberston junior', meldde de griffier.

Er ging geritsel door de zaal. Thomas ging rechtop zitten. Hij had een ongewoon grimmige uitdrukking op zijn gezicht. De deur aan de linkerkant van de rechtszaal ging open en Matt Humberston kwam de zaal binnen met zijn dure advocaat. Matt was keurig gepoetst en droeg een kostuum. Hij zag er niet groezelig en stuurs meer uit, hij was gewassen en geschoren en gepolijst en hij

197

zag eruit als een jonge, donkere engel. Zijn haar hing, net als dat van zijn vader, in golven op zijn kraag en zijn profiel was sierlijk en heroïsch.

De staat beschuldigde Matt Humberston van moord met voorbedachten rade, hoofdzakelijk gebaseerd, dacht ik, op Quintus' laatste woorden. De aanklager, Jeremiah Adkins, riep de agent op die het eerst ter plekke was geweest die nacht. Hij somde de feiten op: Quintus Fowlerand was dood toen ze arriveerden; Matt Humberston was hard op zijn hoofd en schouders geslagen en was met een ambulance naar het ziekenhuis gebracht.

Een Fowlerandneef met een stem die doortrokken was van haat, verklaarde dat de twee mannen dronken en ruzie maakten tot diep in de nacht. Een andere Fowlerand had gehoord dat ze, aan het begin van Fowlerand Lane, elkaar hadden lopen uitschelden. Quintus met lege handen en Matt met zijn geweer losjes over zijn schouder.

'Hadden ze gejaagd?' vroeg de aanklager. Jeremiah Adkins was een welbespraakte, zwarte man van in de veertig, die al jaren in Little Croft woonde.

'Te donker', zei de Fowlerand.

'Ik bedoel eerder op de dag?'

'Zeker weten. Konijnenjacht, bij de Humberstonboerderij.'

Zonder Thomas' verklaring zou de jury, volgens mij, doodslag ten laste kunnen leggen. Met een beetje geluk zat Matt een jaar of nog minder in de gevangenis. De Fowlerandneef ging weer zitten.

'De eisende partij roept Thomas Clement op', zei Jeremiah Adkins.

Thomas kwam overeind en liep naar voren. Hij ging zitten en vestigde zijn ogen op de openbare aanklager, Matthews dreigende blik negerend.

'U arriveerde zaterdagochtend veertien oktober om twee uur bij de woning van Attaway Fowlerand?'

'Ja', zei Thomas.

'Kunt u beschrijven wat u zag en hoorde?'

'Er stond een kring van pick-ups voor het huis met de koplampen aan. Meneer Fowlerand lag op zijn buik op de veranda.

Meneer Humberston lag op zijn rug, met zijn hoofd op de bovenste treden, helemaal onder het bloed. Af en toe viel hij even weg. Ik ging de veranda op naar meneer Fowlerand, omdat die om een priester had gevraagd. Hij leefde nog, maar gaf bloed op en hij kon haast niet meer praten. Hij zei: "Matt zei dat hij me zou vermoorden. Gisteren zei hij dat hij me zou vermoorden. Vannacht zei hij dat hij mij zijn hele leven al wilde vermoorden en nu de kans had."'

Matthew Humberston, eenzaam op de voorste bank, ging rechtop zitten en begon zijn zakken een voor een te doorzoeken. Hij vond een zakdoek in de vierde zak en zwaaide die heen en weer boven zijn knie om hem goed te bekijken. De ogen van de jury waren op hem gericht. Ik herinnerde me de begrafenis, toen hij zijn zonnebril liet vallen en hem weer opzocht terwijl de hele meute naar hem keek in plaats van naar de priester.

'Zei hij nog iets, dominee Clement?'

'De rest was vertrouwelijk', zei Thomas, 'en had te maken met zijn geestelijke toestand.'

'Wat gebeurde er daarna?'

'Ik draaide me om naar de man op de trap –'

'U bedoelt Matthew Humberston junior?'

'Ja. Hij riep: "Is hij dood? Is hij dood?" Ik zei: "Ja, hij is dood en jij hebt hem vermoord."' Hij was even stil. De woorden bleven hangen in de zware, van boenwas doortrokken lucht.

'En hoe reageerde meneer Humberston?'

'Hij zei: "Mooi zo!" en verloor het bewustzijn.'

Matthew Humberston kuchte kort.

De aanklager zei: 'Dank u wel, dominee Clement.'

Matts advocaat ging staan. 'Dominee Clement, als u de mentale toestand van meneer Fowlerand en meneer Humberston zou moeten kenschetsen –'

De openbare aanklager snauwde: 'Protest! De getuige is geen deskundige.'

'Ja, maar als we ons baseren op dit verslag uit de tweede hand, heb ik het recht –'

'Bezwaar afgewezen', zei rechter Banks. 'Ga verder.'

'Dominee Clement?'

'Meneer Fowlerand had veel pijn, maar was helder', zei Thomas. 'Meneer Humberston was bij kennis toen hij "Mooi zo" zei en hij leek te weten wat er gebeurde. Dat is alles wat ik er over kan zeggen.'

'Dominee Clement, hoe vaak heeft u aan een sterfbed gezeten?"

'Wat zegt u?'

'Hoe vaak heeft u iemand zien sterven?'

'Als dominee?'

'Ja.'

'Eén keer.'

'Aha. En hoe vaak mensen die door geweld om het leven kwamen?'

'Nooit. Tot dusver.'

'Dus u heeft feitelijk geen ervaring met bekentenissen van stervenden? U kunt op geen enkele manier de mate van helderheid van deze twee mannen bepalen? U heeft geen maatstaf om hun woorden aan af te meten?'

'Misschien kan meneer Hall zijn slotpleidooi voor het einde bewaren?' vroeg de aanklager.

'Het is duidelijk, meneer Hall', zei de rechter. 'Nog meer vragen?'

'Nee, edelachtbare.' De advocaat ging weer op zijn plek zitten.

Thomas ging staan. Zijn blik ging vluchtig over de volle zaal en bleef rusten op mij. Ik maakte een verontschuldigend gebaar naar oma Cora. Hij haalde kort zijn schouders op, liep langs Matthew en ging de zijdeur uit. De rechter drukte zijn handpalmen tegen zijn ogen. Zijn schouders waren gekromd alsof hij last van zijn maag had.

'Heren', zei hij, 'het is bijna vijf uur. Ik stel voor dat we morgen verdergaan met de volgende getuige. Wie roept u als volgende op, meneer Adkins?'

'Attaway Fowlerand, edelachtbare. De vader van de overledene. Ik heb er geen bezwaar tegen morgen verder te gaan.'

200

'Ik ook niet', zei Matts advocaat vanuit zijn stoel.

Rechter Banks glimlachte een beetje spottend. 'Heel vriendelijk van u.' Hij gaf een tik met zijn hamer en ging met een vertrokken gezicht staan.

'Die man heeft een maagzweer', zei oma hardop. 'Maar ja, als ik getrouwd was met Lelia Banks zou ik ook een maagzweer hebben.'

Thomas wachtte me in de keuken op toen ik bij oma vandaan kwam. Zo gauw ik een stap binnen de deur had gezet, zei hij: 'Ga je mee in Williamsburg eten?'

'En Eddie dan?'

'Die wilde nog wat spullen uit z'n caravan halen. Zei dat hij laat terug zou zijn.'

'Oké', zei ik. 'Ik trek even wat anders aan.' Ik kuste hem in het voorbijgaan en voelde dat zijn grote lijf van top tot teen gespannen was.

We reden naar Williamsburg en aten lekkere broodjes en kwarktaart in een universiteitsrestaurant. We waren omringd door groepen vrolijke studenten en de Terrapins en Cavaliers speelden in stilte op de tv-schermen boven de bar. We keken naar de wedstrijd en praatten over van alles en nog wat behalve over Quintus en Matthew en Matt en Attaway. Ik wachtte tot Thomas de rechtszaak ter sprake zou brengen, maar hij begon er niet over.

We reden naar huis over de doorgaande weg, staken de rivier over bij Baretts Ferry Bridge en gingen toen de bochtige, smalle wegen op die naar het hart van Little Croft leidden. Ik legde mijn hoofd op Thomas' schouder. Hij sloeg zijn arm om me heen, verstijfde plotseling en trapte hard op de rem. Ik merkte dat ik half op het dashboard lag en duwde mezelf omhoog. In het licht van de koplampen zag ik dat het naambord van de kerk versplinterd aan één haak hing. Stukken kapotgeslagen hout lagen eronder in het gras.

Thomas zette de auto aan de kant van de weg en stapte uit. Ik ging hem achterna en huiverde toen de ijskoude lucht door mijn jas en trui kroop. Hij ging op zijn hurken zitten en veegde met zijn handen houtsplinters bij elkaar.

'Ik zal morgen Ambrose bellen', zei hij, half binnensmonds. 'Misschien kunnen we voordat het zondag is een nieuw bord regelen. Dan hoeft niemand er iets van te weten.'

'Ga je de sheriff niet bellen?'

Thomas schudde zijn hoofd. Hij ging rechtop staan en veegde zijn handen af.

'Waarom niet?'

'Dit verdiende ik', zei hij. 'Ik was nijdig vandaag. Ik heb niet besloten te getuigen omdat ik vond dat het recht zijn loop moest hebben. Ik was gewoon kwaad.'

Drieëntwintig

'Die Winn van jullie begint er wat beter uit te zien', zei oma tijdens het ontbijt.

'Ja, hij is een beetje zwaarder geworden.'

'Vroeger was Eddie een echte rokkenjager.'

'Dat heb ik gehoord, ja.'

'Waar hangt hij vanochtend uit?'

'Hij is op zoek naar werk, oma.'

'Dat is te hopen.'

'Hoezo?'

'Zomaar', zei oma. 'Wat ben je daar aan 't snijden?'

Ik zette met een bons een grapefruit voor haar neer. 'Als u die opeet, bak ik een stuk spek voor u.'

'Vergeet het maar. Veel te zuur.'

'Hij is heel zoet en ik heb alle taaie stukjes eruit gesneden. Ziet u wel?'

Oma porde wantrouwig met de achterkant van haar lepel in de grapefruit.

'Gaan we vandaag taart bakken?' vroeg ik.

'Nee. We gaan weer naar de rechtszaak.'

'Ik heb geen zin om naar de rechtszaak te gaan.'

'Nou, ik wel. Attaway is vandaag aan de beurt. Hij heeft nog niet veel over Quintus' dood gezegd, ook niet tegen mij.' Ze nam een stukje grapefruit en trok een vies gezicht.

'Zo zuur is 'ie nu ook weer niet.'

'O, jawel. En Hond heeft overgegeven achter de wasmachine, net voordat je kwam. Wil je het schoonmaken voordat we weggaan?'

'Ik neem aan dat dat een retorische vraag is', zei ik.

Ik zette Hond op de veranda met een bak hondenbrokken en ruimde de viezigheid op. Ik zat nog op mijn knieën, half achter de wasmachine, te boenen op de scheurtjes in het groene linoleum toen ik een pick-up hoorde aankomen. De motor werd afgezet en de deur met een klap dichtgeslagen; zware voetstappen sjokten over het smalle, cementen paadje, begeleid door het tikken van een stok. De hordeur ging open en met een knal weer dicht. Oom Attaways stem zei plompverloren: 'Wat doet die vent van Winn in het pachtershuis?'

'Ook goeiemorgen', zei oma Cora. 'Amanda probeert een zieltje te redden. Ja toch, Amanda?'

'Nee', zei ik van achter de wasmachine. 'Thomas helpt hem om van de drank af te komen.'

'Hij heeft daar niks te zoeken', gromde Attaway. Zijn stem trilde van woede.

Ik leunde achterover om zijn gezicht te kunnen zien. Hij stond rood aangelopen midden in de kamer; zijn knobbelige handen lagen verkrampt over de knop van zijn stok. Hij was gekleed voor de rechtszaak: een wit overhemd, marineblauw strikje en een grijze broek die strak om zijn omvangrijke middel zat.

'Wat sta je je op te winden?' zei oma. 'Ga zitten en eet wat. Als dominee Clement die nietsnut van een Winn in huis wil hebben, moet hij dat zelf weten, toch?'

'Ik wil niet dat hij daar zit, Cora. Jij moet ervoor zorgen dat 'ie uit dat huis weggaat.'

Oma's oude schouders verstrakten een beetje. 'Dat is mijn huis, Attaway. Bemoei jij je met je eigen zaken.'

Oom Attaway stootte zijn hoofd naar voren als een oude beer die ten aanval gaat. Zijn lichte, blauwe ogen schoten vuur en zijn adem raspte in zijn keel. 'Haal – die – man – daar – weg.'

Hij draaide zich om en stampte weg. De deur sloeg met een klap achter hem dicht. Hond lag buiten op de trap te janken. De motor van de pick-up loeide weer. Oma bleef doodstil zitten kijken naar de pick-up die over het lange zandpad wegreed. Toen oom Attaway uit het zicht verdwenen was, kwam ze weer in beweging.

'Ga 'ns kijken waar Hond is', zei ze.

Ik trok de handschoenen uit en ging naar buiten. Hond verstopte zich onder het verandatrapje. Een modderige schoenafdruk stond op zijn vacht en hij krabbelde snel bij me vandaan.

'Niks aan de hand', zei ik, toen ik weer binnenkwam. 'Oma, ik vind het prima als Eddie Winn weg moet.'

'Nee!'

'Maar als oom Attaway niet wil –'

'Het is míjn huis. Nat heeft het mij nagelaten. Attaway denkt dat hij hier de paus is. Maar hij kan me niet voorschrijven wat ik met m'n eigen land moet doen. Ik wil hier niet meer over praten, Amanda, dus hou er maar over op. Pak mijn portemonnee om te kijken of er genoeg geld in zit voor het eten.'

'Ik neem wel wat eten voor u mee. Een lekker zoutarm broodje met tomaat. Ik heb tomaten gekocht bij de kruidenier omdat u die zo lekker vindt en die van u waren op.'

'Ik heb ze gezien. Die stumpers zijn te vroeg bij hun moeders vandaan gehaald. Geef mij maar een broodje van Winn.'

We reden naar de rechtbank, parkeerden onder de kale eik en liepen over het kleine gazon naar de stenen trap van het gebouw. Oma pakte mijn arm stevig vast, haar voeten stapten onzeker over het gladde tapijt van bladeren. Ze bleef me vasthouden toen we de veranda bereikten en de kleine rechtszaal in liepen. Ik hielp haar in een van de lange, houten banken achterin. Rechter Ryland Banks nam juist zijn plaats in. Oma's hand bleef op mijn arm liggen en toen Attaway voor in de zaal verscheen, grepen haar benige vingers mij pijnlijk vast.

'Zo waarlijk helpe mij God almachtig', zei Attaway en ging zitten. Zijn gezicht was nog rood van woede.

'Meneer Fowlerand', zei de aanklager, 'gecondoleerd met het overlijden van uw zoon.'

'Hm', bromde Attaway. Zijn ogen waren toegeknepen onder de dikke, witte wenkbrauwen.

Ik rekte mijn hals; vanaf mijn plaats kon ik alleen de achterkant van Matt Humberstons hoofd zien. Hij had zich geschoren en gewassen en had zijn mooie, blauwe pak weer aan. Matthew zat op de voorste bank, vlak achter zijn zoon.

De aanklager, van zijn stuk gebracht, keerde terug naar zijn aantekeningen. 'Meneer Fowlerand, heeft u uw zoon nog gesproken de avond voor hij stierf?'

'Ja.'

'En zei hij tegen u dat hij naar de boerderij van de Humberstons zou gaan?'

'Bezwaar', zei Matts advocaat. 'Suggestieve vraag.'

De rechter zei humeurig: 'Meneer Hall, ik begrijp dat u wilt laten zien dat u uw honorarium waard bent, maar wat maakt dit in vredesnaam uit? Meneer Adkins, wees aardig en maak het meneer Hall naar de zin, stel geen suggestieve vragen meer. Laten we verdergaan.'

Jeremiah Adkins wreef langs zijn neus. Attaway zat chagrijnig naar hem te kijken vanuit de getuigenbank; geen enkele zwarte advocaat, zelfs al was het de openbare aanklager van de staat Virginia, hoefde te rekenen op enige medewerking van mijn oudoom. Meneer Adkins formuleerde zijn vraag opnieuw: 'Wat zei uw zoon donderdag tegen u?'

'Ik zag hem bij het middageten. Hij zei tegen me dat hij op konijnen ging jagen op de Humberstonboerderij, vrijdag vlak voor zonsondergang. Ik zei dat hij voorzichtig moest zijn.'

'En waarom zei u dat, meneer Fowlerand?'

'Omdat die Humberstons mijn jongen haatten –'

'Bezwaar!'

'Afgewezen', zei rechter Banks.

'– en ik kon geen reden bedenken waarom Matthew hem opeens zou vragen om op konijnen te komen jagen.'

'En hebt u daarna nog met hem gepraat?'

'Nee. Hij ging naar buiten, schoot een paar bosmarmotten voor mij en stapte toen in de auto. Hij reed weg en kwam niet meer terug. 'k Heb hem nooit weer gezien.'

'Dank u wel, meneer Fowlerand.' Jeremiah Adkins klonk

ontevreden. Ik dacht dat Attaways zakelijke toon hem had teleurgesteld; hij had zichzelf nou niet direct aan de jury gepresenteerd als een diepbedroefde vader. De juryleden wendden zich naar de rechter. Ze probeerden zo neutraal mogelijk te kijken.

'Heeft u nog iets te vragen?' vroeg rechter Banks.

'Ja', zei Matts advocaat, terwijl hij opsprong. 'Meneer Fowlerand, beweert u dat u uw zoon nooit weer gezien heeft?'

'Dat zei ik.'

'En wat zou u zeggen als een getuige gezien heeft dat u met uw zoon praatte op de parkeerplaats voor' – de advocaat wierp een blik op het papier dat voor hem lag – 'de kerk, vrijdagavond om half tien?'

'Huh.' Attaway liet zijn hoofd zakken. 'Dat kan niet, want ik heb niet met hem gepraat.'

'Bezwaar!' meldde Jeremiah Adkins.

'Meneer Hall', zei rechter Banks, terwijl hij in zijn spullen rommelde op zoek naar een maagzuurtablet, 'ik neem aan dat u die getuige achter de hand hebt en op het juiste moment naar voren schuift?'

'Ja, edelachtbare.'

'Dan laten we het zo, meneer Adkins.'

'Ik heb op dit moment geen vragen meer', zei Matts advocaat.

'U wilt deze getuige op een later tijdstip vast nog eens ondervragen?' vroeg de rechter lusteloos.

'Ja, edelachtbare.'

'Goed dan. Laten we even pauzeren.' Rechter Banks ging met een pijnlijke grimas op zijn gezicht staan.

Attaway hees zichzelf overeind en leunde zwaar op zijn stok, terwijl hij kwaad naar de advocaat uit Richmond keek. Ik voelde oma aan mijn arm trekken.

'We gaan', fluisterde ze.

'We zijn hier nog maar een uur.'

'Laten we gaan, Amanda. Ik heb het wel gezien. Ik wil niet meer horen.'

Attaway strompelde de getuigenbank uit.

Ik bedacht opeens dat ze waarschijnlijk niet wilde dat haar broer haar zag, dus hielp ik haar uit de bank en door de deur, terwijl we aan het zicht werden onttrokken door de naar buiten lopende toeschouwers. Oma zat stil naast me in de auto; haar handen in haar schoot. Haar oude lippen bewogen. Toen we Poverty Ridge Road op reden, ving ik een paar woorden op.

'...alleen met Peggy voordat...'

Ze zag er overstuur, terneergeslagen en breekbaar uit. Toen ik haar naar huis gebracht had, zei ik: 'Wilt u naar bed?'

'Ja', zei oma.

'Ik kan u wat eten brengen op een dienblad.'

'Oké.'

Ze zat nog steeds stil in haar stoel. 'Zal ik u even helpen?'

'Ja', zei oma fluisterend.

Ik ging naast haar op mijn hurken zitten en vroeg: 'Oma, wat is er?'

'Dat kan ik niet zeggen.'

'Jawel, oma. Als u iets weet, dan kunt u het me vertellen en dan kunnen we zien wat we doen.'

'Nee. Amanda, jij zei een keer tegen me dat Thomas net zoals een dokter is, hè? Dat ik hem iets kan vertellen en dat hij nooit hoeft te zeggen wat dat was.'

'Klopt. Moet hij bij u komen?'

Oma bleef zitten, haar ogen gericht op haar gevlekte handen. 'Pak mijn nachtpon voor me en help me in bed. Ik wil wat eten en een dutje doen voordat mijn soap op tv komt.'

'Zal ik vragen of Thomas – '

'Als ik wil dat hij komt, kan ik de telefoon pakken en hem bellen, niet dan? Haal mijn nachtpon. En waag het niet om groene tomaten op mijn brood te doen.'

Ik verwachtte half en half dat ze die avond zou bellen, maar de telefoon rinkelde niet. Zaterdagochtend, toen ik wakker werd, scheen de zon; ik rook koffie en hoefde niet naar de rechtbank. Ik voelde me heerlijk loom; ik draaide me om, nestelde me in de kussens en bleef soezerig liggen wachten tot Thomas met koffie en bagels boven kwam. Ik hoorde hem beneden in de keuken heen en weer lopen. De geur van geroosterd brood kwam naar boven. Stukje bij beetje werd ik wakker. Toen ik klaarwakker was en gammel van de honger, realiseerde ik me dat Thomas me geen ontbijt op bed zou brengen. Ik hoorde hem in de keuken tegen Eddie praten.

Ik ging uit bed, trok mijn kleren aan, besloot dat ik me niet ongewassen aan Eddie wilde vertonen en sjokte chagrijnig naar de douche. Halverwege de overloop realiseerde ik me dat ik niet in een handdoekje van de douche naar de slaapkamer kon glippen, zoals ik anders altijd deed. Ik liep terug naar onze slaapkamer en verzamelde een stapel schone kleren zodat ik me in de badkamer aan kon kleden. Onze badkamer was klein en Eddie had de plank boven het bad vol gezet met scheergerei. Ik legde mijn kleren voorzichtig op het smalle randje van de wastafel, douchte, en kleedde me, nog klam, aan.

Ik strompelde geërgerd en met hoofdpijn naar beneden, naar de keuken. Thomas glimlachte vriendelijk naar me en schonk een kop koffie voor me in. Ik ging bij de tafel zitten en keek naar de zon die de maïsstoppels bescheen en besteedde niet veel aandacht aan Eddie.

'We zaten net te praten over genade', zei Thomas, die me bij het gesprek wilde betrekken.

'O?' zei ik beleefd.

'Eddie zei dat hij vannacht wel een moord wilde doen voor een beetje drank. Hij vroeg me hoe het kan dat hij zijn leven weer op poten wil zetten, maar tegelijkertijd naar zoiets verwoestends smacht.'

Ik zuchtte en rukte mijn blik los van het bruin en groen van de landerijen. Het was zaterdag. Ik wilde koffie drinken en zwijgen. Thomas keek me verwachtingsvol aan. Ik legde me er maar bij neer dat ik op de vroege ochtend over zonde moest praten. Er was geen koffie meer; ik had de laatste opgedronken.

Dus praatten we over zonde. Ik dacht dat Eddie nooit zou ophouden dezelfde vraag in andere woorden te herhalen. Veel, veel later schoof hij zijn stoel naar achteren en ging staan.

'Nou', zei hij, 'ik geloof dat ik het begin te begrijpen. Ik ben echt dankbaar dat ik hier mag blijven.'

'Daarvoor zijn we hier', zei Thomas.

'Als ik iets voor u kan doen, moet u het zeggen. Ik ben heel handig. Als er iets kapot is, repareer ik het wel. Dan hoeft u meneer Fowlerand niet lastig te vallen.'

'Bedankt, Eddie.'

'Weet u, mijn vrienden zaten gisteravond bij Joe te drinken. Ze kwamen bij me langs en vroegen of ik meeging. Ik wist dat ik daarna weer hierheen moest en ik durfde niet dronken te worden en u de volgende morgen onder ogen te komen.'

'Zo moet pastoraat werken.'

'Ja. Ze dachten zeker dat ze een leuke avond hadden', zei Eddie, er klonk een vleugje minachting door in zijn stem. 'Ze hebben geen idee dat ze bezig zijn hun leven kapot te maken. Ik moest me maar eens een beetje opfrissen.'

'Kom maar weer beneden als je klaar bent, dan gaan we bijbel-studie doen', riep Thomas hem na.

Ik zei zacht: 'Gaan we nog naar de dam wandelen om te pick-nicken?'

Thomas aarzelde. 'Ik wil niet dat hij zich buitengesloten voelt. Ik wilde je vanmorgen net koffie brengen toen hij beneden kwam en ik was bang dat hij zich afgewezen zou voelen als we in onze slaapkamer bleven.'

'Dat snap ik', zei ik. 'Maar we moeten ook tijd voor ons tweeën hebben.'

'Laten we hem een paar dagen geven om te wennen. We kunnen volgende week zaterdag gaan picknicken.'

Ik draaide de koud geworden koffie onder in mijn kopje rond. 'Oké. Maar Thomas, ik dacht... Ik vind het niet prettig als jij naar de kerk gaat en mij hier alleen met Eddie achterlaat.'

'Waarom niet?'

'Ik denk gewoon dat het geen goede indruk maakt.'

Eddies voetstappen kraakten boven onze hoofden. Thomas leunde voorover en ging zachter praten. 'Hij heeft een pistool tussen z'n spullen.'

'Ja. Ik zag het boven op een doos liggen.'

'Moeten we ons daar zorgen over maken?'

Ik keek hem verrast aan. Eddie liet een heleboel waarschuwende belletjes rinkelen in mijn hoofd, maar het pistool had bij mij geen alarm laten afgaan. Toen ik opgroeide, had iedereen in het dorp een wapen. Zelfs mijn vader, een arts die 's weekends aquarellen schilderde en nooit jaagde, had een kast vol jachtgeweren, buksen en pistolen.

'Het is maar een schietschijfpistool', zei ik.

'O ja?'

'Hij zal wel op blikjes schieten en af en toe op een konijn.'

Thomas keek me aan met de sceptische blik van een stedeling.

'Maak je geen zorgen over het pistool', zei ik. 'Iemand met moordzuchtige bedoelingen gaat niet zitten rommelen met een .22. Ik ben niet bang voor Eddie. Maar ik wil gewoon niet dat mensen gaan roddelen over de domineesvrouw. En als je je toch ergens zorgen over wilt maken, kun je hem er misschien op wijzen dat het nog een beetje vroeg is om zelfingenomen te worden. Is er nog koffie?'

Thomas vatte dit, terecht, op als een vraag of hij koffie wilde zetten. Hij schoof zijn stoel naar achteren, deed het kastje boven de gootsteen open en trok de doos met filterzakjes eruit; toen mompelde hij iets en trapte met zijn hak op de grond.

'Wat is dat?'

'Geen idee. Een of ander smerig insect.' Hij boog vooruit en bestudeerde het lijk. Ik ging staan en gluurde over zijn schouder.

'Een kakkerlak!'

'Ik wist niet dat we kakkerlakken hadden.'

'Hadden we ook niet. Giddy heeft het huis laten ontsmetten voor we er introkken. Eddie zal ze toch niet –'

'Hij heeft wat etenswaar meegenomen. Cakemix en bloem, dat soort dingen. Ik heb tegen hem gezegd dat hij die in onze kastjes mocht zetten.'

'Ze zitten vast in al zijn spullen!'

211

'Geen paniek', zei Thomas. 'Het is er maar één.'

'Eén kakkerlak zien betekent dat er twintig onder de vloerplanken zitten.'

'Dat heb je vast van je oma.'

'Ja, en het is nog waar ook. Neem jij Eddie maar mee naar de kerk om bijbelstudie te doen, dan kan ik zijn kamer behandelen met kakkerlakkenspray.'

'Als je dat spul in zijn kamer spuit, stinkt het als een chemische fabriek. Hij merkt dat echt wel als hij terugkomt.'

'Kan me niets schelen. Ik wil geen kakkerlakken in mijn huis.'

Die tweede kop koffie kwam er niet. Thomas nam Eddie mee naar de kerk en ik ging naar boven en haalde Eddies kamer overhoop. Ik kieperde de kartonnen dozen om zodat alles er uitviel en spoot anti-muggenspray op de bodems, iets anders had ik niet in huis. Ik herinnerde me dat ik een oude verpakking kakkerlaklokdozen achter in oma's kast met schoonmaakspullen had zien staan. Dus liep ik over de zandweg naar haar huis en haalde het doosje tevoorschijn terwijl ik oma's doorlopende commentaar op Eddie Winn doorstond. Oma was weer een beetje opgeknapt sinds vrijdag.

'Op de een of andere manier past het bij elkaar', zei ze, terwijl ik een paar lokdozen uit de plastic verpakking schudde. 'Kakkerlakken houden van het donker en zetten hun rottige pootjes waar ze niet horen. 't Klopt wel dat Eddie Winn ze bij zich draagt.'

'Denkt u dat hij z'n voeten op plekken zal neerzetten waar ze niet horen?'

'Voor z'n voeten ben ik niet zo bang.'

Ik beet op mijn tong. 'Zal ik hier blijven en middageten voor u maken? Er ligt lekkere kool in de koelkast. Ik kan wat kool voor u roerbakken met een beetje vetarme saus erbij. En een heleboel wortels.'

'In de weekeinden wil ik geen konijnenvoer eten', zei oma snuivend.

'Dan ga ik op kakkerlakkenjacht.'

'En vergeet die grote niet, hè?' Oma zat nog steeds te gniffelen toen ik wegging.

Ik sjokte terug naar het pachtershuis, legde in alle kasten lokdozen en liep naar Eddies kamer om zijn kleren in de kookwas te doen. De laden van juffrouw Clunies kast die op Eddies kamer stond, roken ontzettend naar goedkope drank. Toen ik de trui uitschudde die in de onderste la lag, viel er iets zwaars uit dat met een bons op de bodem van de la terechtkwam. Een fles, dacht ik, en ik ging op mijn knieën zitten om hem te pakken. Maar mijn hand raakte metaal. Eddie had een .357 Magnum en een doosje hollow-pointkogels in zijn trui gerold.

Ik ging op mijn hurken zitten en staarde naar het pistool. Na een poosje rolde ik het wapen en de kogels weer in de trui en stopte die in de la. Ik vouwde de andere kleren op en legde die ook weer neer. Ik was niet bang voor Eddie. Hij had een kwaadaardige tong, maar ik had niet het idee dat hij gewelddadig was. Ik vroeg me af wat voor bedreiging hem ertoe had gebracht zo'n zwaar pistool in zijn kleren te verstoppen, hier aan het eind van de rustige Poverty Ridge Road.

Vierentwintig

Eddie maakte zondag tijdens de kerkdienst een goede indruk. Hij was schoon, had nette kleren aan en zijn handen trilden niet meer zo erg. Hij ging aan het eind van de Whitworthbank zitten. Amelia Whitworth, klein en kaarsrecht, wierp voortdurend zijdelingse blikken op hem, alsof ze bang was dat hij opeens op zou springen en 'Halleluja!' roepen. Maar Eddie gedroeg zich keurig en Amelia kon haar aandacht bij John houden die af en toe wakker gepord moest worden.

Ida was grieperig en bleef in bed, dus nam ik haar plaats bij de deur in en deelde kerkblaadjes uit. Toen de dienst begon, glipte ik op een van de achterste banken. Ik zag dat het gehoor alweer geslonken was. Ik kon me niet precies voor de geest halen wie er misten, maar er waren zonder twijfel minder mensen. De banken waren leger dan vorige zondag.

Ik zag wel een nieuw gezicht: een magere, vermoeid uitziende vrouw met strohaar, die twee kleine kinderen bij zich had. Ze zat aandachtig te luisteren; haar mond hing een eindje open. Ik had haar een hand gegeven bij de deur en ze had me lusteloos toegefluisterd dat ze Tammy Watts heette en vlak bij Winnville woonde. De kinderen, die zich aan haar benen vastklemden, wilden niet naar de kinderdienst. Ze zaten heel stil en hielden elkaars hand vast; een jongetje en een meisje, ongeveer drie en twee jaar.

Thomas was bij het achtste hoofdstuk van Lucas aanbeland. Hij vertelde het verhaal van de bezetene uit de streek van de Gerasénen, de naakte man die tussen de graven leefde en gekweld werd door innerlijke stemmen en zichzelf met stenen sloeg.

'En toen kwam Christus', ging Thomas verder, 'en in zijn aanwezigheid schreeuwde de duivel van angst –'

Een doordringende gil verscheurde de doezelige stilte. Ik liet de blaadjes vallen die ik nog steeds in mijn hand hield. Hoofden draaiden zich om. De magere vrouw met het strohaar was opgesprongen. Ze had haar hoofd achterover gegooid. De twee peuters kropen dicht bij elkaar in de bank en staarden hun moeder angstig aan. Ik hoorde wel lettergrepen in het langgerekte, hoge geluid, maar kon geen woorden onderscheiden. Thomas stopte midden in de zin, zijn mond stond half open.

Ik liet de blaadjes op de vloer liggen en holde naar voren, naar de kinderen. Ze wogen maar weinig, waren één en al botten en grote ogen. Hun lijfjes roken naar ongewassen kleren en ze klemden zich als bange aapjes aan me vast. Tammy Watts bleef gillen. Ik verstond nu een paar woorden in de stroom gegil. Ze riep namen van Satan: Lucifer, Beëlzebub, vorst der duisternis.

Thomas was van de preekstoel afgekomen en liep vastberaden op ons af, maar ik kon aan zijn gezicht zien dat hij geen idee had wat hij moest doen als hij bij ons was. De oude organist besloot op dat moment een gezang in te zetten, alsof muziek alles zou oplossen. Ik kon niet zo goed nadenken met die dubbele hoeveelheid lawaai: gegil vermengd met orgelmuziek; het beukte tegen mijn oren. Ik had nog nooit iemand gezien die door een boze geest bezeten was, maar dat was de enige categorie die op dit moment in aanmerking kwam.

Thomas kwam bij ons staan en probeerde haar handen te pakken. Ik probeerde mijn mond een beetje in de buurt van zijn oor te krijgen en loeide: 'Ze heet Tammy Watts.'

'Mevrouw Watts?' zei Thomas, terwijl hij een zwaaiende pols probeerde vast te grijpen. 'Mevrouw Watts, kunt u gaan zitten?'

Ze ging niet zitten. Haar benen waren zo stijf als planken.

Hij siste me toe: 'Probeer jij het eens!'

'Tammy!' zei ik. Ze bleef gillen. Ik hoorde een zacht stemmetje ter hoogte van mijn schouder dat iets zei dat ik niet verstond. Ik bukte me. Het jongetje probeerde iets te zeggen.

'Mama', zei hij.

'Wat is er, lieverd?' vroeg ik.

'Mama houdt niet van de satan.'

Ik keek Thomas aan. Hij trok een snelle grimas.

'Goed dan', zei hij. En toen, voornamelijk binnensmonds: 'Satan, ik beveel je in de naam van Jezus Christus om haar te verlaten!'

Tammy Watts bleef schreeuwen.

'Ze hoorde je niet', zei ik.

'Nee, nou, ik had het ook niet tegen haar.'

'Probeer het nog maar eens.'

Thomas keek rond. De hele kerk wachtte ademloos op wat komen ging. Luid zei hij: 'Satan, ik beveel je in de naam van Jezus Christus om te zwijgen!'

Het gegil stokte onmiddellijk, als een fluitketel die van het gas wordt gehaald. Tammy Watts zakte op haar zij in de bank en begon zachtjes te snikken. Thomas knielde voor haar neer.

'Mevrouw Watts', zei hij, 'gaat het weer?'

'Ja... ja', huilde Tammy Watts.

'Kunt u gaan zitten?'

Ze kwam moeizaam overeind en wreef in haar ogen.

'Sorry', snifte ze. 'Sorry. Ik kan er... Steeds als ik dat...die naam...hoor... Ik kan er niks aan doen.'

Bijna iedereen stond nu in het gangpad of was op de bank geklommen om alles goed te kunnen zien. Thomas ging staan, klopte haar zachtjes op de schouder en boog zich naar mij toe. Hij mompelde: 'Als ze elke keer zo begint te gillen als ik het over Satan heb, kun je haar maar beter meenemen naar mijn kantoor voor de rest van de dienst. Daar staan een kookplaatje en een theepot en er ligt een pak koekjes.'

'Oké', zei ik.

Amelia Whitworths spitse, nieuwsgierige gezicht kwam plotseling achter Thomas' schouder tevoorschijn. Toen ik haar zag, dacht ik opeens opgelucht aan Amy's twee jongetjes.

'Mevrouw Whitworth', zei ik, 'wilt u de kinderen naar het lokaal van de zondagsschool brengen en hun iets lekkers en wat drinken geven?'

De twee peuters keken opeens erg geïnteresseerd. Amelia Whitworth stak haar armen uit. 'Natuurlijk', zei ze. 'We hebben daar chocoladekoekjes en sinaasappelsap.'

Ze draaiden zich meteen naar haar toe. Ze liep met hen de achterdeur uit en ik hielp Tammy Watts omhoog.

'Kom maar', zei ik vriendelijk. 'Dan gaan we je gezicht even wassen en wat drinken.'

Ze strompelde snotterend met me mee. De organist speelde kranig door, maar ik zag dat ze haar nek bijna verdraaide om een glimp van de hele toestand op te vangen. Thomas ging de preekstoel weer op en de gemeenteleden haastten zich naar hun plaatsen.

Ik nam Tammy Watts mee naar het kleine kantoortje en deed de deur achter ons dicht. Thomas' stem was hier niet meer dan een vage echo. Ik zette een kop sterke thee voor haar en liet haar drie koekjes opeten. Ze dronk de thee snel op, legde toen haar armen op het bureau, liet haar hoofd erop zakken en bleef doodstil zitten.

Ik ging ook zitten en sloeg haar zwijgend gade. Ze verroerde zich niet toen er zacht op de deur werd geklopt. Ik ging staan en liep naar de deur. Amelia Whitworth keek me aan door een kiertje. Ik glipte naar buiten en deed de deur voorzichtig achter me dicht.

'Hoe is het met de kinderen?'

'Die eten alsof ze een week lang niets gehad hebben, de arme schapen. Dat dominee Clements preek dit teweeg kan brengen!'

'Misschien is ze echt bezeten', zei ik aarzelend.

'Huh! Bezeten! Tammy Watts uit Winnville zeker. Ze heeft geen last van demonen, maar van onbetaalde rekeningen, van die nietsnut van een vent en van vrouwenkwalen. En dat is meer dan genoeg. Satan hoeft zich niet met haar te bemoeien zolang Tom Watts bij haar in de buurt is. Een zak met geld, een doosje aspirine en een goeie nacht slapen zouden haar meer goed doen dan honderd bevrijdingsdiensten.'

217

'Moeten we met haar naar de dokter gaan?'

'Dat kan wel wachten tot morgen. Vandaag heeft ze een stevig bord eten en een kop koffie nodig en een schouder om op uit te huilen.'

'Ze kan wel met ons mee naar huis', zei ik, terwijl ik in gedachten de inhoud van de koelkast controleerde.

'Maak je daar maar niet druk over. Als dominee Clement klaar is met over de duivel te praten, nemen John en ik haar mee naar huis voor het middageten. Ik heb een kip in de oven en we hebben nog een heleboel speelgoed waar Amy's jongens altijd mee spelen als ze bij ons zijn. Jullie hebben al genoeg te stellen met die Winn. Die moest maar niet in de buurt van een hunkerende jonge vrouw als Tammy Watts komen. Ze zou nog verliefd worden op een boomstronk als die aardige dingen tegen haar zei. De duivel is hier niet de enige opportunist! Wacht maar tot je een Winn in actie hebt gezien.'

'Mevrouw Whitworth', zei ik, 'weet u wat u bent? Een dienaar van God, net als Thomas.'

Amelia Whitworth bloosde. 'Ach, hou op. Als ik mijn eigen dochter niet kan helpen, help ik die van iemand anders. Hou jij haar daar maar, dan komen we haar halen als de dominee klaar is.'

Ze liep weg door de gang. Vlak voordat ze bij de deur was, draaide ze zich om en zei met haar gebruikelijke stekeligheid: 'Kunnen we binnenkort weer een zondagochtend tegemoet zien zonder gegil of gesnik of hysterische uitbarstingen?'

'Ik zal het Thomas eens vragen', zei ik.

We gingen verbijsterd naar huis, maar hielden onze mond vanwege Eddies gespitste oren. Hij praatte de hele maaltijd over bezetenheid. In zijn stem hoorde ik de zelfvoldaanheid waaraan ik me ook al geërgerd had op de dag dat hij bij ons introk: alsof hij nu een van de verlichten was, die neerkeken op de treurige, onwetende massa.

'Kijk', zei hij, terwijl hij een dikke laag ketchup op zijn hamburger deed, 'volgens mij zit het zo. Als je begint met dat satanistengedoe, vraag je er gewoon om. Ik heb me nooit met zwarte kunst beziggehouden, zelfs niet toen ik me heel rot voelde. Ik wou er niet aan beginnen.'

Hij leuterde maar door. Thomas zat aan de andere kant van de tafel te eten, met zijn gedachten bij iets anders. Ik kon zien, doordat hij nu en dan zijn wenkbrauwen optrok, dat hij in gedachten met Tammy Watts praatte. Ik vroeg me af hoe hij het er af bracht. Exorcisme had hij niet gehad op de rationele, presbyteriaanse opleiding.

Eddie was eindelijk klaar met eten. Hij veegde zijn mond af, rekte zich uit, geeuwde en keek van mij naar Thomas. We staarden hem zwijgend aan. Hij had het tijdens de maaltijd zonder al te veel respons van onze kant moeten doen.

Eddie snaaide twee koekjes uit de doos op het aanrecht. 'Ik denk dat ik maar 'ns een dutje ga doen', zei hij, zich eindelijk gewonnen gevend.

'Goed idee', zei Thomas.

Eddie slofte teleurgesteld weg. We wachtten tot hij de deur boven achter zich had dichtgetrokken.

Thomas zei onmiddellijk: 'Denk je dat ze bezeten was?'

'Het lijkt me niet waarschijnlijk, maar ik wil het ook niet uitsluiten.'

'Ja, zo denk ik er ook over. Ik moet morgen bij haar op bezoek.'

'Vraag iemand mee te gaan', zei ik.

'Wil jij mee?'

'Als oma me laat gaan.'

'Ik wil het morgenochtend graag meteen doen.'

'Amelia Whitworth zou wel mee willen', zei ik.

'De vrouw van de diaken?'

'Ze zal je verbazen.'

'Dat geloof ik graag.'

'Wat ga je bij Tammy Watts doen?'

'Voor haar bidden. Uitzoeken wat er met haar gezin aan de hand is. Misschien een afspraak voor haar maken bij de dokter.'

'Wat zei ze tegen je toen ze wegging?' Ik had Tammy Watts na de dienst teruggeloodst naar de kerkzaal, maar ze was snel bij me weggelopen naar haar kinderen en had even met Thomas staan praten, bij de deur.

Thomas zei traag: 'Ze zei: "U moet me helpen, dominee. Satan probeert me te pakken te krijgen en dat gaat hem lukken ook. Maar als er iemand is die me kan helpen, bent u het. Dat heeft Matthew Humberston zelf tegen me gezegd."'

We keken elkaar zwijgend aan. De telefoon ging. Ik kwam overeind en nam op. Een vrouwenstem aan de andere kant zei: 'Amanda?'

'Ja?'

'Met Jenny. Jenny Morehead, van de kerk.' Haar stem klonk opgewekt en verfrissend normaal. Ze zei: 'We vroegen ons af of jullie zin hebben om vanavond bij ons te komen, na de avonddienst. Om spelletjes te doen. Joe is niet zo goed in spelletjes, maar hij houdt van hartenjagen en Uno, dus dat kunnen we doen.'

'O, graag, Jenny. Het is zo'n rare dag geweest. Momentje, dan vraag ik het even aan Thomas.' Ik legde mijn hand over de hoorn en zei: 'Joe en Jenny vragen of we zin hebben om na de dienst van zes uur spelletjes te doen bij hen.'

'Ja, leuk. Wacht even, wat doen we met Eddie?'

'We hoeven hem niet overal mee naar toe te nemen, Thomas!'

Thomas maakte verwoed sussende geluiden. Ik ging wat zachter praten. 'Ik vind het prima dat je Eddie helpt', zei ik. 'Ik vind het geweldig dat hij vooruitgaat. Maar hij hoeft niet op ons hele leven beslag te leggen!'

'Soms hoort dat bij het domineeschap. Ik heb Eddie deze week al veel alleen gelaten, en de verleiding om te drinken is 's avonds en in het weekend het grootst.'

'Thomas, we staan allebei erg onder druk. We moeten wat tijd voor onszelf hebben.'

'Dit is geen tijd voor onszelf. Dit is tijd met vrienden. Weet je, Amanda, ik zou niet weten wat ik hier doe als dominee, behalve in het geval van Eddie. Ik heb geen flauw idee wat ik morgen moet doen bij die vrouw die denkt dat Satan haar op de hielen zit. Wat ik vandaag tegen haar zei, heb ik ooit eens op de tv gehoord, en ik heb geen idee waarom het werkte. Als ik aan het preken ben, kijken ze me allemaal aan alsof ik Frans praat. Ze lopen langs me heen naar buiten en zeggen: "Mooie preek, dominee." Maar dat zouden ze ook zeggen als ik over de laatste thriller van Tom Clancy zou preken. Er is niemand die mij kan vertellen wat ik moet doen en hoe ik het moet doen. We zitten zonder geld. De kerk wordt steeds kleiner. Ik heb net de zoon van een kerkenraadslid levenslang gegeven omdat ik kwaad was op z'n vader. Het enige waar ik zeker van ben, is dat Eddie bezig is zijn leven te beteren en dat wil ik niet in gevaar brengen.'

'Thomas, je moet in Eddie niet de familie zien die je hier niet kunt vinden. Hij is je broer niet.'

'Hij is mijn broer in Christus.' Thomas ontweek mijn blik. Ik ging met de rug naar hem toe staan. Ik staarde naar de telefoon tot ik dacht mijn stem weer onder controle te hebben.

'Jenny?' zei ik. 'Ik vind het erg vervelend dit te moeten vragen, maar we hebben iemand te logeren – Eddie Winn – die, ja. Vind je het goed als hij meekomt? Thomas wil niet dat hij zich buitengesloten voelt. Zeker weten? Bedankt.'

Ik hing op. Ze klonk verbaasd, maar niet onbereidwillig, en ze had meteen geweten wie ik bedoelde. Ik hoorde Eddie boven lopen.

'Ik ga een eind lopen met Chelsea', zei ik. Ik ging de deur uit zonder Thomas aan te kijken en nam Chelsea helemaal mee naar de dam. Daar ging ik zitten en keek over het water terwijl zij zichzelf besmeurde met stinkende modder. De koude novemberwind blies me in het gezicht. Aan de overkant van de rivier liet een kind een rood-met-witte vlieger op. Ik keek naar het water dat glinsterde onder de laagstaande zon en mijn gedachten dwaalden weg. Ik dacht aan onze bezoekjes aan Little Croft toen we verloofd waren en pas getrouwd. Lange autoritten door een tunnel van takken en bladeren, herfstmiddagen met picknicks; de harmonieuze dans van twee gelijkgestemde zielen.

De vlieger dook het water in. Een klein figuurtje liep de steiger op en riep het kind; dat draaide zich om en ging ervandoor, de vlieger achter zich aan slepend. Ik voelde me opeens erg verlaten. Ik wilde naar huis.

Ik riep Chelsea en we ploeterden terug naar het pachtershuis. De keuken was leeg; Thomas was weg. Ik ging met een boek op de bank zitten wachten tot het avond werd.

Vijfentwintig

We reden naar Joe en Jenny met een zak M&M's en Eddie, die opgevouwen op de achterbank van het autootje zat. We kaartten en deden Uno, luidruchtig en energiek, praatten over van alles en nog wat en aten ijs. Jenny was snel; Joe bedoelde het goed maar was traag en uiteindelijk kreeg ik medelijden en speelde samen met hem tegen Thomas, Jenny en Eddie.

Eddie bedankte ons steeds maar weer; zijn gezicht straalde van plezier en zijn donkere ogen glansden. We gingen pas laat naar huis, moegespeeld en vol van het snoepen.

Thomas had me de hele avond niet aangekeken. Hij verdween in de badkamer en deed de deur op slot. Ik ging naar beneden, naar de keuken en deed de vaat die er nog stond van het middageten. Daarna boende ik het aanrecht en de gootsteen. Toen ik een kastje opendeed om de chips op te bergen, viel er een kakkerlak uit die snel de duisternis in trippelde.

Ik stond maandag vroeg op – Thomas sliep nog – en deed de haard aan zodat ik Hebreeuws kon studeren voor de vlammen. Hier stonden ze nu, de uitgeputte Israëlieten, eindelijk vrij. Ze waren thuis, maar voelden zich ellendig omdat de redding waar ze hun hele leven op hadden gewacht, donker en bitter geworden was. Ze waren op zoek naar de aanwezigheid van God in het land, maar vonden slechts aarde en rotsen.

Toen ik bij oma kwam, was ze al aangekleed; ze had zich geïnstalleerd in haar tv-stoel. Ik stommelde onhandig in haar keuken rond, terwijl ik ontbijt voor haar maakte, en liet alles vallen wat ik in handen kreeg. Toen ik het dienblad op de tafel zette, hees ze zichzelf overeind, strompelde naar de tafel en ging grommend zitten.

'Hoef jij niks?'

'Nee, oma. Ik heb geen trek.'

'Nou, ga toch maar zitten. Je breekt nog iets als je zo in mijn keuken tekeergaat.'

Ik ging gehoorzaam zitten en vouwde mijn handen. 'Zal ik bidden?'

'Heb je dit ei in varkensvet gebakken?'

'Nee. In vetarme bakspray.'

'Dan bid ik ook niet.' Ze prikte een stuk ei aan haar vork.

'Oma', zei ik, 'vindt u het goed als ik vanmorgen met Thomas bij iemand op bezoek ga?'

'Kan hij het zelf niet af?'

'Ja, natuurlijk wel, maar –'

'Jij moet me vanmorgen weer naar de rechtszaal brengen. En waag het niet te zeggen dat je niet wilt. De andere kant is vandaag aan de beurt.'

'De verdediging?'

'Ja. Ik wil de verdediging horen.'

Ik ging staan. Ze zei direct: 'Wat ga je doen?'

'Naar de badkamer.'

'Ga je niet zeuren over de rechtszaak?'

'U zei net dat dat niet mocht.' Ik liep naar de badkamer, keerde toen op mijn schreden terug en graaide de zoutpot van tafel. 'En u gaat niet een laag zout op het ei strooien als ik weg ben.'

''t Smaakt naar water', klaagde oma. 'Je kunt er op z'n minst zout water van maken.'

Toen we bij de rechtbank aankwamen, stond de parkeerplaats onder de eik bijna vol. Ik manoeuvreerde de oude auto in een smal plekje op de hoek, onder een stroom waarschuwende woorden van oma. Haar deur kon maar half open en terwijl ze zich mopperend uit de auto wurmde, stond ik geduldig bij de achterbumper te wachten. Ik keek vluchtig de parkeerplaats rond en zag een auto staan die me bekend voorkwam, half verscholen achter het gebouw. Een groene pick-up met een kras schuin over de achterklep; het leek Eddies auto wel, maar Eddie zou vanochtend op zoek gaan naar werk.

De advocaat van de verdediging was al begonnen toen ik oma de rechtszaal in loodste en in een van de achterste banken hielp. Ze schoof net zolang heen en weer tot ze vrijwel helemaal schuilging achter een man in een geruit overhemd. Vijf rijen voor ons stak Attaways witte haar boven de toeschouwers uit. Hij zat voorovergebogen met zijn gezicht naar de getuigenbank gericht.

Ik lette goed op en probeerde de lijn van het betoog van de verdediging op te pikken. Meneer Hall, tegengewerkt door vijf Fowlerands die getuige waren geweest van de moord, en door Matts eigen dronken bekentenis, kon moeilijk aanvoeren dat zijn cliënt er niets mee te maken had, maar hij deed zijn best om Quintus af te schilderen als een gevaarlijk persoon: onberekenbaar en verteerd door jaloezie en haat. Hij zou Matt Humberston meegelokt hebben over een lange, verlaten weg, bezaaid met andere Fowlerands, en hem aan het eind in de val hebben gelokt. Quintus' geweer was gevonden naast de veranda, waar hij het in een doodsstuip had neergegooid. Het was geladen en de veiligheidspal was ontgrendeld. Een arts van de eerste hulp bevestigde dat Matts verwondingen het gevolg waren van een meedogenloos pak slaag door de Fowlerands.

Andrew Hall was zijn honorarium waard. Hij vertelde zijn verhaal levendig en geloofwaardig. Ik zag bijna voor me hoe Matt, bang en bedreigd door een steeds dichterbij komende kring Fowlerandneven, zijn geweer tevoorschijn haalde en op zijn kwelgeest begon te schieten. Maar toen Hall even stil was om adem te halen, kon ik die waardeloze Quintus niet in overeenstemming brengen met de Quintus zoals ik hem kende, zachtaardig en terneergeslagen. Quintus had altijd weemoedig gesproken over de moeder die

225

hij zich niet kon herinneren en hij had al vroeg de Fowlerandhaat tegen alles wat Humberston was, afgewezen.

De advocaat liet de arts gaan, vatte zijn betoog kort samen en wendde zich tot de rechter.

'De verdediging roept Eddie Winn op', zei hij.

Voor ons kwam Attaway half omhoog. Alle hoofden in de rechtszaal draaiden in zijn richting. Hij liet zich weer zakken, zijn dikke nek werd rood en hij verstevigde zijn greep op de bank voor hem.

Eddie schuifelde vanuit een zijdeur de getuigenbank in. Zijn gezonde kleur was weggetrokken en zijn houding had weer iets van het stiekeme dat hij de laatste weken verloren had. Zijn stem was zacht en onzeker. Ik keek gefascineerd hoe oom Attaways handen zich om het hout klemden tot zijn knokkels wit waren.

'Wilt u uw naam noemen voor het verslag, alstublieft?' begon de advocaat.

'Eddie Winn.'

'En waar woont u, meneer Winn?'

Eddie zei schor: 'Op dit moment woon ik bij m'n dominee, Thomas Clement.'

'Maar ten tijde van de dood van Quintus Fowlerand woonde u ergens anders?'

'Klopt. Ik woonde in een caravan bij de Loop.'

'Dat is de weg tegenover Fowlerand Landing Road?'

'Dat klopt.'

'Kunt u beschrijven wat u vrijdagavond 14 oktober gezien heeft?'

'Jawel', zei Eddie. 'Ik reed rond acht uur 's avonds terug uit Williamsburg. De zon was al onder en de lantarenpalen voor de kerk brandden.'

'U bedoelt de kerk van Little Croft, die bij de kruising met Fowlerand Landing Road staat?'

'Klopt. Ik zag een pick-up bij de hoek van de kerk staan, dus ik ging langzamer rijden. Misschien was het wel een inbreker. Toen zag ik dat het Attaway Fowlerands auto was en daarnaast stond Quintus Fowlerands auto. Ze hadden ruzie. Ze zagen me niet, dus ik ging nog wat langzamer rijden en schoof het gras aan de kant van de weg in. Mijn ramen stonden open. Het was een mooie avond.'

'En wat hoorde u?'

'Ik hoorde Attaway tegen zijn zoon tekeergaan.' Eddies stem was sterker geworden. 'Hij zei dat Quintus een mislukkeling was. Dat hij zijn vrouw geen kind kon geven, dat hij haar niet eens gelukkig kon maken en dat Peggy daarom zelfmoord had gepleegd. Hij zei dat zelfs een Humberston beter kon boeren dan Quintus. En dat Matt het land verdiende dat hij aan Quintus had overgedragen. En dat hij een verrekte bastaard was en de zoon van een hoer.'

Mijn ogen brandden. In gedachten zag ik Quintus, bevend vanwege de uitbarsting van zijn vader. Met zo'n scheldpartij achter de rug ging hij zijn dood tegemoet.

'En wat gebeurde er toen, meneer Winn?'

'Toen ging hij weg.'

'Wie ging weg?'

'Quintus Fowlerand. Hij wankelde naar zijn auto, ging er onderuitgezakt in zitten en zette hem in de versnelling. Hij reed weg en die oude Attaway stond daar met z'n handen op zijn stok tevreden te kijken –'

'Bezwaar!' brulde Jeremiah Adkins.

Tegelijkertijd kwam Attaway omhoog, als een pop aan een touwtje, en schreeuwde: 'Je liegt, vuile –'

'Meneer Fowlerand!' riep de rechter.

'Hij liegt, die achterbakse zuipschuit van een Winn! Het enige dat hij kan, is stelen en de drankverkoop op peil houden, en nu zit hij daar en doet –'

'Meneer Fowlerand, u houdt zich stil of u verlaat de rechtszaal! Wat wordt het?'

'Hm!' zei Attaway. Hij schuifelde wat met zijn voeten, ging zitten en snoot zijn neus.

Eddie haalde verdedigend zijn schouders op en keek de andere kant op.

'Goed', zei de rechter, 'waar waren we gebleven?'

'Ik maakte bezwaar, edelachtbare.'

'O, ja. Toegewezen. Meneer Winn, vertel ons wat u zag, niet wat u denkt te weten.'

Eddie deed zijn mond een paar keer open en dicht voordat hij het begrepen had. 'Oké', zei hij tenslotte, 'Attaway bleef daar een poosje staan, stapte toen in zijn auto en reed weg.'

'Dank u wel, meneer Winn.'

De advocaat van de verdediging maakte plaats voor zijn collega. Die liep een tijdje heen en weer met een verbijsterde uitdrukking op zijn gezicht. Ik schudde zachtjes mijn hoofd. Net als Jeremiah Adkins zag ik de bedoeling hiervan niet. Attaway had Quintus uitgescholden op de dag dat die stierf en had dat verzwegen. Maar dat was heel begrijpelijk; zelfs Attaway kon het moeilijk hebben tegenover een zaal vol Little-Crofters.

'Meneer Winn', begon Jeremiah Adkins tenslotte, 'wat had u in Williamsburg gedaan?'

'Bezwaar', zei Matts advocaat zonder veel overtuiging.

'Heeft te maken met de geloofwaardigheid van de getuige, edelachtbare.'

'O, goed dan', zei rechter Banks.

'Meneer Winn?'

'Ik was bij mijn nicht op bezoek geweest.'

'En waarom bleef u staan om naar de ruzie van de Fowlerands te luisteren? Had u niet in de gaten dat het een vertrouwelijk gesprek was?'

'Ze stonden te schreeuwen', zei Eddie. 'Ik had de ramen open. Het klonk mij niet goed in de oren. Ik was bang dat ze gingen vechten en dat ze zich misschien zouden inhouden als er iemand bij was.'

Oma mompelde: 'Alsof een Winn zich daar ooit druk om heeft gemaakt.'

Jeremiah Adkins zei: 'En toch bleef u buiten hun gezichtsveld staan?'

'Nou ja, ik wilde me er niet mee bemoeien als het niet nodig was.'

'Huh', zei de aanklager.

'Bezwaar!'

'Tegen "huh"?' vroeg rechter Banks. 'Vergeet het maar. Ga verder, meneer Adkins, maar blijf ter zake.'

'U reed dus naar de kerk, meneer Winn, en ze hoorden u niet?'

'Ze schreeuwden.'

'Hard genoeg om het geluid van uw pick-up te overstemmen?'

'Nou', zei Eddie, 'ik had de auto eigenlijk aan de kant van de weg gezet.'

'Waarom?'

Eddie schraapte zijn keel en mompelde iets.

'Waarom, meneer Winn?'

'Ik moest nodig –'

'Alsjeblieft, zeg', zei Matts advocaat, 'hoe lang moeten we dit nog aanhoren?'

Jeremiah Adkins zei: 'Dus u stond feitelijk tussen de struiken bij de parkeerplaats te wateren?'

'Nou –'

'Waar woont u ook weer, meneer Winn?'

'Bij de dominee. Thomas Clement en zijn vrouw.'

'Dezelfde Thomas Clement die aan het begin van deze rechtszaak een verklaring heeft afgelegd?'

'Dat klopt.'

'En waarom bent u bij dominee Clement ingetrokken?'

'Ik was blut', mompelde Eddie.

'Was dat de enige reden?'

'En ik moest... moest stoppen met drinken.'

'U moest afkicken, meneer Winn?'

'Dat zeg ik.'

'Bent u een alcoholist, meneer Winn?'

'Ja, ik geloof het wel.'

'Heeft u ooit hallucinaties gehad?'

'Wat?'

'Heeft u ooit dingen gezien die er niet waren? Of stemmen gehoord?'

'Eh, heel soms. Als ik gedronken had. Maar die avond niet. Ik moest nog rijden, dus.'

'U drinkt nooit als u moet rijden?'

'Nee', zei Eddie prompt.

'Ooit een bekeuring gehad?'

Eddie schraapte zijn keel en zei iets onduidelijks.

'Wat zegt u? Volgens mij bent u gedagvaard vanwege rijden onder invloed op' – Jeremiah Adkins liep naar zijn tafel en wierp een blik op zijn aantekeningen – '5 januari van dit jaar, 10 maart en op 11 juli –'

'Dat was ik vergeten', zei Eddie schor.

'Nu weet u het weer?'

'Ja, ik geloof het wel.'

'Dus u geeft toe dat u soms hallucinaties heeft als u drinkt? En dat u soms drinkt als u moet rijden?'

Eddie kromp ineen. 'Ja', mompelde hij.

'U had die avond niet gedronken, maar toch kon u geen tien minuten wachten en thuis naar de wc gaan?'

'Nee.'

'Dat was het.' Jeremiah Adkins liep terug naar zijn tafel en ging zitten.

Eddie trok wit weg onder Attaways minachtende blik. Hij maakte opeens een geluid alsof hij moest kokhalzen, sloeg zijn hand voor zijn mond en rende de zijdeur uit. Rechter Banks keek hem peinzend na.

'Ik neem aan dat de getuige zijn plaats kan verlaten', zei hij welwillend. 'Meneer Hall?'

'Ja, edelachtbare. De verdediging roept Matthew Humberston junior op.'

Rechter Banks keek de advocaat fronsend aan. 'Ik roep de raadslieden naar voren voor overleg.'

De advocaat en de aanklager liepen naar voren en hielden fluisterend een levendige discussie, terwijl de toeschouwers heen en weer schoven in hun banken en elkaar zaten aan te kijken.

Rechter Banks leunde achterover. 'Goed', zei hij. 'We gaan verder. Meneer Humberston?'

De aanklager en de advocaat gingen weer zitten. Matt liep naar de getuigenbank en ging zitten, met zijn gezicht naar de aanwezigen. Het viel mij ineens op hoe jong hij er uitzag. Hij had zijn vaders geprononceerde, gebogen neus en donkere huid, maar zijn zware wenkbrauwen staken vreemd af tegen het jonge gezicht met de hoge jukbeenderen. Hij keek Andrew Hall strak aan, in afwachting van diens vragen.

'Meneer Humberston', begon de advocaat, 'kunt u ons in uw eigen woorden vertellen wat er gebeurd is in de nacht van 13 en de vroege ochtend van 14 oktober?'

'Oké', zei Matt. Zijn stem trilde. Hij herstelde zich en zei: 'Vrijdagavond ging ik konijnen jagen op de boerderij van m'n vader. Die beesten vraten zijn hele tuin leeg.'

'Het gaat hier om de Humberstonboerderij, aan Loop Road?'

'Ja, dat klopt. Ik was aan 't jagen toen Attaway Fowlerand kwam aanrijden. Dat verbaasde me want Attaway had niet meer met ons gepraat sinds mijn tante stierf, lang geleden. Hij had haar mishandeld en nu –'

Attaway kwam weer moeizaam omhoog, zijn nek was vuurrood.

'Meneer Fowlerand', snauwde de rechter, 'wilt u de rechtszaal verlaten?'

Attaway zei hees: 'Ik wil horen wat hij zegt over mijn vrouw.'

'Meneer Fowlerand, als u de rechtszaal niet uit gaat, beschouw ik dat als belediging van de rechtbank. Sheriff Adkins zal u naar buiten geleiden.'

Helen Adkins was geluidloos door het zijpad naar voren gelopen. Ze zei zacht: 'Kom, meneer Fowlerand. Ik zal u iets te drinken geven en een plekje waar u rustig kunt zitten. Loopt u maar mee.'

Attaways handen beefden. Hij greep zijn stok met beide handen vast. De punt van de stok rammelde tegen de vloer. Hij strompelde naar de voorste zijdeur. Ik voelde oma naast me ontspannen toen de deur achter Helen dichtviel.

'Goed', zei rechter Banks.

De aanklager was gaan staan. 'Edelachtbare, ik maak bezwaar tegen deze wijze van ondervragen. Het is van weinig belang wat verdachte vindt van de manier waarop meneer Fowlerand in de jaren zeventig zijn vrouw behandelde. Wat de verdachte zegt, is gebaseerd op geruchten en informatie uit de tweede hand. Hij is pas in 1975 geboren.'

'Edelachtbare', reageerde Andrew Hall, 'mijn cliënt wordt verdacht van moord. Zijn mening over de familie Fowlerand is van wezenlijk belang voor zijn verdediging.'

'Ik ga akkoord', zei de rechter, 'maar laat het niet te lang duren, goed? En we nemen pauze voordat de tegenpartij de verdachte ondervraagt.'

'Ja, edelachtbare. Wat zei u, meneer Humberston?'

Matts stem trilde weer. Hij zei: 'Attaway sloeg mijn tante.'

'Hoe weet u dat?'

'Dat zei mijn vader. Hij zei dat Attaway zijn zus sloeg en haar kapotmaakte en haar uiteindelijk vermoordde. Hij zei ook dat ik nooit een Fowlerand moest vertrouwen, dat de Fowlerands elke kans zouden benutten om mij een hak te zetten, dat ze me dood zouden maken als ze kans zagen dat ongestraft te doen. Dus, ik ben op konijnenjacht', zei Matt, de draad van zijn verhaal oppakkend, 'en daar komt Attaway aan, stapt uit de auto en gaat op zijn stok leunend naar mij staan kijken. Ik heb mijn jachtgeweer bij me, dus ik voel me wel veilig. Ik zeg tegen hem: "Wat wilt u?" en hij zegt: "Ik moet je iets vertellen. Namelijk dat ik geen zoon heb. Ik wil niet dat al het land naar Quintus gaat. Hij is niet eens mijn eigen vlees en bloed. Dat heb ik hem net verteld. En ik heb ook gezegd dat ik het land nalaat aan mijn neven en nichten en niet aan hem. Nu gaat hij als een razende tekeer en zegt dat geen Humberston zijn land van hem af zal pakken. Ik vond dat je dat moest weten."'

'Hij kon er niet meer tegen', mompelde oma.

'Wat?' fluisterde ik.

'Hij kon de gedachte dat Quintus het land kreeg niet verdragen. Ik wist wel dat Attaway niet kon leven met dat testament waar hij zijn handtekening onder had gezet. Het vrat aan hem vanaf het moment dat hij getekend had.'

Matts advocaat zei: 'En wat vond u ervan dat Attaway dat tegen u zei?'

'Ik bedacht dat ik maar beter goed op kon letten. En even later kwam Quintus bij me langs. Hij zei dat hij ergens over wilde praten.'

'Leek hij kwaad?'

'Nee. Eerder geschokt. Hij was kalm en… en somber. Hij ging helemaal niet tekeer. Maar ik laadde mijn geweer toch maar. Ik dacht: misschien doet hij wel alsof. Hij wilde ergens zitten en praten, dus we namen flink wat blikjes bier mee en gingen op de trap van de kerk zitten. Kijk, dat was niet op mijn land en ook niet op zijn land. Hij voelde zich vast veiliger daar bij de kerk.'

'En heeft u met hem gepraat?'

'Nou, hij was meer aan het woord. Hij zei dat hij slecht nieuws had, maar kon er niet toe komen te zeggen wat het was. Hij bleef er urenlang omheen draaien. En toen begon hij te huilen.'

'En wat was de reden van de uiteindelijke ruzie tussen u tweeën, meneer Humberston?'

'Dat weet ik niet meer.'

'Schreeuwde u scheldwoorden naar elkaar, zoals andere getuigen suggereren?'

'Ik weet het niet. Ik herinner me niets meer vanaf het moment dat Quintus begon te huilen. De dokters zeggen dat ik een soort geheugenverlies heb.'

'Wat?' brulde Jeremiah Adkins.

'Amnesie?' zei meneer Hall onverstoorbaar.

'Ja, omdat ik op m'n hoofd geslagen ben.'

'Meneer Hall', zei rechter Banks, 'ik neem aan dat u een medisch deskundige hebt om hierover een verklaring af te leggen?'

'Ja, edelachtbare. Meneer Humberston is bij een psychiater en een neurochirurg geweest. Ik heb een verklaring –'

'Bezwaar!' riep Jeremiah Adkins. 'Dat is niet aangemeld als bewijsmateriaal.'

'We hebben de uitslag pas gisteren gekregen. Dit soort dingen kost veel tijd –'

'Edelachtbare, dit is een doorzichtige poging om essentiële informatie achter te houden!'

'Goed', zei rechter Banks luid, 'genoeg. Het is tijd voor de lunch. Ik zie u beiden over een uur op mijn kantoor. Om drie uur vanmiddag gaan we verder.'

Ik voelde oma's hand op mijn arm. Ik was opgelucht; ik had weinig zin om te zien hoe Matt Humberston door de aanklager afgebrand zou worden. Ik ondersteunde haar terwijl we naar buiten liepen. Ze was stil toen ik haar in de auto hielp, maar toen ik om de auto heen liep en instapte, vroeg ze: 'Mandy, wie z'n schuld is het volgens jou dat Quintus dood is?'

'Eh', zei ik, terwijl ik de motor startte, 'ik heb nog niet al het bewijs gehoord, maar als ik op dit moment een schuldige moest aanwijzen, zou ik Matthew en Attaway allebei verantwoordelijk houden. Zij hebben al die haat gezaaid en dit is het resultaat. Het klinkt alsof Attaway besloten had dat Quintus het land niet zou krijgen.'

'Dat zei ik toch.'

'Ja, dus hij fluisterde Matt in dat Quintus hem te grazen wilde nemen en toen kwam hij Quintus tegen bij de kerk en –' Ik hield me stil. Ik bedacht dat Attaway Quintus misschien verteld had dat hij geen Fowlerand was; en dat Quintus, in verwarde toestand en sentimenteel van de drank, naar zijn neef Matt was gegaan.

'Hij heeft nooit iets gedaan', zei oma.

Ik wierp onder het rijden een snelle blik op haar. 'Wie?'

'Attaway deed nooit iets.'

'Volgens mij heeft hij meer dan genoeg gedaan.'

'Je begrijpt me niet goed. Ik bedoel, Attaway deed zelf nooit iets. Hij kreeg anderen zover om te doen wat hij wou. Hij praatte. Hij zette ze onder druk om zijn zin te krijgen en keek toe hoe ze het vuile werk opknapten. Zijn ideeën. Hun handen.'

'Oma', zei ik wanhopig, 'wat wilt u dat we doen?'

Oma schudde zwijgend haar hoofd. Gefrustreerd trapte ik het gaspedaal dieper in.

'Je rijdt alsof de duivel je op de hielen zit.'

'Hm', zei ik.

'Waren jullie gisteravond allebei weg?'

'Wat? O, eh... ja, alledrie. Tot een uur of tien.'

'Waarheen?'

'Uit eten.' Ik ging van de doorgaande weg af, Little Croft Road op.

'Attaway was bij het pachtershuis, voordat jullie thuis waren. Ik zag hem in de tuin lopen en daarna ging hij naar binnen.'

'Toen wij weg waren?'

'Ik zag hem uit m'n raam.'

'Ik wist niet eens dat hij een sleutel had.'

'Ja. Hij zei dat hij Giddy wilde helpen, als er iets was met het huis.'

'Maar waarom ging hij dan naar binnen toen wij er niet waren?'

'Weet ik veel.' Oma vouwde haar oude handen in haar schoot, legde haar hoofd tegen de rugleuning en deed haar ogen dicht.

Zesentwintig

Eddies pick-up stond niet in onze tuin. Ik ging het trapje aan de achterkant van ons huis op en rook dat er iets in de oven stond, iets met tomaten. Thomas zat aan de keukentafel met zijn bijbel, een stapel hulpverleningsboeken en een schrijfblok voor zich.

'Hoi', zei hij.

'Hoi.'

'Ik heb een pizza voor ons in de oven gedaan.'

'Dank je. Ik ben uitgehongerd.' Ik liep naar hem toe, ging bij hem op schoot zitten en duwde mijn gezicht tegen zijn schouder. Hij sloeg zijn armen om me heen. Ik liet zijn aanwezigheid goed tot me doordringen: de karakteristieke geur van zijn huid, de botten en spieren van zijn schouder onder mijn wang, zijn hand in mijn nek. De pizza stond te sissen en borrelen in de oven.

'Ik moet hem er uithalen', zei Thomas en bleef stil zitten.

Ik zei tegen zijn schouder: 'Ben je bij Tammy Watts geweest?'

'Ja. Ik heb Amelia Whitworth meegenomen, zoals jij voorstelde. We gingen naar binnen en baden voor haar, of God haar wilde verlossen uit de macht van Satan. En toen begon ze weer te schreeuwen, alsof ik een schakelaar omzette.' Hij rekte zich uit. Ik ging met tegenzin rechtop zitten. 'Ik had Handelingen gelezen en opgeschreven wat Paulus zei tegen de slavin met de waarzeggende geest. Dus ik zei: "Ik beveel u in de naam van Jezus Christus uit haar weg te gaan!" Toen moest ze erg gapen en ze ging rechtop zitten. Ze keek me aan, wierp zich op me en begon m'n hele overhemd nat te huilen.'

'Hopelijk kon je je snel van haar bevrijden.'

'Amelia trok haar van me af en zette een kop koffie voor haar. We hebben nog een hele poos bij haar zitten praten. Amelia gaat haar elke week ophalen om naar de vrouwenbijbelstudie te gaan. Amelia zei ook nog dat ik tegen jou moest zeggen dat je een afspraak voor Tammy moet maken bij de gynaecoloog.'

'Zei ze dat?'

'Nee, ze fluisterde in mijn oor: "Zeg tegen Amanda dat Tammy naar haar speciale dokter moet."'

'Denk je dat ze echt bezeten is door kwade geesten?'

'Ik weet niet wat ik ervan moet denken', zei Thomas. 'Ik durf niet te beweren dat er geen boze geesten bestaan. Maar ik denk dat het erg handig kan zijn om problemen die je boven het hoofd groeien uit de weg te gaan door ze aan bezetenheid toe te schrijven.'

'Heb je ook gevraagd waarom Matthew Humberston haar aangeraden had naar de kerk te gaan?' Die ongerijmdheid had ik de hele dag niet van me af kunnen zetten.

'Nee. Ik kon daar geen goed moment voor vinden. Ga even staan, dan pak ik de pizza.'

Ik schoof een stoel voor mezelf bij terwijl Thomas de pizza in stukken sneed en cola inschonk. De keukenramen waren schemerdonker; we waren alleen in de warme, lichte keuken.

'Waar is Eddie?' vroeg ik.

'Hij belde vanuit Richmond en zei dat hij Joe onverwacht was tegengekomen op het bouwterrein waar hij werkte en dat Joe en Jenny hem uitgenodigd hadden voor het eten. Joe en hij lijken het goed met elkaar te kunnen vinden.'

'Dus we hebben een rustig avondje?'

'Ik zal de haard aansteken', zei Thomas. Hij glimlachte naar me.

Ik dacht: Eddie was vandaag helemaal niet in Richmond. Hij was in de rechtszaal om te getuigen van Attaways misdaden. Maar ik wilde Eddie niet weer ter sprake brengen nu we hier met z'n tweeën waren en ons huis weer rustig en gezellig was.

Oma Cora begroette me dinsdagochtend met de woorden: 'Waar zijn jullie in de kerk eigenlijk mee bezig?'

'Hoezo?'

'Ik hoorde dat dominee Clement geesten opgeroepen heeft en ze flink de waarheid heeft gezegd.'

'Van wie heeft u dat gehoord?'

'Dorry Miles zei dat toen ze me vanmorgen belde.'

'En van wie had mevrouw Miles het?'

'Dat weet ik niet. Ik heb geen tijd om te lanterfanten en te roddelen.'

'Nee, dat is waar', zei ik.

'Ik zou haast wensen dat ik erbij was geweest. 't Klinkt een stuk interessanter dan al dat praten, praten en praten dat andere dominees doen.'

'Thomas heeft geen geesten opgeroepen, oma. Een vrouw in de kerk had een soort toeval, dat is alles. We sturen haar naar de dokter.'

'O.' Oma klonk teleurgesteld. 'Nou goed, als je mijn haar gedaan hebt, moet je nog wat jam naar vrouw Whitworth brengen. Die belde vanochtend om te zeggen dat ze alles al op hadden en of jij nog wat kon brengen met het recept. Volgens Giddy wordt de rechtszaak vertraagd door geruzie over Matt Humberstons geheugen, dus het is onzin om naar de rechtbank te gaan.'

'Heeft Amelia Whitworth u gebeld?'

'Dat zei ik toch? Geef Hond wat van dat spekvet en laat hem dan bij mij. En daarna moet je een paar potten jam pakken en naar vrouw Whitworth brengen voordat ze weer belt en om jam gaat zeuren.'

Amelia Whitworth verscheen op de veranda zodra ik het pad opreed. Ze stond te kijken hoe ik het bakstenen paadje op kwam lopen; ze had haar handen gevouwen onder haar boezem en haar scherpe, smalle gezicht stond zorgelijk.

'Goedemorgen', zei ik. 'Oma zei dat u graag nog wat jam wilde.'

'Hou de jam maar', zei Amelia Whitworth. 'Ik wilde alleen maar met je praten zonder dat vrouw Scarborough alles doorvertelt.'

Ik liep achter haar aan door de hal naar de zonnige, rood-met-witte keuken. Ze had vanochtend cranberrymuffins gebakken en ik moest gaan zitten en een beboterde muffin eten en ze stond erop thee voor me te zetten. Pas daarna wilde ze gaan zitten en praten. Uiteindelijk ging ze tegenover me aan tafel zitten en vouwde haar handen.

'Ik heb een paar dingen gehoord', zei ze.

'Wat voor dingen?'

'John was gisteravond in Winnville om het eten van de kerk te brengen, want Ambrose Scarborough had buikgriep.'

'Ja?'

'Sommige mensen wilden het eten niet hebben', zei Amelia. 'Ze hadden gehoord dat we seances houden in de kerk. Dat we met doden en met de duivel praten. En dat is nog niet alles. Ze hadden ook gehoord dat we over de vloer rollen en huilen. Dat zal het aandeel van de jonge meneer Winn wel zijn.'

Ik onderdrukte de neiging om te giechelen. 'Mensen die erbij waren, weten wel beter.'

'Ja, maar het gaat ook niet om de mensen die erbij waren', antwoordde Amelia. 'Toen John terugkwam, met z'n tong op zijn schoenen, heb ik een paar telefoontjes gepleegd. Je mag drie keer raden waar die verhalen vandaan kwamen.'

'Matthew Humberston?'

'In hoogsteigen persoon.'

'Nu weet ik waarom Tammy Watts in de kerk kwam.'

'Nou, ja, ik neem aan dat ze kwam om verlost te worden. Maar Matthew is niet achterlijk. Hij zag een kans en greep die. Tammy is een nicht van hem, van moeders kant. Hij kent haar zijn hele leven al. Hij heeft gezien hoe ze schreeuwde en schuimbekte als het leven haar te zwaar werd. Dominee Clement is een beste jongen, Amanda, maar hij heeft geen idee wat er allemaal achter zijn rug gebeurt.'

'Ik weet het', zei ik mistroostig.

'Maar ik vond dat je het moest weten. Dat mes in jullie band, dat was Matt junior. Wat de hond betreft, dat weet ik niet; misschien dat Matthew zo'n waas voor z'n ogen had dat hij gewoon iets wilde raken, maakt niet uit wat. Maar Matthew heeft nu tijd gehad om na te denken. Dominee Clement is over de schreef gegaan, volgens Matthew. Er is geen sprake van dat die jongen vrijkomt, wat de jury ook besluit, en Matthew wil bloed zien. Het is hem niet om een hond te doen. Hij wil dominee Clement voorgoed weg hebben.'

'Wat kunnen we er aan doen?'

'De waarheid verspreiden', zei Amelia Whitworth, 'maar die is lang niet zo boeiend. Je zou Eddie iets kunnen influisteren. Die gaat de hele provincie door, kwebbelend als een oud wijf, als hij geacht wordt te werken. Hij heeft meegewerkt aan het ontstaan van deze roddel, dus hij moet die ook maar weer uit de wereld helpen. En vertel je oma wat er in werkelijkheid gebeurd is. Zij heeft voor de middag al met de halve provincie gepraat.'

'Wat zal ik tegen Thomas zeggen?'

'Dat moet je zelf weten. Maar als ik jou was, zou ik hem er buiten laten. Wat kan hij er nu nog aan doen? Het is immers al gebeurd. En het maakt zijn pastorale werk er niet makkelijker op. Als hij hoort wat Matthew voor praatjes rondstrooit en niet kwaad wordt, is hij een grotere heilige dan Mozes.'

Ik reed terug naar oma's huis terwijl ik mijn gedachten hierover liet gaan. Ik probeerde toch al gesprekken met Thomas over dingen die met de kerk te maken hadden, uit de weg te gaan. In Philadelphia praatten we zelden over problemen die met zijn werk te maken hadden; ik ging pas naar All Saints toen we verloofd waren en de kerk had altijd losgestaan van onze relatie. Maar hier liepen kerk en familie als een grote kluwen door elkaar.

Onderweg naar oma kwam ik oom Attaway tegen. Zijn dikke gezicht stond boos. Hij ging aan de kant zonder me een blik waardig te keuren en toen ik in mijn achteruitkijkspiegel keek, zag ik zijn banden snel ronddraaien toen hij optrok.

240

Toen ik weer thuiskwam, waren Eddies groene pick-up en onze auto beide weg. Ik ging lawaaierig de keuken in en stampte de trap op om andere kleren aan te doen. Eddies kamer was donker en stil, de deur stond een eindje open. Opeens bewoog er iets in het donker. Ik bleef stokstijf staan op de trap. De huid in mijn nek prikte. Ik liep achterwaarts naar beneden en bleef onder aan de trap staan, mijn hart bonsde in mijn oren. Ik vroeg me af waar Chelsea was.

Ik trok me terug in de hal, ging vlak bij de deur staan en riep: 'Wie is daar?'

De deur kraakte. Voeten schuifelden naar de overloop.

'Amanda?'

'Eddie!' zei ik. Mijn hart zakte langzaam terug ik mijn borst. 'Eddie. Wat doe je?'

'Ik deed even een dutje.'

Zijn stem klonk vreemd. Ik gluurde omhoog in het schemerduister. Had hij het misschien in zijn eentje op een drinken gezet? 'Heb je zin in eten?'

'Ja, hoor.' Eddie kwam de trap af. Zijn hand beefde op de leuning. Hij was lijkbleek.

'Voel je je wel goed?'

'Ja, hoor. Best.' Hij bereikte de woonkamer. Zweetdruppeltjes stonden op zijn voorhoofd en hij zag er aangeslagen uit. Ik rook geen alcohol.

'Waar is je auto?'

'Achter de silo's. Ik dacht... ik dacht dat 'ie jullie maar in de weg stond.'

Zijn ogen schoten heen en weer. Ik hoopte dat Thomas snel thuiskwam. Ik ging naar de keuken, zette koffie en schonk een kop voor hem in. Hij ging bij de tafel zitten en dronk de koffie op. Terwijl ik met het eten bezig was, kreeg hij langzaam weer wat kleur op zijn gezicht. Pas toen ik het vlees in de oven had gezet, legde ik een verband tussen zijn toestand en Attaways bezoekje. Ik veegde wat vleessap van het gasfornuis en vroeg terloops: 'Is mijn oudoom hier geweest?'

'Nee', zei Eddie gesmoord.

'Ik kwam hem tegen. Ik dacht dat hij hier misschien was geweest. Hij maakte zich zorgen over iets in het huis.'

'Ik heb hem niet gezien.' Het bloed was weer uit zijn gezicht weggetrokken.

Ik zette de vetrandjes die ik van het vlees gesneden had buiten voor Chelsea en wierp een blik achter de silo's terwijl ze at. Eddies pick-up stond daar inderdaad, verborgen achter het groepje oude moerbeibomen, dat naast de verste silo groeide.

Eddie ging de volgende morgen vroeg weg. Hij zei tegen ons dat hij een deeltijdbaantje had gevonden: stoptekens geven voor het Virginia Department of Transportation. Thomas vertrok kort daarna voor zijn ontbijt met de liefdadigheidsorganisatie en ik had het rijk alleen.

Ik ging aan de keukentafel zitten met een kop koffie en dacht na over Eddie, zijn uitvluchten en zijn angst; en van hem kwam ik bij Attaway Fowlerand, die Eddie zo bang maakte dat hij zich verstopte en die het huis in ging met zijn huisbaassleutel terwijl wij er niet waren. Ik had nooit een deur op slot gedaan toen ik opgroeide, maar nu, met al die computerapparatuur in de woonkamer, deden we het pachtershuis altijd goed op slot. Waar was Attaway naar op zoek?

Ik ging staan en liep langzaam door de kamers. In de kamer met de haard was het stil en schemerdonker. Boven, in onze slaapkamer, was het bed nog niet opgemaakt. Ik trok de dekens recht, vouwde kleren op en liep terug naar de overloop.

Eddies deur was dicht. Ik duwde hem open. Zijn gordijnen waren dicht en de kamer was donker. Het rook er muf. De laden van het dressoir stonden open en zijn bed was een slordige hoop dekens. Ik ging op mijn knieën zitten en doorzocht zijn lades, tilde de kleren op en legde ze weer neer in net zulke rommelige stapels. Het pistool was verdwenen. In een impuls schoof ik mijn hand onder Eddies kussen. Ik voelde een deuk op de plek waar de .357 had gelegen, maar het wapen zelf was weg.

Toen ik die avond thuiskwam, zat Thomas aan de keukentafel met de aantekeningen voor zijn preek voor zich uitgespreid.

'Hallo', riep hij, toen ik de deur achter me had dichtgedaan.

'Hoi.'

'Heb jij of oma nog iets van de rechtszaak gehoord?'

'Volgens Giddy zijn ze nog steeds aan het bakkeleien over Matts amnesie. Er komt een arts uit Washington. De rechtszaak gaat waarschijnlijk pas maandag verder.'

'Arme Matthew', zei Thomas. 'Het uitstel moet voor hem ondraaglijk zijn.'

In zijn stem klonk medeleven door. Ik stond in de keuken even naar hem te kijken; de lijntjes bij zijn ooghoeken waren dieper geworden en de schaduw van een vijf-uursbaard lag om zijn kaak. Het licht liet een paar grijze haren op zijn blonde hoofd oplichten.

'Zullen we ergens een hapje gaan eten?' vroeg ik.

'Goed idee.'

'Rekent Eddie erop dat ik vandaag kook?'

'Hij is de hele dag niet thuis geweest. Ik weet niet waar hij uithangt.'

Ik ging de kamer met de open haard binnen. Het lampje van het antwoordapparaat knipperde. Ik drukte op een toets en Eddies stem zei: 'Hallo. Ik kom vanavond wat later, ik ga naar Joe en Jenny om een leiding te repareren. Tot ziens.'

'Hij is bij Joe en Jenny', riep ik, terwijl ik hun nummer draaide.

'Alweer?'

De telefoon ging over. Jenny nam even later op en zei: 'Hallo?'

'Jenny? Je spreekt met Amanda Clement. Mag ik Eddie even?'

'Ja, hoor', zei Jenny. Haar zachte, mooie stem klonk een beetje gespannen.

Een ogenblik later zei Eddie: 'Ja?'

'Eddie, kun je zelf voor avondeten zorgen? Thomas en ik gaan uit eten.'

'Oké', zei Eddie inschikkelijk. 'Ik eet hier wel wat.'

Thomas riep vanuit de keuken: 'Ik wil Joe nog even spreken. Hij zei dat we deze week misschien samen konden lunchen.'

'En Thomas wil Joe nog even spreken.'

'O, die is er nu niet.'

'Nog niet terug van zijn werk?'

'Nee, ik denk dat hij pas laat thuiskomt.'

Ik zei niets en wachtte op een verklaring, maar Eddie zei opgewekt: 'Ik zal de boodschap doorgeven, oké? Tot kijk.'

Hij hing op. Langzaam legde ik de hoorn neer. Thomas zei: 'Wat?'

'Joe is er niet.'

'Wat doet Eddie daar dan?'

'Bij Jenny eten, blijkbaar', zei ik.

We keken elkaar aan. Ik sprak mijn twijfels niet uit, maar Thomas ging met zijn hand door zijn korte haar.

'Goed', zei hij. 'Ik zal met hem praten zo gauw ik de kans krijg. Hij beseft waarschijnlijk niet hoe ongepast dat is.'

Eddie kwam die avond laat thuis. Ik lag al in bed; ik hoorde de twee mannenstemmen beneden in de keuken tot bijna middernacht.

Zevenentwintig

Matts rechtszaak werd inderdaad verdaagd tot maandag en we kwamen het weekend door in betrekkelijke rust. Maar de banken waren zondag nog leger. Ik zat achter in de kerk en telde terwijl Thomas preekte. We waren in augustus begonnen met veertig gemeenteleden. Nu, halverwege november, waren er zesentwintig. Thomas' docenten noemden dat altijd een Schotse opwekking, maar het was niet grappig als je het zelf meemaakte.

Ik hoorde tijdens de dienst twee keer autobanden op de parkeerplaats; de sheriff stuurde nog steeds mensen om te kijken of alles in orde was. Ik had tegen Jimmy White kunnen zeggen dat het zonde van de tijd was. Matthew Humberston had een minder directe manier gevonden om wraak te nemen.

Ik probeerde mezelf te troosten met de aanwezigheid van de getrouwen. Joe en Jenny waren er, Amelia en John Whitworth zaten in hun bank met Ambrose en Ida vlak achter hen. Eddie zat achterin en Tammy Watts, met de twee rustige peuters, voorin. Ik hield haar angstvallig in de gaten, maar Thomas had een preek gemaakt waarin de naam van de duivel niet één keer voorkwam.

Toen iedereen weg was, raapten we de verspreid liggende mededelingenblaadjes op en legden de gezangenbundels op hun plaats. Een van de deuren was opengewaaid en koude lucht kwam de bedompte kerk binnen.

Na een poosje vroeg Thomas: 'Heb jij vanochtend nieuwe gezichten gezien?'

'Nee, vanochtend niet.'

'Ik heb deze week geen bezoeken afgelegd. Ambrose en ik zijn woensdag bij Tammy Watts geweest en hebben haar wat eten gebracht en toen moest ik de preek –' Hij vouwde een kerkblaadje dubbel. 'Nee', zei hij na een tijdje, 'ik had het deze week niet drukker dan anders. Ik had er gewoon geen zin in. Ik kon de vijandigheid niet verdragen. Drie gezinnen minder vanochtend. Ik had het kunnen weten.'

'Thomas, het is niet zo dat God je straft omdat je geen bezoeken hebt afgelegd.'

'Ik doe iets verkeerd, Amanda.'

'Waarom? Omdat de kerk niet groeit?'

'Hij wordt kleiner', zei Thomas. 'Ambrose zei vanochtend tegen me dat ik meer naar buiten moest treden; de afgelopen maand hebben we te weinig geld binnengekregen.'

Ik legde het laatste gezangenboek weg. Ik wist niet wat ik tegen hem moest zeggen. Ik waagde tenslotte: 'Thomas, ik denk dat Matthew praatjes rondstrooit over de kerk.'

'Wat voor praatjes?'

'Nou... dat we sekte-achtige dingen doen. Vooral vanwege Tammy Watts.'

Thomas vouwde het blaadje nog een keer dubbel, zijn hoofd aandachtig gebogen. Hij vroeg ineens: 'Waar is Eddie naartoe gegaan?'

'Hij zei dat hij tussen de middag weer bij Joe en Jenny ging eten.'

Thomas schudde zijn hoofd en gooide het blaadje in de prullenmand die naast de achterdeur stond.

'Ik heb met hem gepraat. Ik heb tegen hem gezegd dat hij elke schijn van kwaad moet vermijden. Hij was het met me eens en beloofde dat hij alleen naar hen toe zou gaan als ze allebei thuis waren.'

'Hij zit daar heel vaak.'

'Wat moet ik dan tegen hem zeggen? Dat hij daar weg moet blijven ook al is Joe thuis?'

'Is Joe degene die hem uitnodigt? Zij spreekt altijd voor hen beiden. Hij sukkelt meestal wat achter haar aan.'

'Dat weet ik niet. Ik kan hun toch niet vragen wie van hun tweeën de afspraken maakt?'

'Maar je zou ze wel kunnen vragen of Eddie hun te dicht op de huid zit.'

'Dat vind ik opdringerig.'

'Maar Thomas, je bent dominee! Je hoort te weten wat er zich bij de mensen thuis afspeelt.'

'Ik ga me daar niet ongevraagd mee bemoeien, Amanda.' Zijn stem werd steeds vijandiger. Ik raapte nog een blaadje op en vroeg me af waarom hij zo reageerde. Hij had nooit moeilijk gedaan over bij mensen binnenvallen en een praatje maken.

'Thomas', zei ik, 'waarom wil je niet weten wat er aan de hand is?'

'Het gaat zo goed met Eddie. Ik wil niet dat hij de indruk krijgt dat ik hem niet vertrouw.'

'Maar stel dat het niet goed met hem gaat, zou je dat dan willen weten?'

'Ja, natuurlijk.' Het klonk niet erg overtuigd.

Ik dacht opeens: je wílt het niet weten. Ik herinnerde me hoe hij was na Eddies spectaculaire bekering: hij was toen heel energiek, uit al zijn bewegingen sprak enthousiasme en ik hoorde hem zeggen: 'Eindelijk heb ik het gevoel dat ik iets nuttigs doe.'

'Goed', zei Thomas, 'laten we maar naar huis gaan. Ik heb genoeg van deze plek. Ik wil eerst een dutje doen en een eind lopen en dan kan ik het vanavond wel weer aan.'

Zondagavond ging de telefoon, net toen we bezig waren ons om te kleden na de avonddienst. Thomas keek me aan met een blik van: ik ben er niet; dus liep ik naar beneden om de telefoon op te nemen.

'Hallo?'

'Mandy?' klonk oma's stem dwingend.

'Ja? Alles goed met u?'

'Stuur Thomas naar me toe. Ik wil met hem praten.' De verbinding werd verbroken voordat ik mijn mond weer open kon doen. Ik liep naar boven en deelde het nieuws mee aan Thomas. Hij zuchtte gelaten.

'Loop je met me mee?' vroeg hij.

Dus liepen we samen in het donker naar het oude huis. Het was koud, het zou vannacht vast weer gaan vriezen. Oma's huis wierp lange, gele strepen licht in de donkere tuin. Oom Giddy zat op het trapje aan de voorkant van het huis een sigaret te roken met zijn geweer tussen zijn knieën. Hond had zich naast hem op de trap genesteld.

'Avond', zei oom Giddy. Het puntje van zijn sigaret gloeide rood op in het donker. Hij stak zwart af tegen de verlichte deur achter hem. Hij stak zijn hand op en drukte de sigaret uit op de trap.

'Vossen?' vroeg ik.

'Ja. Zitten achter mijn kuikens aan. Ik dacht dat ze in het donker wel tevoorschijn zouden komen.' Oom Giddy schoof opzij. 'Mama zit al te wachten. Ze heeft een rothumeur.'

'Waarom?'

'Geen idee. Oom Attaway is hier de hele middag geweest. Ze zal wel gek van hem geworden zijn.'

'Ik blijf hier', zei ik tegen Thomas. Hij knikte en ging naar binnen.

'Wil je zitten?' vroeg oom Giddy.

'Graag.'

Hij gaf Hond een duw met zijn elleboog. 'Wegwezen', zei hij. De oude hond kwam overeind en sukkelde het donker in. Giddy schudde een nieuwe sigaret uit het pakje. 'Ook een?'

'Nee, dank u.' Ik ging naast hem zitten. De trap was koud.

'Goed zo', zei oom Giddy terwijl hij de sigaret aanstak. 'Ik hou er niet van als vrouwen roken. Jouw ogen zijn jonger dan de mijne. Zie jij iets?'

De grafstenen waren bleke, onduidelijke vormen tegen een donkere achtergrond en ik kon de zanderige heuvel nauwelijks onderscheiden van de lucht erboven. Giddy blies rook onzichtbaar de avond in. De scherpe geur dreef over me heen. Plotseling was ik weer vijftien en zat, na een familiepicknick, op het trapje

248

van oma's huis te luisteren naar de harde stemmen binnen. Giddy had zich altijd buiten teruggetrokken en ging zwijgzaam zitten roken terwijl zijn zussen opruimden en binnen kibbelden. Soms hing Quintus nog wat rond op het gras en wachtte tot Attaway zou verschijnen en naar huis zou rijden, over de smalle, donkere wegen naar de oude Fowlerandboerderij bij de rivier.

'Oom Giddy', zei ik, 'weet u nog dat u me vertelde hoe Quintus' moeder stierf?'

'Ja.' Giddy ademde diep in. Het puntje van de sigaret werd feller en vervaagde weer.

'U was wezen jagen met oom Attaway?'

'Ja.'

'Wat gebeurde er toen Attaway wakker werd en haar vond?'

Ik dacht even dat hij niet zou antwoorden, maar hij nam nog een trekje van zijn sigaret en zei: 'Hij kwam de trap af gedenderd en riep: "Bel de dokter! Bel de dokter! Ze heeft te veel van die pillen genomen!"'

'Welke dokter?'

'O, dat was de oude dokter White. Hij is met pensioen gegaan toen jouw vader hier zijn praktijk begon.'

'En... wat voor pillen slikte ze?'

'Joost mag het weten. Al die vrouwen slikten pillen om beter te slapen of rustig te worden of wakker te blijven. Dokter White deelde ze uit alsof het snoepjes waren. Het enige dat ik weet, is dat Attaway naar de gootsteen liep, het kastje opentrok en daar, onder het aanrecht, haar whiskyfles vond. Er zat nog een klein beetje in. De sheriff onderzocht de whisky en die was oké – alleen veel te sterk om met slaappillen te combineren. Ze had gedronken, toen die pillen genomen en was naar bed gegaan. En nooit meer wakker geworden.'

Ik was buiten adem van de ontdekking die ik had gedaan. 'Attaway bracht de fles zelf naar de sheriff!' Ik zag het helemaal voor me. Attaway had zijn overspelige vrouw vergiftigd en de whiskyfles verwisseld op weg naar de sheriff.

'Nee. Ik heb de fles meegenomen. Ik was hulpsheriff, weet je nog? Ik en Jimmy White waren allebei hulpsheriff. Toen hij dat kastje opentrok, zei ik: "Die neem ik mee, oom Attaway", en ik graaide hem snel uit zijn hand. Ik was een goeie hulpsheriff. Als papa me niet nodig had gehad op de boerderij, was ik nog steeds –'

'Ja, ik weet het. Dus u bracht de fles zelf naar de sheriff?'

'Ja. Naar Richard Banks, die was toen sheriff. Hij liet de whisky onderzoeken en haar pot met pillen ook en zei dat het een ongeluk was.'

Ik legde mijn kin in mijn handen en snoof de lucht op. Giddy had zijn sigaret uitgedrukt en ik rook aarde, verdorrend gras en een spoor van Hond die om de hoek van het huis was neergeploft.

'Ik wou altijd dat ik eerder naar binnen was gegaan', zei Giddy. 'Ik had haar vast wel kunnen tegenhouden.'

'Hoe bedoelt u?'

'Nou, we waren aan 't jagen bij de rivier en Attaway zette me daar bij het huis van Banks neer. De rest ging helemaal naar de andere kant van Potter's Field en ik zat daar maar tot ik het zo koud kreeg dat ik terugging naar mijn pick-up en naar huis reed om mijn jas te halen. Die had ik in de kamer laten liggen toen ik naar oom Attaway ging want ik dacht dat het buiten wel warm zou zijn. Ik sloop naar binnen en pakte mijn jas; het huis was helemaal stil. Ik dacht dat Doris boven lag te slapen.'

Koplampen kwamen de zandweg op. Eddie kwam terug van zijn lange middag met Joe en Jenny. De pick-up draaide de tuin van het pachtershuis in en de motor werd uitgezet.

'Daar heb je Winn; met wie zou die vanavond hebben liggen rotzooien?' zei Giddy, terwijl hij nog een sigaret uit het pakje schudde.

'U heeft niet veel vertrouwen in Eddie. U niet en oma ook niet.'

'Hij heeft zijn hele leven niets anders gedaan dan rondhangen waar hij niet hoort. Op zoek naar vrouwen en spullen, wat hij maar te pakken kon krijgen. Hij heeft in die nacht mijn beste jachtmes gestolen. Hij was nog maar een jaar of tien toen hij de buren al bestal. Hij snuffelde bij het pachtershuis rond toen ik met mijn jas naar buiten kwam en ik riep naar hem dat hij daar weg moest gaan. De volgende morgen was mijn mes verdwenen uit het schuurtje waar ik mijn spul om herten mee schoon te maken bewaarde. Moet je nagaan.'

'De nacht dat Doris stierf?'

'Ja', zei Giddy. 'Hij wist dat we weg waren. Zijn vader was een dief die nergens voor wilde deugen en hij leerde Eddie alles wat hij wist. Ik heb Eddie toen weggejaagd. Maar ik hoop dat jullie spullen niet in zijn zakken verdwijnen, Mandy.'

Ik zag Eddie voor me in zijn donkere slaapkamer, het geladen pistool in zijn trillende hand, oom Attaway die over de oude planken naar de trap loopt. Ik kon de modder op zijn kleren haast ruiken. Het beeld was zo levensecht dat ik me wild schrok van het kraken van de hordeur achter me, alsof het een geweerschot was. Ik ging staan.

'Ben je zover?' zei Thomas. 'Je oma ligt al in bed. Goeienavond, meneer Scarborough.'

'Ook zo', zei Giddy, tevreden rokend.

We liepen terug door het donker; de ramen van het pachtershuis verspreidden een zachte, uitnodigende gloed tegen het diepzwart van de pijnbomen. Thomas pakte mijn hand. Achter ons klapte een hordeur dicht; Giddy was naar binnen gegaan.

Thomas zei: 'Je oma heeft last van haar geweten, maar ik weet niet waarom.'

'Zei ze dat niet?'

'Alles wat ze zei, was dat Attaway bij hen allemaal was, vlak voordat ze stierven. Doris en Peggy, en nu Quintus. "Bij hen allemaal," zei ze, "net als de engel des doods." En dat bleef ze maar herhalen. Ik kreeg er kippenvel van. Ik verwachtte hem al in de deuropening te zien staan als ik me omdraaide.'

'Attaway?'

'Nee, de engel des doods.'

'Ik wist niet dat Attaway bij Doris was vlak voor ze stierf', zei ik. 'Ik dacht dat hij de hele nacht aan het jagen was.'

'Wat maakt het uit?' zei Thomas. 'Wanneer is ze gestorven? Dertig jaar geleden?' Hij bleef midden op de weg staan.

Ik keek verbaasd achterom. Hij stond met zijn hoofd een beetje achterover. Boven ons fonkelden de sterren; de Melkweg lag aan de hemel als een rivier van glinsterend zand. Ik zag heel vaag licht op zijn gezicht.

'Amanda, ik heb eens nagedacht.'

Hij wil weg uit Little Croft, dacht ik. Mijn adem stokte in mijn keel.

'Ik kom steeds terug bij die passage van Merton over de incarnatie', zei hij. 'Steeds weer. Ik heb gedaan waar hij tegen waarschuwt... Ik heb mijn eigen beeld van Christus gemaakt. Ik denk altijd aan Christus als aan iemand die in een warm gezin geboren is en grootgebracht door een vader die van Hem hield. Ik heb nooit veel aandacht besteed aan de rest van het verhaal – de broers die denken dat Hij bezeten is, zijn familie die niet de moeite neemt om te verschijnen op de rechtszaak tegen Hem of om een goed woordje voor Hem te doen. Ik moet hier blijven en die Christus – de Christus die alleen was – laten wortelen in mijzelf. Ik moet de wens om ergens bij te horen, laten varen.'

Zijn vingers in de mijne waren ijskoud. We zwegen allebei. Na een poosje zei ik: 'Kijk, een vallende ster achter je.'

'Ik dacht dat dat een verzinsel was.'

'Je bent nooit ergens geweest waar het donker genoeg was om er een te zien.'

'Nee', zei hij. 'Hier is het echt donker.'

Zwijgend liepen we terug naar het pachtershuis.

Achtentwintig

Het huis was leeg toen ik maandagochtend uit bed kwam. Eddie stond het verkeer te regelen op de doorgaande weg en Thomas was vroeg naar de kerk gegaan.

Ik ging aan de keukentafel zitten en Chelsea kwam aan mijn voeten liggen snurken. Ik staarde uit het raam naar de velden met wintertarwe en dacht na over de nacht waarin Doris gestorven was. Attaway was die hele nacht aan het jagen, de twee Humberstonneven waren steeds bij hem geweest. Giddy was teruggegaan om zijn jas te halen en had Eddie Winn gezien, die bij het huis rondspookte. Eddie Winn, tien jaar, mager en vingervlug. Eddie, die de volgende drie decennia doorbracht in benevelde toestand en leefde van geld dat afkomstig was uit een of andere geheimzinnige bron. Nu was Eddie nuchter en Attaway was bang voor wat hij zou zeggen.

Ik nam een slok koffie, nog niet tevreden over deze gedachtegang. Ik tastte nog steeds in het duister. Oom Attaway moest Eddie opgedragen hebben iets te doen, concludeerde ik, en sindsdien betaalde hij hem zwijggeld. Maar hij kon Eddie Winn niet de opdracht hebben gegeven zijn vrouw te vermoorden. Mijn Little-Croftbloed bracht mij ertoe slecht van de Winns te denken, maar zelfs een Winn kon op zijn tiende weinig schade aanrichten.

Misschien was het toch zelfmoord geweest. Ik had bewijs uit de eerste hand dat zelfmoorden in Little Croft vaak afgedaan werden als ongelukken, en Doris was ongetwijfeld depressief geweest. Maar ik hoorde nog steeds Matthew Humberstons beschuldigende stem: 'Ze zou Quintus nooit bij jou achtergelaten hebben, Attaway. Ze zou nooit zelfmoord gepleegd hebben met haar jongetje erbij.' Ik haalde me het mooie gezicht van het meisje op oma's oude foto's voor de geest. Doris moest hebben geweten dat haar zoon het kind van mijn opa was en niet van Attaway. Zou ze hem toevertrouwd hebben aan de zorg van de man die hem haatte?

Chelsea draaide zich om, boven op mijn voeten en gaapte met haar bek wijd open. Ik duwde haar weg en kwam overeind om mezelf nog een kop koffie in te schenken. Ik ontdekte opeens dat er een briefje op de oven geplakt was. Ik vouwde het langzaam open en zag Thomas' schuine handschrift.

Mandy, ik heb vanochtend, bij het ontbijt, weer met Eddie gepraat. Hij zegt dat hij nooit daar is als Jenny alleen thuis is en dat Joe hem steeds uitnodigt. Ik denk dat het wel goed zit. Ik ga aan mijn preek werken en Thanksgiving-mandjes naar Winnville brengen. Bid maar voor me. Tot vanavond – T.

Ik vouwde het briefje weer op en plakte het op de rug van mijn hand; toen ging ik staan en belde Joe en Jenny. Ik hoefde pas over een halfuur bij oma te zijn, wat betekende dat ik nog vijftien kostbare minuten had voordat ze begon te bellen waar ik bleef.

Jenny nam op, ze klonk ademloos als altijd. Ik zei: 'Hallo Jenny, met Amanda. Heb je even?'

'Ik heb nog vijf minuten voor ik de deur uit moet. Hoe gaat het met je?'

Het viel me weer op wat een aantrekkelijke stem ze had; zacht en vriendelijk. Ik zei: 'Nou, mijn oma houdt me flink aan het werk. En hoe gaat het met jou en Joe?'

'O, goed, goed. Jullie moeten nodig weer eens bij ons komen.'

'Ja, leuk. Eh... Jenny, ik vroeg me af of Eddie ook... ook te veel beslag op jullie legt. Hij is eenzaam, hè, hij kent niet zoveel mensen, dus misschien blijft hij te veel aan jullie plakken?'

'Wij hebben geen last van hem', antwoordde Jenny. Het klonk opgewekt en oprecht. 'We dachten: hij eet al zo vaak bij jullie, misschien vinden jullie het prettig om eens met z'n tweeën te zijn.'

'Ja, dat is waar, maar we kunnen ook een paar andere mensen uit de kerk vragen of Eddie daar –'

'Nee, hoor. Weet je, Eddie heeft me eigenlijk erg geholpen.'

'O ja?'

'Ja. Mijn vader was een alcoholist en toen ik klein was, was hij altijd dronken. Ik voel nog steeds veel wrok tegenover hem. En dat vergiftigde mijn relatie met Joe. Het ging helemaal niet goed tussen ons toen we bij de kerk kwamen. Ik weet dat het er van buiten goed uitzag, maar we maakten alleen maar ruzie en 's nachts deed ik niets anders dan huilen, huilen, huilen. We praatten nauwelijks nog met elkaar. Ik denk dat ik Joe op een bepaalde manier als mijn vader beschouwde.'

'Echt waar? O... wat vervelend, zeg.' Ik voelde me behoorlijk onbeholpen. Ik wist niet of ze mij nu in iets heel persoonlijks liet delen of dat ze wat therapiewijsheden napraatte.

'Ja. Maar door Eddie begrijp ik veel beter wat het betekent om alcoholist te zijn. Hij praat zo open en eerlijk over zijn eigen verslaving. Ik ben een heleboel boosheid tegenover mijn eigen vader kwijt. Weet je', zei Jenny met haar warme, zachte stem, 'Joe is een fantastische man, echt waar, maar hij begrijpt niet wat het betekent om verslaafd te zijn. Ik denk dat ik ook een afhankelijke persoonlijkheid heb, net als mijn vader. En ik bleef maar verwachten dat Joe net als mijn vader zou zijn. Ik heb allerlei dingen over mijzelf ontdekt die ik niet wist. Echt geweldig.'

Ik wilde dat ik haar gezicht kon zien. De clichés werkten me op de zenuwen. Maar dat was niet eerlijk; veel mensen ontbrak het aan de woorden om het juiste etiket op hun emoties te plakken.

'En we zijn jou en Thomas en de kerk zo dankbaar', zei Jenny tot besluit. 'We zijn zoveel verder gekomen sinds we jullie allemaal ontmoet hebben. Ik denk dat Eddie een soort wijsheid opgezogen heeft, nu hij bij jullie woont en naar jullie gesprekken luistert. Hij heeft ons een heleboel verteld van jullie ideeën over verslavingen, over omgaan met elkaar en over vergeven.'

'Ik ben blij dat we jullie geholpen hebben', zei ik. Ik kon me niet herinneren dat we ooit in Eddies aanwezigheid gepraat hadden over deze onderwerpen.

'Hoe dan ook, we willen hem uitnodigen om donderdag, met Thanksgiving, bij ons te komen eten. Dan kunnen jij en Thomas eens samen zijn. Er komen nog vier andere mensen bij ons, dus het maakt niet uit of Eddie er dan ook is. Het was eigenlijk Joe's idee. Goed, ik moet opschieten. Hebben jullie zin om volgende week te komen eten? Vrijdag misschien?'

'Vrijdag is prima.'

'Uur of zes? We kunnen het er zondag wel even over hebben. Tot dan. En een goede Thanksgiving. Daag!'

De verbinding werd verbroken. Ik hing ook op. Intuïtief wist ik dat Eddie loog tegen Thomas. Er was iets aan de hand; de irritante veronderstelling dat Eddie de wijsheid van de dominee verspreidde omdat hij in diens huis woonde, bevredigde mij allerminst.

'Giddy zegt dat ze vanmiddag weer verdergaan met de rechtszaak', zei oma, die gretig op haar ontbijt aanviel. Ik had pannenkoeken voor haar gemaakt en het ontbreken van boter goedgemaakt door er stroop op te doen.

'Eet jij niks?'

'Ik hou het vanochtend bij koffie.'

'Kan ik er nog een paar krijgen?'

Ik schonk twee kringen beslag in de gehavende gietijzeren koekenpan. Wat voor geheim oma ook met zich meedroeg, ze had het, zoals gewoonlijk, afgedaan met een schouderophalen; haar vage aanwijzingen aan Thomas hadden haar geweten tijdelijk ontlast en ze zag het weer helemaal zitten.

'Dankjewel', zei oma, terwijl ze toekeek hoe de pannenkoeken gaarden. 'Giddy zegt dat ze vandaag de hele medische toestand bespreken. Dat heeft hij gehoord van Palmer Black, bij de rechtszaal. Ik heb geen zin om naar gezeur over Matt Humberstons hoofd te luisteren. Vandaag kun je me wel helpen met het watteren van die sprei. Weet je nog hoe dat moet of ben je dat vergeten in Philadelphia?'

'Ik weet het nog.'

'En waar hangt die Winn van jullie uit?'

'Hij is aan het werk.' Aan het werk, met een geladen pistool onder zijn trui, en met angst in zijn ogen uitkijkend naar Attaways auto.

'Daar heb je hem weer', zei oma, terwijl ze haar bord bijhield voor een tweede ronde pannenkoeken.

'Wie?'

'Attaway. Hij scharrelt weer bij het pachtershuis rond.'

Ik boog me voorover en keek door het raam. Een stofspoor liet zien dat iemand over Poverty Ridge Road gereden was. Maar vanaf hier kon ik het pachtershuis niet zien. Ik liep naar buiten, ging op de trap aan de voorkant van het huis staan en tuurde naar ons huis. Attaways auto stond vlak voor het ketelhuisje. Chelsea sprong eromheen alsof ze net haar beste vriend had ontdekt. Ik zag Attaways groene pet bewegen tegen het donkere hout van de schuren; hij doorzocht de bijgebouwen, de oude rommel die daar al jaren onaangeroerd lag.

'Wat doet hij daar?' riep oma.

'Hij zoekt iets in de oude schuren naast de silo's.' Ik ging weer naar binnen en begon aan de afwas.

'Hij zou toch moeten weten wat daar ligt. De meeste troep daar is van hem. Van Nat mocht hij zijn rommel daar neerzetten toen hij en Doris in het pachtershuis woonden en hij heeft nooit iets opgeruimd.'

'Misschien was hij daarom vorige week in het pachtershuis, toen wij er niet waren. Misschien zocht hij iets dat hij kwijt was.' Ik spoot een beetje afwasmiddel op oma's bord met het blauwe tafereeltje van sneeuwpret op het platteland.

'Wat zou hij daar kunnen vinden?' vroeg oma. 'We hebben dat huis met bezemen gekeerd toen juffrouw Clunie erin kwam en voordat jullie kwamen. Er was niets meer uit Doris' tijd, behalve spinnenwebben en een paar meubels.'

Ik ging verder met de afwas. Toen we in het pachtershuis kwamen, was het hele huis leeg. Maar de schuren stonden vol. Rommel van jaren stond hier gestald: oude machines, onderdelen van maaidorsers en oogstmachines, banden, stapels oude kranten, vaten afgewerkte olie, zakken cement, kunstmest en veevoer.

Eddie had daar in de vroege ochtend van alles kunnen verstoppen. En wat hij daar ook had verborgen, het kon er ongestoord dertig jaar hebben gelegen.

Attaway kwam laat in de middag bij oma langs. Hij bleef in de deuropening staan; op zijn lichte overhemd zaten vuile vegen en zijn handen waren vet van de olie. Hij gromde: 'Heb je nog iets nodig, Cora?'

'Helemaal niks. Kom verder, ga even zitten.'

'Nee.' Hij liet de hordeur met een klap achter zich dichtvallen. Hond maakte zich snel uit de voeten. Attaway stapte de trap af, sloeg het portier van zijn auto dicht en ging er slippend in het mulle zand vandoor.

Ik liep die avond langs de schuren naar de achterdeur van ons huis. Het waren oude bouwwerken met zinken daken, die gevaarlijk overhelden; overal hingen spinnenwebben en ze waren bezaaid met vogelpoep. Een klamme, schimmelige geur kwam door de deuropeningen naar buiten. De zon was al achter de bomen in het westen gezakt en hun schaduw viel op het pachtershuis, de silo's en de schuren en dompelde alles onder in een kil halfduister. Achter het terreintje met de schuren, varkensstallen en silo's liep de grond schuin af naar de rivier. De bodem was daar bedekt met een ondoordringbare wirwar van klimplanten en kreupelhout. Ik wist niet waarnaar ik moest zoeken en zelfs als ik dat wel geweten had, had ik me niet in die onverlichte schuren gewaagd om het te vinden.

We aten 's avonds kip en brood en zoete aardappelen. Thomas was stil. Hij had bezoeken afgelegd, zei hij kort, en liet dat voor zich spreken. Eddie babbelde over het project waar hij werkte, over verspilling en fraude bij het departement, over de luiheid van zijn collega's en de nonchalante rijstijl van de automobilisten die hij liet stoppen. Ik keek naar zijn donkere, levendige gezicht, zo anders dan dat van de magere dronkaard die in het begin bij ons

258

aan tafel zat, en dacht: wat had je hier te zoeken, Eddie Winn, bij de oevers van de Chickahominy, toen Doris stierf?

Dinsdagochtend was de lucht helderblauw, maar de regionale radio waarschuwde dat er een hevige storm in aantocht was. Misschien met sneeuw – vijftien tot twintig centimeter – misschien met ijzel, als de temperatuur boven het vriespunt kwam. In het weekend zouden we ingesneeuwd kunnen raken. Ik bedacht dat ik snel boodschappen voor oma moest halen. Eén vlokje sneeuw in het zuidoosten van Virginia zorgde voor meer paniek dan de waarschuwing dat er een orkaan aankwam. Op de planken in de supermarkt zou vrijdag geen melk of brood meer te vinden zijn. Bij de tankstations zouden lange rijen staan van mensen die jerrycans wilden vullen voor de generatoren op hun boerderijen.

Ondertussen sleepte Matt Humberstons rechtszaak zich langzaam maar onvermijdelijk naar het einde. Ik reed oma weer naar de rechtszaal en we luisterden naar de slotpleidooien; Matts toekomst werd als een munt de lucht in geworpen, schuld en onschuld wisselden elkaar af in de betogen van de advocaten.

'Matthew Humberston junior was van plan Quintus Fowlerand te vermoorden', zei Jeremiah Adkins. Hij stond daar in zijn donkergrijze maatpak, een bril met een gouden montuur heen en weer zwaaiend tussen zijn vingers. 'U hebt gehoord wat Thomas Clement zei over de vijandigheid tussen deze twee mannen, de haat die teruggaat op een lange geschiedenis van twisten tussen Matthew Humberston en Quintus' vader, Attaway Fowlerand. Het zijn de woorden van de overledene zelf: "Matt zei dat hij me zou vermoorden. Gisteren zei hij dat hij me zou vermoorden. Vannacht zei hij dat hij mij zijn hele leven al wilde vermoorden en nu de kans had." Moord met voorbedachten rade, dames en heren. Moord, voortgekomen uit een vete die is begonnen met de dood van Doris Fowlerand-Humberston en geëindigd, drie decennia later, met de dood van haar zoon.'

Hij zette de goudgerande bril op en besprak het medische bewijs, het tijdstip van overlijden en de bewering dat Matt leed aan geheugenverlies. In zijn stem klonk minachting door. Hij vouwde zijn handen achter zijn rug en wiegde een beetje heen en weer.

'Van Matt Humberston hebben we gehoord dat Quintus Fowlerand geen enkel dreigement geuit heeft', zei hij. 'De twee mannen zaten op de trap en dronken. Hoeveel dronken ze? Toen hij op de eerste hulp in het ziekenhuis kwam, had Matt Humberston drie keer de toegestane hoeveelheid alcohol in zijn bloed. Drie keer, dames en heren! Hij besloot Quintus te vermoorden; hij dronk zichzelf eerst moed in met een geladen geweer op schoot; en toen zag hij Quintus Fowlerand – zijn gezworen vijand, de zoon van de man die hij verantwoordelijk hield voor de dood van een geliefde tante – wegglippen, in een pick-up klauteren en naar huis rijden. Zijn bloed kookte. Even geleden was Quintus nog in zijn macht. Nu was hij bezig te ontsnappen. En hoewel Quintus Fowlerand bij hem vandaan reed, zijn eigen land op, over zijn eigen weg, ging Matt Humberston hem achterna, dreef hem in het nauw en schoot hem neer. Niet in het hoofd, dames en heren. Zijn handen beefden. Hij was bang dat hij zou missen. Nee, Matt Humberston nam het zekere voor het onzekere. Hij schoot Quintus Fowlerand in de borst. Het duurde een heel uur voordat Quintus Fowlerand, die bloed opgaf en smeekte om een priester, stierf.'

Hij liet na die laatste woorden een stilte vallen. De belangstelling was in de twee weken na het begin van de rechtszaak afgenomen, maar de harde banken waren nog voor de helft gevuld. Ik kon Matthew Humberston voorin zien zitten, hij staarde geconcentreerd naar zijn voeten. Matt, naast zijn advocaat, had zijn handen voor zijn gezicht geslagen.

'Dames en heren', zei Jeremiah Adkins, 'ik vraag u niet het onrecht dat de Fowlerands de Humberstons aangedaan hebben, te vergeten. Ik vraag u ook niet de jaren van haat tussen deze families uit te vegen. Ik verwacht niet dat u de liefde van Matt Humberston voor zijn vader en voor de zus van zijn vader buiten beschouwing laat of de afkeer jegens Attaway Fowlerand en Attaways zoon, die zijn vader hem ingeprent heeft. Ik ontken niet dat meneer Fowlerand – om welke reden dan ook – zijn zoon en Matt Humberston tegen elkaar opgezet heeft. Maar ik vraag u deze feiten voor ogen te houden: Quintus Fowlerand en Matt Humberston zaten bij elkaar, ze dronken samen; Quintus Fowlerand ging weg. En Matt Humberston ging hem, met kwaadwillige opzet, achterna, zette hem klem en schoot hem neer, terwijl Quintus Fowlerands geweer in het gras naast de veranda lag, de veranda waarop hij stierf. Ik vraag u, tenslotte, in gedachten te houden wat Matt Humberston zei toen dominee Thomas Clement tegen hem zei: "Hij is dood en jij hebt hem vermoord!" Matt Humberston zei toen heel kort: "Mooi zo!"'

Hij ging zitten. Rechter Banks stopte een Rennie in zijn mond.

'Meneer Hall?'

Matts advocaat ging staan. Hij schudde ongelovig zijn hoofd, was even sprakeloos en deed bedachtzaam twee stappen bij de tafel vandaan terwijl hij over de beschuldigingen van zijn tegenstander leek na te denken: hij wist zonder woorden duidelijk te maken hoe hij erover dacht.

'Goed', zei hij tenslotte. 'Het is een weerzinwekkend verhaal dat meneer Adkins u verteld heeft. Een vreselijk, onmenselijk verhaal over een jonge man zonder eerbied voor het leven. Een jonge man met een geladen geweer en niets om bang voor te zijn. Er is slechts één probleem, dames en heren. Als deze man niets te vrezen had, waarom werd hij dan in elkaar geslagen? Waarom lag hij bijna een week in het ziekenhuis te vechten voor zijn leven? Waarom zeggen zijn artsen dat zijn geheugen kapotgemaakt is? Leden van de jury, dit is niet het verhaal van een gewelddadige moordenaar die een onschuldige man de dood heeft ingejaagd. Dit is het verhaal van een jongen die het slachtoffer geworden is van familieruzies, van de manipulatieve haat van zijn eigen oom; een jongen die over een lange, donkere weg achter zijn neef aan ging om hem te beschermen en terechtkwam in een kring van vijanden die erop uit waren hem kwaad te doen.'

'Hm', hoorde ik oma naast me zeggen. Ik keek haar van opzij aan. Zij had haar hoofd omgedraaid. Toen ik haar blik volgde, zag ik Eddie Winn achter in de rechtszaal staan. Hij had weer dat stiekeme over zich.

Matts advocaat besprak het bewijsmateriaal rustig en systematisch. Jeremiah Adkins had zijn stem verheven en geprobeerd de emotie over een jonge man die gestorven was een grote rol te laten spelen in zijn betoog; Andrew Hall sprak zacht en weloverwogen, en liet zien dat er maar één conclusie mogelijk was. Hij knoopte het pak slaag van Matt, Quintus' grillige gedrag en Attaways leugens aan elkaar tot een sterke ketting. Die zou houden, dacht ik, zolang de jury niet te streng oordeelde over Eddies betrouwbaarheid. En alleen als de mannen en vrouwen achter de houten balustrade Quintus niet kenden.

Volgens Andrew Hall kon Attaway Pierman Fowlerand niet langer verdragen dat zijn zoon zijn partner was. Vastbesloten zijn land terug te krijgen, bestookte hij Matt met verdachtmakingen jegens Quintus. Attaway was Quintus in de nacht dat hij stierf tegengekomen en had gedreigd de nalatenschap aan de Humberstons te vermaken. Quintus had de Fowlerandneven verzameld en zijn vlucht over Fowlerand Road was een truc om Matt bij de Fowlerandboerderij in de val te lokken. Matt was Quintus achternagegaan uit bezorgdheid om zijn neef – hij was bang dat Quintus, dronken en slingerend, tegen een boom zou rijden – maar Quintus had zich omgedraaid en zijn vijand uitgescholden, terwijl de kring van Fowlerands zich om hem heen sloot.

Ik maakte me lang, zodat ik alle hoeken van de rechtszaal kon overzien, maar Attaway was er niet.

Andrew Hall rondde af. 'Dames en heren, Attaway Pierman Fowlerand is niet degene die hier terechtstaat. En Matthew Humberston senior ook niet. Maar ik durf te beweren dat deze twee mannen, die dertig jaar geruzied hebben over de dood van Attaways vrouw, verantwoordelijk zijn voor de gebeurtenissen die geleid hebben tot de dood van Quintus Fowlerand. Toen Matt Humberston zijn geweer op Quintus Fowlerand richtte, handelde hij uit zelfbescherming. Hij was zijn neef gevolgd omdat hij met hem begaan was. Dat medeleven werd beantwoord met verraad en mishandeling. Matt Humberston haalde de trekker over omdat zijn leven gevaar liep; en als Thomas Clement niet gekomen was met de politie in zijn kielzog, zou Matt Humberston gestorven zijn in de handen van de familieleden van de overledene. Hij handelde uit zelfverdediging. Zijn enige fout was dat hij zich, midden in de nacht, bekommerde om het welzijn van Quintus Fowlerand, daar aan het einde van Fowlerand Road.'

Hij ging zitten. Matthew Humberston, die achter hem zat, ging staan. Hij liep de zijdeur van de rechtszaal uit, kaarsrecht en stijf als een plank. Matt draaide zich om en keek zijn vader na. Ik zag zijn ronde, onvolwassen gezicht, waarop de frustratie geschreven stond, en dacht: hij herinnert het zich echt niet. Die amnesie was geen verzinsel van Andrew Hall. Matt had geen idee wat hij had gedaan, in het donker op Fowlerand Road.

Oma trok aan mijn arm. 'Oké', zei ze, dwars door de aanwijzingen van de rechter voor de jury. 'Laten we naar huis gaan.'

Ik hielp haar de rechtbank uit, over het bruine gras naar de parkeerplaats. Eddie en zijn auto waren allebei weg. Ik ging achter het stuur zitten en vroeg: 'Vindt u het goed als we de lange route naar huis nemen?'

'Waarom?'

'Gewoon, voor de verandering.'

'Als ik maar op tijd thuis ben voor mijn soap.'

Dus reed ik door het buitengebied van Little Croft. We reden over de weg waaraan Joe en Jenny woonden. Ik ging langzamer rijden toen we bij hun huis waren. Het huis stond een eindje van de weg af, tussen de bomen, maar ik kon Eddies pick-up duidelijk zien staan, half achter een paar azalea's. En Jenny's rode sportwagen stond er, maar de garage waar Joe's jeep had moeten staan, was leeg.

Negenentwintig

Die avond zat ik in de keuken naar de zonsondergang te kijken. Ik zette thee en sloeg een boek open, maar het bleef ongelezen voor me liggen. Chelsea krulde zich tevreden bij mijn voeten op; ze rook naar hond en dode bosmarmot. Ze moest nodig weer in bad.

Thomas was laat. Ik belde naar de kerk. De telefoon ging over tot ik ophing. Eindelijk kwamen er koplampen de zandweg op; grote, vierkante lampen, niet de kleine, ronde van onze auto. Ik ging bij de keukendeur staan en zag Eddie het autoportier dichtslaan en door de tuin lopen.

'Hallo, Amanda', zei hij. 'Wat eten we?'

Hij had al zijn levenslust terug. Van de kruiperige dronkaard was niets meer over. Hij zag er blozend en tevreden en fris uit, maar toen hij zijn voet op de onderste tree zette, voelde ik misselijkheid opkomen. Ik ging bij de hordeur vandaan; hij liep door de hal naar de woonkamer en gooide zijn jas uit.

'Thomas nog niet thuis?'

'Nee. Waar ben je vandaag geweest?'

'Op m'n werk', zei Eddie opgewekt. 'De hele dag. Ik heb gedoucht voordat ik hier naartoe ging.'

'Ik was vanochtend in de rechtszaal. Samen met oma heb ik naar de slotpleidooien geluisterd. Je heb me zeker niet gezien, of wel, Eddie?'

Hij draaide zich om en keek naar de keukendeur, waar ik

stond. Hij kneep zijn ogen tot spleetjes tegen het licht. Er gleed een stiekeme uitdrukking over zijn gezicht.

'Nee', zei hij. 'Ik heb even pauze genomen om te horen wat de advocaten zeiden. Ik was benieuwd wat ze van mijn verhaal zouden maken. Daarna ben ik direct weer naar mijn werk gegaan. Vervelend wat ze over Attaway Fowlerand zeiden, het blijft natuurlijk je oudoom. Hij vond het vast niet leuk dat iedereen hoorde dat de advocaten hem de schuld geven.'

'Ik ben langs Jenny en Joe gereden toen ik naar huis ging.'

Eddie schraapte zijn keel. 'Ik ben er alleen even langsgegaan om te zien hoe het met ze ging – ze hebben het moeilijk –' Hij probeerde nonchalant te klinken, maar dat mislukte.

'Ja, en dat komt jou wel goed uit, hè? Thomas heeft toch met je gepraat over daar heengaan als Joe er niet is?'

'Hij weet niet hoe het is', zei Eddie, die zich hersteld had. 'Ik wilde alleen maar helpen, Amanda. Hij werkt zo hard om al die mensen de weg te wijzen, maar hij weet niet wat het betekent om verslaafd te zijn, en ik wel.'

'Op die manier. Dus jij bent een betere relatieadviseur dan Thomas? En uiteraard moet je die adviezen geven als Joe weg is?'

'Als Joe er is, kan ze niet over die dingen praten. Ze is bang voor hem.'

'Waarom? Slaat hij haar?'

'Nee. Maar hij doet haar emotioneel pijn.' Eddie kwam een paar stappen dichterbij, vastbesloten zich te verdedigen. 'Ik help haar alleen maar om haar gevoelens uit te spreken, zodat die hun relatie niet meer beschadigen. Maar ze kan haar gevoelens niet kwijt als Joe erbij is. Het is een beetje als bij Thomas en jou, snap je?'

'Wat?' vroeg ik verbijsterd.

'Nou, ik woon hier al een tijdje en ik zie hoe je naar hem kijkt als hij met iets bezig is, alsof je hem iets wilt vertellen, bijvoorbeeld hoe het bij je oma was die dag, maar dan denk je dat hij toch niet zal luisteren. Of je wilt hem iets vertellen over de kerk, maar hij is al zo terneergeslagen. Zou het niet fijn zijn om iemand anders te hebben waar je het aan kunt vertellen? Iemand van wie je weet dat die niet boos wordt om wat je zegt?'

Hij was nog twee stappen dichterbij gekomen. Ik merkte opeens hoe onprettig dichtbij hij stond. Ik ging achteruit en hoorde Chelsea opkrabbelen, onder de keukentafel vandaan. Ze ging naast me zitten en hield haar kop vragend scheef. Haar grote tong hing uit haar bek en ik voelde haar zachte lijf zwaar en troostend tegen mijn been. Ik had Eddie nooit als gewelddadig beschouwd. Hij maakte vaak insinuerende opmerkingen, was een zoetgevooisde indringer, een onruststoker. Maar nu voelde ik me ongemakkelijk. De haartjes in mijn nek gingen recht overeind staan.

'Eddie', zei ik, 'ik denk dat je ergens anders moet gaan eten. Ik heb geen trek en ik weet ook niet wanneer Thomas terugkomt. Ik wil dat je nu weggaat.'

Hij hield zijn hoofd schuin. Chelsea gromde naar hem, zacht maar veelbetekenend. Ik legde mijn hand op haar kop.

'Oké', zei Eddie, 'mij een zorg. We willen niet dat iemand er iets verkeerds van denkt, hè?' Hij graaide zijn jas van de bank en liep naar de deur.

'Eddie', zei ik, 'oom Attaway heeft een sleutel van dit huis. Hij is hier geweest om iets op te zoeken dat hij kwijt was. Weet jij wat dat is?'

Ik zag dat hij verstrakte, maar hij antwoordde niet. Hij sloeg de hordeur achter zich dicht en liep door het gras naar zijn pick-up. Chelsea duwde haar neus tegen mijn hand en kwijlde tevreden op mijn vingers.

'Hou daarmee op', zei ik werktuiglijk. 'Brave hond. Braaf, Chelsea.' Ik had laatst bij de supermarkt een pakje hotdogs gekocht, dat ongeopend op de onderste plank van de koelkast lag. Ik sneed het plastic los en gooide de hotdogs voor haar op de grond. Ze schrokte ze naar binnen, tevreden met haar staart zwaaiend om deze onverwachte traktatie. Ik waste mijn handen en ging bij de tafel zitten. Mijn handen beefden en ik vouwde ze. Ik dacht: zal ik dit aan Thomas vertellen? Maar wat? Dat Eddies auto bij Jenny stond? Daar hadden we het al eerder over gehad. Over een bedreiging van Eddie, die ik me ingebeeld had? Het enige dat hij gedaan had, was in de keuken staan en praten.

Amelia Whitworth! Haar naam bracht me haar nuchtere kijk op de dingen in gedachten. Ik voelde me direct opgelucht. Ik ging staan en belde de Whitworths.

Amelia nam zelf op, meteen toen de telefoon voor de eerste keer overging. Haar zakelijke stem klonk bezorgd.

'Ja?'

'Mevrouw Whitworth? U spreekt met Amanda.'

'Amanda. Sorry, maar ik dacht...Ik moet meteen ophangen. Wat wilde je zeggen?'

'Ik – ' Ik zweeg; ze had blijkbaar haast en ik kon niet in een paar woorden uitleggen wat me dwars zat.

'Wat is er?' vroeg ze ongeduldig.

'Is alles goed met u, mevrouw Whitworth?'

Ze haalde snikkend adem. Ik hoorde het duidelijk aan de andere kant van de lijn.

'Nee', zei ze. 'Nee. Mijn dochter. Amy... Ze vonden de jongetjes op straat, in Washington. Een politieagent vond ze. Op de hoek van de straat. Kleine John hield de hand van z'n broertje vast en probeerde dapper te zijn. Ze huilden allebei en ze hadden geen schoenen aan en geen jas... De politieagent zei dat hun handjes en voetjes rood waren van de kou... En iemand had ze zo maar mee kunnen nemen en dan had ik ze nooit weer gezien –' Haar stem stokte van verdriet. 'Hun vader is verdwenen en ze kunnen Amy niet vinden. Kleine John wil niks zeggen. Vier jaar en hij zegt niks anders dan: "Mama is gevallen. Mamma is gevallen." Jeremy kan alleen maar huilen. John is naar Washington gegaan om ze op te halen en ik zit te wachten... bij de telefoon... Amy zou me bellen. Ze zou me bellen als ze kon... Ik moet ophangen. Amanda, je moet me later maar terugbellen. Morgen. Volgende week. Ik ga ophangen.'

De telefoon werd opgelegd. Ik liet de hoorn langzaam zakken. Ik was met mijn gedachten bij Amelia's verdriet en hoorde niet dat er een auto aan kwam rijden en in onze tuin werd geparkeerd. Zware voetstappen lieten de planken van de veranda kraken. Er werd op de deur geklopt. Ik maakte het kettinkje niet los, deed de deur een klein stukje open en gluurde naar buiten.

'Amanda', zei Attaway Fowlerand, 'is Winn hier?'

Groot en verweerd stond hij voor me. Hij deed me denken aan een oude boom die van binnen verrot is en op het punt staat te vallen. Zijn gezicht was niet meer rood van woede; het was asgrauw en stond strak en hij had een vastberaden blik in zijn bleekblauwe ogen. Ik was nooit eerder bang geweest voor een van mijn familieleden. Ik wilde niet dat hij binnenkwam!

'Nee, oom Attaway', zei ik zwakjes. 'Hij is vanavond weg. Ik wilde net naar bed gaan.'

Ik dacht even dat hij de deur met geweld zou openduwen. Hij wankelde een beetje en leunde op zijn stok om zijn evenwicht te bewaren. Ik hoorde banden knerpen op het zandpad. Thomas kwam eraan. Een zucht van opluchting ontsnapte me. Attaway draaide zich om en stampte weg, het trapje af. Hij passeerde Thomas zonder een woord te zeggen. Zijn auto liet diepe voren achter in het gras.

'Wat was dat?' vroeg Thomas, terwijl hij de trap op sprong.

'Hij is op zoek naar Eddie.'

'Waar ís Eddie, trouwens? Het is al laat.'

'Hij eet ergens anders. Thomas –'

'Sorry dat ik zo laat ben.'

Ik keek nog eens goed naar zijn gezicht, in het licht dat door de deuropening viel. Zijn ogen schoten vuur en hij had diepe lijnen om zijn mond.

'Wat is er?' vroeg ik.

'Laten we naar binnen gaan. Vanmiddag ben ik in Winnville geweest', zei Thomas, terwijl hij me gebaarde naar binnen te gaan en de deur achter ons dichtdeed. 'Ik wilde nog een keer bij Tammy Watts op bezoek, even kijken hoe het met haar was en een Thanksgiving-mand van de kerk brengen. Ik dacht dat het verstandiger was om te gaan als haar man thuis was. Ik had hem nog niet ontmoet en ik wilde niet dat hij dacht dat ik van alles achter zijn rug om deed. Dus, ik naar haar toe. Wat wilde je zeggen?'

'Niets', zei ik flauwtjes.

'Met haar ging het wel goed, maar haar man was er ook en die was bezopen. Ik heb nog nooit iemand gezien die om vijf uur 's middags al zo ver heen was. Veel erger dan Eddie ooit was. Hij begon me uit te lachen en zei dat Tammy haar hele leven al zo schreeuwde en dat ze gewoon naar een gekkenhuis moest. En toen begon hij vervelend te doen. Hij zei dat ik alleen maar langskwam om te zien of hij thuis was.' Thomas deed de koelkast open en ging hongerig met zijn ogen de etenswaren langs. 'We hadden toch hotdogs?'

'Eh – die zijn er niet meer.'

'Nee, dat zie ik.' Hij pakte ham en kaas uit de koelkast en begon een boterham te beleggen. Ik zei niets. Zijn bewegingen waren gejaagd. Thomas ging altijd eten als hij boos was. 'Toen hij begon te schreeuwen, duwde zij de kinderen de kamer uit en liet me bij hem achter – wat ik haar niet kwalijk kan nemen. Hij deed eigenlijk niets dan schreeuwen. Ik vind het vervelend om je dit te vertellen, maar je moet weten wat er aan de hand is.'

'Wat, Thomas?'

'Nou, Matthew beweert tegen iedereen die het horen wil dat jij en Eddie iets met elkaar hebben. 't Schijnt dat zijn auto hier soms staat als ik er niet ben en nu wordt er gezegd dat hij wacht tot het twaalf uur is en dat jij dan bij je oma vandaan komt –'

'Die daar uiteraard niets van merkt.'

'De rest kun je wel raden.' Hij zette met een klap zijn bord neer. Ik hoorde woede in zijn stem en de aders in zijn hals waren gezwollen. 'Ik wou dat ik vuur op de hele kliek kon laten neerkomen. Ik preek, leg bezoeken af, leef mee als mensen verdriet hebben en steek de handen uit de mouwen als ze hulp nodig hebben en iedereen vindt het doodnormaal. Voordat ze wakker worden en echt aandacht hebben, moet er eerst iets bovennatuurlijks gebeuren. Het verbaast me niks dat Jakobus en Johannes vroegen om vuur uit de hemel. Ze vertelden over de waarheid tot ze geen stem meer over hadden – en die toehoorders maar staren en gapen.'

'Ik moet even met je praten', zei ik.

'Waarover?'

'Over Eddie.'

Thomas ging bij de tafel zitten. Hij legde vermoeid zijn handen tegen zijn ogen. 'Wat is er met Eddie?' zei hij.

Ik vertelde hem over Eddies halve waarheden, zijn uitvluchten, mijn gesprek met Jenny, zijn auto die bij de Moreheads stond en tenslotte wat hij tegen mij had gezegd. Ik besloot met: 'Ik kan niet zeggen dat hij me echt iets aan wilde doen, Thomas – ik wil hem niet vals beschuldigen, maar ik weet zeker dat hij de bedoeling had –'

'Ik begrijp het', zei Thomas. Hij haalde zijn handen van zijn ogen. 'Je hebt gelijk, Amanda. Ik had het al veel eerder moeten zien, maar ik was bang. Hij is de enige met wie ik echt een band had – afgezien van jou, sinds we hier wonen. Ik klampte me aan hem vast. Maar het is één grote illusie gebleken. Eigenlijk wist ik dat ook wel, maar ik wilde het niet toegeven.' Hij wierp een blik op de boterham. 'Ik geloof dat ik toch niet zo'n honger heb.'

Eddie kwam die nacht niet terug. 's Ochtends pakte Thomas Eddies spullen in en zette de dozen op de achterveranda. Toen ik hem vroeg waarom hij dat deed, zei hij: 'Zelfs als hij wel terugkomt, kan hij hier niet blijven. Jij en ik moeten ook eens samen zijn.'

Ik praatte Thomas bij over de crisis bij de Whitworths; hij belde ze, maar de telefoon bleef overgaan zonder dat er iemand opnam. We probeerden Ambrose en Ida Scarborough, maar toen hun antwoordapparaat inschakelde, herinnerde ik me dat Ida had gezegd dat ze met Thanksgiving naar familie in Florida gingen.

Thomas nam een douche, bracht me een kop koffie op bed en deed een cd in de stereo-installatie voor hij naar de kerk ging om zijn preek af te maken. Ik dronk de koffie op en luisterde naar Bach: er werd gezongen over dankbaarheid en glorie. Ik voelde me vies, besmeurd door het geroddel van de Little-Crofters. Ik was niet bij machte op te staan en me aan te kleden. Elke beweging was me te veel. Dus bleef ik in bed en keek naar de waterige novemberzon die door de ramen naar binnen scheen. De aanzwellende, jubelende melodie stond als een dijk van geluid om me heen. Door het goudgele licht heen zag ik wat ik zo zeker wist: de andere kant, waar Gods aanwezigheid een licht was dat helder scheen.

Ik stak mijn hand uit en zag mijzelf, alsof ik door het raam naar binnen keek. Ik lag op een slordig bed in een kleine kamer. Het pleisterwerk was vergeeld en stof had zich in de hoeken opgehoopt. De laatste klanken stierven weg. Tranen stroomden over mijn wangen, ze kwamen koud en nat op mijn hals terecht. De dijk verkruimelde, een illusie die tot stof verging.

Ik ging uit bed, douchte en liep naar oma's huis. De klimop die tegen het houten hek groeide, had zijn bladeren laten vallen en de naakte takken waren zwart geworden door de vorst. Een laagje modder bedekte de diepe voren in het pad naar de begraafplaats. Boven aan de helling stond oom Giddy voorovergebogen tussen de grafstenen.

Bij oma ging ik het trapje op. Ze zat in haar televisiestoel naar de deur te kijken. Zo gauw ik de hordeur openduwde, zei ze: 'Ze zijn er nog niet uit.'

'Wie?'

'De juryleden. Attaway belde vanuit de rechtbank.'

'Het zou me verbazen als ze voor het weekend een uitspraak doen', zei ik. 'Ze zullen de zaak vast morgen onderbreken vanwege Thanksgiving en pas maandag verdergaan met hun beraadslagingen. En al dat medische gedoe over de verwondingen aan Matts hoofd…Het zal wel even duren voor ze dat doorgeworsteld hebben.'

Oma's witte haar piekte alle kanten op. Ik keek rond op zoek naar haar borstel. 'We kunnen dus weinig anders doen dan wachten?'

'Als ze Matt de moord niet volledig in de schoenen schuiven, weet Attaway dat dat komt omdat ze die Winn van jullie geloofden. Hij zal beseffen dat ze hem de schuld geven van Quintus' dood. En nog razender worden dan hij al is.'

'Wat denkt u dat hij zal doen, oma?'

Oma ging zachter praten. Ik moest voorover leunen om haar te kunnen verstaan.

'Ik weet het niet', fluisterde ze. 'Luister goed, Amanda. Ik moet je iets vertellen.' Haar oude hand pakte mijn arm steviger vast. 'Ik heb Attaway maar een paar keer eerder zo kwaad gezien. De dag... de dag voor Doris stierf... kwam hij hier en ging als een idioot tekeer; hij zei dat hij voor schut was gezet. Nat was er niet en ik was bezig tomaten in te maken. Ik kon niet bij de weckketel vandaan. Je weet wel, als je die ketel even alleen laat, ontploft 'ie. Ik hield hem goed in de gaten en Attaway stommelde mompelend en vloekend rond in de achterkamers. Na een poosje kwam hij weer tevoorschijn en ging weg. Ik ging pas later kijken. Nadat Doris gestorven was. Mijn pillen waren verdwenen. Ik had een envelop vol en nu waren er nog maar twee over. Ik durf te zweren dat ik er meer dan twee had.'

'Wat voor pillen?'

'Slaappillen. Ik had ze gekregen van dokter White. Af en toe nam ik er één, niet vaak, dus ik had er nog een heleboel.'

'Denkt u dat Attaway ze meegenomen heeft?'

'Hij was zo woedend', fluisterde oma. 'De volgende keer dat hij zo kwaad was, stierf Peggy. Voor Quintus stierf, was Attaway tegen hem ook tekeergegaan. Hij is razend op die jongen van Winn, Amanda, en jullie staan hem ook in de weg. Hij ziet jullie niet meer als familie. Jullie versperren hem de weg en hij wil erlangs.'

Giddy's voetstappen klonken op de veranda. Oma liet direct mijn arm los. Haar stem kreeg weer zijn normale sterkte, maar haar blauwe ogen bleven mij indringend aankijken, om haar waarschuwing kracht bij te zetten.

'Heb je de vossen?' vroeg ze.

'Twee', zei Giddy. 'Misschien verdwijnen de andere wel.' Hij zette zijn geweer in een hoek en plofte in een stoel.

'Waar hangt die Winn van jullie uit, Amanda?'

'Hij is de hele dag weg', zei ik.

'Hij kan maar beter uit oom Attaways buurt blijven', zei Giddy. 'Ik heb nog nooit iemand zo woedend gezien. Hij rijdt

272

de hele dag heen en weer over onze weg om Winn te pakken te krijgen. Mama, hebt u al zin in eten?'

Dertig

Eddie kwam ook woensdagavond niet terug. Thomas liep ruste-loos door het huis tot laat in de avond, maar de weg bleef leeg. Eddie was ondergedoken als een dier dat gevaar ruikt.

Ik werd wakker – het was na twaalven – en zag maanlicht door het raam naar binnen stromen. Ik ging uit bed en liep naar het raam. De tuin was licht, alsof het ochtend was. De silo's blonken en de zinken daken van de schuren glommen boven de pikzwarte deuropeningen. Midden in de tuin stond een vrouw, haar blik gericht op de rivier. Ze had een nachthemd aan; ik kon haar gezicht niet zien. Ik vroeg me geërgerd af waarom Chelsea niet geblaft had. En toen zag ik de baby, die naar de oever kroop. Ik probeerde te schreeuwen, maar ze reageerde niet. Ze keek naar de baby die naar de rivier schuifelde, haar handen slap langs haar lichaam, tot de baby met een mollig handje in de leegte greep, wankelde, jammerde en naar beneden gleed.

Ik werd wakker in het donker van een bewolkte nacht. Thomas lag naast me luidruchtig te ademen. Ik kroop diep onder de dekens, dicht tegen zijn warme lichaam aan en besloot dat warme chocola-demelk de lange, donkere tocht naar de keuken niet waard was.

Op de dag van Thanksgiving stond ik om zes uur op om de kal-koen in de oven te doen.

In het jaar dat we trouwden, hadden we Thanksgiving willen vieren bij Thomas' moeder. Maar die was twee dagen voor

Thanksgiving teruggegaan naar het psychiatrisch ziekenhuis en mijn ouders hadden twee last-minute vliegtickets naar Virginia voor ons gekocht. Sinds die tijd hadden we Thanksgiving elk jaar in Little Croft gevierd met een maaltijd die nooit veranderde. Kalkoen met zelfgemaakt brood, gebakken in vierkante, glazen schalen; zoete aardappelen met een korst van bruine suiker en boter; zoete broodjes, snijbonen met amandelsnippers. Een ceremonieel glas wijn bij elk bord, robijnrood tegen het witte tafelkleed. En op het buffet de vier onvermijdelijke taarten volgens oma's recept: pompoen, appel, citroen en chocolade, zacht in een krokante korst met pecannoten die zorgvuldig op de bodem van de schaal waren gelegd.

Het Fowlerand-Thanksgivingdiner werd dit jaar verzorgd door Rolands potige vrouw en opgediend in de tochtige eetkamer van de oude Fowlerandboerderij. We waren wel uitgenodigd, maar ik zou me niet erg dankbaar voelen als ik aan tafel zat met oma en Giddy, Attaway en Roland en Pierman.

Dus wapende ik mijzelf met een schort en zette de kalkoen in de oven. Buiten was het nog donker. Ik bakte de taarten en veegde de bloem van het aanrecht toen ze alle vier veilig in een schaal zaten. Ik bereidde zoete aardappelen en snijbonen en zette het deeg voor de broodjes te rijzen. Ik deed een wit tafelkleed op de keukentafel en schonk voor ons beiden een glas wijn in.

De voorgaande Thanksgivings waren de hele dag in mijn gedachten: de glazen deuren die uitzicht boden op het dichte beukenbos, de middagzon die binnenviel en het gewreven glas liet blinken als kristal, de warmte van familie en de bovennatuurlijke schoonheid die de aanwezigheid van God vertegenwoordigde. Maar deze Thanksgiving was grijs en somber. De storm kondigde zijn komst aan door de bewolking aan de hemel.

Thomas had een stropdas omgedaan voor het Thanksgivingdiner. Terwijl hij de kalkoen aansneed, rende ik naar boven om mijn rode jurk aan te doen. We baden en aten en hielden elkaars hand vast onder de tafel. En het leek alsof er overal om ons heen geesten waren; niet Doris en Peggy en Quintus, maar de familie voor wie we vol goede moed naar Little Croft waren teruggekeerd.

Vrijdag maakte ik boterhammen met kalkoen, zonder zout, voor oma, en Matt Humberstons jury ging weer aan het werk. Oma had last van Thanksgiving-indigestie, dus ging Giddy laat in de middag naar de rechtbank zodat hij oma verslag uit kon brengen. Hij kwam terug met het nieuws dat de jury de rechter had gevraagd of ze op zaterdag mochten doorgaan met hun bespreking. De voorzitter wist zeker dat ze voor het eind van de dag uitspraak konden doen en geen van hen wilde nog een weekend met de rechtszaak bezig zijn.

'Dat kun je hun niet kwalijk nemen', zei oma, en stuurde me op pad om bouillon en tabletten tegen maagzuur te kopen. Ik reed naar Mercysmith onder steeds dikker wordende bewolking en worstelde me door de nerveuze hordes winkelende mensen die in paniek waren vanwege de naderende storm. De melkschappen waren leeg en er was geen zak zout meer te krijgen.

Zaterdagochtend dronk ik koffie aan de keukentafel en keek uit over de landerijen. Af en toe kwam er een vlokje sneeuw naar beneden. De lucht was grijs door de laaghangende bewolking. Bij het minste zuchtje wind zou de sneeuw op ons neerdalen. Eddies eigendommen stonden nog steeds op de veranda bij de achterdeur.

Thomas kwam beneden, wierp een blik naar buiten om te zien of Eddies dozen er nog stonden en begon brood voor zichzelf te roosteren.

'Laten we naar een van de plantages gaan', zei ik. 'Wat denk je van Evelynton? Ze hebben die vast al versierd voor kerst. We kunnen broodjes kalkoen en een thermoskan koffie meenemen en ons warm aankleden.'

Thomas stemde in. We deden stevige schoenen aan en handschoenen, belegden een paar boterhammen met restjes kalkoen en reden naar Evelynton. Onder aan Courthouse Hill stopten we even om een zak chips en koekjes te kopen bij Charlie Winn. De ochtend had de ingetogen en adembenemende schoonheid van een bewolkte novemberdag. We liepen door de gebouwen van Evelynton en bewonderden de kerstslingers en de piramides van kerstfruit en snoepgoed; we gingen op de koude, hoge heuvel van

Evelynton zitten en keken uit over het grijze water van de James River. De wind blies ons in het gezicht en het bruine gras rook naar de winter. Ik zat in de ronding van Thomas' arm.

'Ik hou van je', zei hij, half binnensmonds.

'Sorry', zei ik. 'Voor de hele puinhoop. Ik blijf maar wachten tot die verdwijnt... zodat ik God hier weer kan ervaren, net als vroeger.'

Hij antwoordde niet, maar trok zijn arm wat steviger om me heen. We zaten zwijgend naast elkaar en later reden we even zwijgzaam naar huis. Halverwege de rit stak hij zijn hand uit en ik pakte die. Toen we bij Courthouse Hill waren, ging Thomas langzamer rijden en keek me vragend aan. Ik knikte; hij sloeg rechtsaf en reed de parkeerplaats bij de rechtbank op. Matts rechtszaak was de hele ochtend als een soort onderstroom in mijn gedachten geweest.

Bij het binnenkomen zagen we dat de rechtszaal grotendeels leeg was. Een slungelige man van middelbare leeftijd zat in een van de achterste banken te schrijven en te geeuwen. Matthew Humberston zat voorin met zijn gezicht naar de lege stoel van zijn zoon en zijn donkere hoofd tussen zijn handen. We liepen zacht weer naar buiten.

'Zullen we een poosje wachten?' vroeg Thomas. 'Kijken of de jury weer binnenkomt?'

Ik knikte. Hij zei: 'Ik ga even naar de wc. Zie je hier over een paar minuten weer.'

Toen hij verdwenen was, probeerde ik de deur van het kantoortje naast de rechtbank. De deur kwam uit in een lege hal met een houten bank en een fontein. De matglazen deuren van de lege kamers die aan de hal lagen, waren gesloten. Aan het eind van de hal stond één deur open.

Ik liep erheen en keek voorzichtig om het hoekje. Jimmy White zat achter zijn bureau, onder een grijs raam, te schrijven. Hij keek op en zei: 'Goeiemiddag, Amanda. Wacht je op de uitspraak?'

'Ja. We kwamen hier toch langs.'

'Je oudoom loopt hier al de hele dag in en uit.'

'Kan ik even met u praten?'

Hij gebaarde naar een lege draaistoel. Ik ging behoedzaam zitten en voelde de stoel onder me kraken.

'Toen Peggy Fowlerand stierf, zei u dat u dacht dat er iets aan mijn oma vrat.'

'Dat weet ik nog', zei hij. Hij leunde achterover en bewoog een potlood tussen zijn vingers heen en weer.

'Ik wil u vertellen wat mijn oma weet. Ik moet helemaal aan het begin beginnen, toen mijn oudtante stierf.' Ik vertelde hem over oma's angsten en aanwijzingen; over oom Attaways razernij voordat Doris stierf en over de verdwenen slaappillen.

Hij knikte. 'Ik herinner me dokter White nog wel. Ik was hulpsheriff in de tijd dat Doris stierf. Ik ging met dokter White praten over wat hij haar voorgeschreven had. Je kunt je niet voorstellen hoe anders het toen, in 1970, ging. Dokter White leverde alle medicijnen zelf. Hij schreef ze meestal fenobarbitalcapsules voor. Die zaten in grote, oude emmers, net ijsemmers, en hij hield geen noemenswaardige dossiers bij. Mensen kwamen bij hem met slaapproblemen, hysterie, hoge bloeddruk, wat dan ook en hij schoof een partijtje tabletten in een envelop en gaf ze die. Schreef nooit iets op. En dat spul was machtig verslavend, ook nog. Maar het was geen fenobarbital waaraan Peggy Fowlerand gestorven is. Zij had geen medicijnen in haar lichaam.'

'Nee, maar Doris –'

'Denk je echt dat je oudoom zijn vrouw heeft vermoord met je oma's slaappillen?'

'Er is nog iets', zei ik. Ik vertelde hem van oom Giddy's gang naar het huis op de avond dat Doris stierf. Ik vertelde hem over Eddie Winn, die als jongen om het huis sloop terwijl Doris in coma raakte; over de angsten die Eddie tegenwoordig had en oom Attaways tochtjes naar het pachtershuis en over zijn razernij voorafgaand aan Peggy's dood en de moord op Quintus.

'Dat is een behoorlijke puinhoop, Amanda', zei hij toen ik klaar was. 'Probeer je alles op een rijtje te krijgen?'

'Ik wil de boel gewoon opruimen zodat we verder kunnen gaan met ons werk voor de kerk.'

Jimmy White zat een poosje te peinzen. Zijn forse, gespierde lichaam bewoog niet, afgezien van zijn vingers die het potlood ronddraaiden. In de hal kraakten voeten op de gewreven vloer. Het potlood brak. Jimmy White ging rechtop zitten.

'Neem me niet kwalijk', zei hij. 'Dat zal de hulpsheriff zijn. De jury komt weer binnen.'

Ik ging naar buiten. De deuren van de rechtszaal waren opengezet. Er was een groepje toeschouwers opgedoken dat op de veranda stond. Thomas stond midden op het gazon om zich heen te kijken. Ik liep naar hem toe en schoof mijn arm door de zijne.

'Waar zat je?'

'Ik heb met de sheriff gepraat.'

'Zullen we naar binnen gaan?'

Ik knikte. We liepen achter de laatste mensen naar binnen en gingen achterin zitten. Matthew had zich niet verroerd, maar Matt zat weer op zijn plaats met zijn advocaat naast zich. Rechter Banks had zijn plek ook ingenomen en de juryleden kwamen juist aanlopen. Ik probeerde te zien of ze Matt recht aankeken of niet, maar dat was achterin moeilijk te zien. Ze zagen er eerbiedwaardig uit, maar ook onzeker.

'Bent u tot een oordeel gekomen?' vroeg rechter Banks.

'Ja', zei de voorzitter, een dik mannetje met een bril, dat zich duidelijk niet op zijn gemak voelde. Jimmy White pakte de uitspraak van hem aan en gaf die aan de rechter. Banks streek hem glad en las hem zonder een spier te vertrekken.

'Ik verzoek de gedaagde op te staan.'

Matt ging staan, met zijn rug naar ons toe. Zijn donkere krullen hingen over de kraag van zijn colbert. Achter hem ging Matthew Humberston ook staan, alsof hij door onzichtbare touwen omhooggetrokken werd. Rechter Banks deed zijn mond open, bedacht zich toen en hield zich stil.

De voorzitter schraapte zijn keel. 'De jury is van oordeel dat de gedaagde, Matthew William Humberston junior, niet schuldig is aan moord met voorbedachten rade.'

Matthew deed drie stappen naar voren, maar het mannetje was nog niet klaar.

'De jury is van oordeel dat de gedaagde schuldig is aan dood-slag...'

De man met het schrijfblok liep snel weg. Matts duurbetaalde advocaat legde zijn handen plat op de tafel voor hem en liet zijn hoofd zakken. Thomas greep mijn arm zo stevig vast dat het pijn deed. Ik legde mijn hand over de zijne en zijn vingers ontspanden een beetje.

Matt draaide zich om en keek naar zijn vader. Zijn gezicht was vertrokken van angst. Matthew legde zijn hand op de schouder van zijn zoon. De hand beefde als die van een oude man en toen Matthew zich omdraaide, zag ik dat Matts angst overgegaan was op Matthews gezicht.

Rechter Banks zei iets over vonnissen; een hulpsheriff liep naar Matt en onttrok hem aan mijn zicht. Ik trok aan Thomas' arm en stil liepen we de rechtbank uit en reden naar huis.

Thomas belde Ambrose Scarborough en John Whitworth dezelfde avond nog. Doodslag was niet het slechtst denkbare oordeel, maar hij was bang dat Matthew het anders zou zien. Bij de Scarboroughs kreeg hij het antwoordapparaat. Thomas trok een gezicht en hing op.

'Ze zullen het weekend ook nog wel in Florida blijven', zei hij. 'Ik kan ze geen ongelijk geven, met dit weer.' Hij belde de Whit-worths, maar kreeg geen gehoor. Thomas legde de hoorn neer en zei: 'Ik geloof dat ik het dit weekend in m'n eentje moet rooien. Maandag zien we wel verder.'

Midden in de nacht ging de telefoon. Ik werd met een bonzend hart wakker. Thomas stommelde voor me uit naar beneden en ik luisterde naar wat hij zei.

'Rustig', zei hij. 'Ik begrijp je niet. Joe, ik kan je niet verstaan. Joe –' Hij hield zijn hand tegen zijn andere oor, zijn gezicht gecon-centreerd. 'Weet je zeker dat dat erop stond?... Oké. Ja, ik kom eraan. Wacht maar. Maak wat koffie voor jezelf, Joe en eet iets.' Hij beëindige het gesprek en zei: 'Jenny is bij hem weggegaan. Er lag een briefje op de tafel toen hij terugkwam van late dienst.'

Ik liep naar de achterveranda en tuurde door de deur. Eddies dozen en tassen waren verdwenen.

'Heb je z'n pistool er ook bijgedaan?' vroeg ik.

'De .22?'

'Nee...'

Ik liep naar boven, naar Eddies kamer. Ik was er niet weer geweest sinds hij weg was en de kreukelige lakens en dekens lagen nog steeds op het bed. Ik tilde het kussen op. De geladen .357 lag er weer.

Eenendertig

Thomas kleedde zich snel aan en ging weg; ik bleef achter in de kille zondagochtend. Ik deed de haard aan, zette koffie en ging een psalm lezen – één psalm, telkens opnieuw. Het regende. De thermometer gaf aan dat het nog net boven nul was, maar aan de grond vroor het, want toen ik om een uur of zes de achterveranda op stapte om Chelsea eten te geven, was het spiegelglad.

Thomas kwam om half zeven thuis met rode ogen en een stoppelbaard. Hij dronk de grote mok koffie leeg die ik voor hem had ingeschonken en nam een douche. Ik ging op het deksel van de wc zitten en luisterde naar hem door het geluid van het stromende water heen.

'Ze heeft een briefje voor hem achtergelaten', zei hij, terwijl hij zijn haar waste. 'Op de tafel. Er stond op dat hij haar bijna kapotgemaakt had en dat ze bang was voor wat hij haar zou aandoen en dat ze net op tijd wegging. Ze heeft het grootste deel van haar kleren meegenomen; haar kast was bijna leeg. Joe heeft vier uur lang hysterisch zitten huilen. Amanda, ik weet dat hij niet zo snugger is, maar volgens mij heeft hij echt zijn best gedaan. Kun je mijn scheermesje aangeven?'

Ik gaf het hem om het douchegordijn heen.

'Dank je. Toen hij eindelijk kalmeerde en een beetje at, belde Eddie. Om zes uur ongeveer. Ik denk dat hij schrok dat ik het was, want hij was een hele tijd stil en zei toen: "Dominee Clement?" Ik zei: "Eddie, waar ben je mee bezig?" en toen zei hij: "Ik bevrijd

Jenny uit een verkeerd huwelijk, dat is alles" en ging nog een poosje door met van die therapeutenblabla.'

Thomas draaide de kraan dicht, pakte zijn handdoek en wikkelde die om zich heen. 'Hij heeft geen woord begrepen van wat ik zei, Amanda. En ík heb hem bij hen geïntroduceerd. Hun hele huwelijk heb ik naar de knoppen geholpen. Nu heb ik Eddie niet met Joe laten praten en uiteindelijk heb ik Joe in bed gekregen. Hij was al vierentwintig uur in touw. Ik heb Joe's vader in Dinwiddie gebeld en die komt bij hem.'

'Thomas –' begon ik, maar hij schudde zijn hoofd.

'Over drie uur moet ik een preek houden', zei hij. 'Ik weet niet eens meer waar die over gaat. Als ik hier nog langer over praat, wordt het helemaal niks met de kerkdienst. Ik ga nu naar de kerk om een keer te oefenen, oké?'

'Wees voorzichtig', zei ik.

'Ik zal langzaam rijden. Het zijn maar stukjes van de weg waar ijs ligt en de meeste daarvan kun je goed zien. Zou jij iets te eten willen klaarmaken? En een pot koffie zetten?'

'Natuurlijk.'

'Als het zo doorgaat, ligt er vanmiddag overal een laag ijs.'

Hij ging weg en ik haalde de ingrediënten voor een cake tevoorschijn en een paar extra eieren en een pakje ontbijtspek. Ik had de bloem en suiker nauwelijks afgewogen toen ik Thomas' auto weer hoorde. Ik liep naar de gang terwijl ik mijn ochtendjas steviger om me heen trok. Hij kwam de achterdeur in en nam een vlaag ijzige lucht mee naar binnen. Waterdruppels glinsterden op zijn haar.

'De kerk is gesloten', zei hij.

'Wat?'

'Gesloten. Gewoonlijk gaat iemand van de kerkenraad vroeg naar de kerk en doet de deur open, maar nu iedereen weg is, heeft blijkbaar niemand die taak op zich genomen. Het is daar koud en donker... En toen ik de voordeur probeerde open te maken, kon ik mijn sleutel niet omdraaien. Heb jij olie of zoiets om in het slot te doen?'

'Naaimachine-olie? In de rommella.'

Ik liep naar boven en trok een spijkerbroek en een trui aan terwijl hij lawaaierig de la doorzocht. Hij keek me een beetje verbaasd aan toen ik weer in de keuken verscheen.

Ik zei: 'Ik ga met je mee terug.'

Chelsea lag samen met haar bosmarmot op de deurmat. We stapten over haar heen en reden naar de kerk. De bochten van Little Croft Road waren bedekt met ijs.

In de natte, donkere ochtend doemde het witte gebouw op als een rots op een nevelige kust, hard en onaantastbaar. De sleutel gleed het slot van de voordeur in, maar we konden hem niet omdraaien. We spoten olie in het slot, wrikten en schudden en probeerden de achterdeur. Er gebeurde niets. De ramen van de kerk waren hoog en smal en Thomas kon er met zijn vingertoppen net bij als hij zich uitrekte. Hij zette zijn voeten tegen de planken en slaagde erin met zijn armen op de vensterbank van het voorste raam te komen. Hij gaf een paar rukken aan het raam, maar het gaf niet mee. De ramen klemden. Zijn voeten gleden weg; de muren van de kerk waren nat van de ijskoude regen.

Ik liep terug naar de voordeur en bukte me om het slot beter te bekijken. Op de stenen en de drempel lag zaagsel. De witte verf van de deur was beschadigd en bijgewerkt.

'Thomas?'

Hij kwam de hoek om en veegde zijn handen af.

'Er is een ander slot ingezet.'

Hij ging naast me op zijn hurken zitten, bekeek het slot en liep toen zwijgend naar de achterkant van de kerk. Even later kwam hij terug.

'In de achterdeur ook.'

'Wat doen we nu? Een slotenmaker bellen?'

'Nee. Geen slotenmaker. We kunnen de ontmoetingsruimte proberen.'

We liepen samen naar het gebouwtje achter de kerk. De deuren zaten stevig op slot, maar de gammele ramen boden geen weerstand toen Thomas er tegen duwde. Hij hees zichzelf omhoog, gleed door het raam en kwam met een bons op de vloer terecht.

'Au', zei hij, aan de andere kant van de muur.

'Gaat het?'

'Ja, hoor. Loop maar naar de deur.'

Voor het gebouwtje bleef ik staan wachten tot de deur openging. Thomas zei: 'De ruimte achterin is groot genoeg om een kerkdienst te houden. Kom, dan zetten we stoelen klaar.'

Ik liep achter hem aan de smalle gang door. We zetten klapstoelen in twee halve cirkels op het vloerkleed. De ruimte was klein en donker, maar in een hoek stond een houtkachel. Thomas haalde hout van de houtstapel in de gang en ik ging op zoek naar papier en lucifers. We legden een vuur aan dat groot genoeg was om de hele ochtend te blijven branden. De kamer begon warm te worden.

'Zullen we op de trap voor de kerk gaan staan om de mensen op te vangen?' stelde Thomas voor. 'Het heeft geen zin om te doen alsof er niets aan de hand is; laten we meteen duidelijkheid scheppen.'

'We kunnen ons maar beter warm aankleden als we in deze kou gaan staan', zei ik.

We gingen op de bovenste tree staan, Thomas met zijn bijbel en aantekeningen voor zijn preek en ik met een handvol kerkblaadjes. De kerkgangers arriveerden en Thomas beantwoordde het onophoudelijke 'Wat is er aan de hand, dominee?' telkens met dezelfde woorden: 'Meneer Humberston heeft de sloten van de kerk vervangen.'

Tegen elf uur stonden er een stuk of twintig mensen om ons heen. Ze waren bij elkaar gekropen onder de overkapping van de veranda. Twintig in plaats van de oorspronkelijke veertig: Tammy Watts met een zorgelijke blik in haar ogen en aan elke kant een dreumes; de oude organist die haar boeken tegen haar borst drukte; twee gezinnen die in de buurt van de Loop woonden; een boer met zijn vrouw die aan de andere kant van 'Armoe troef' woonden; de eigenaren van een haventje aan de Chickahominy.

Thomas zei: 'Laten we bidden.'

De gemeenteleden keken elkaar en ons aan en bogen onzeker hun hoofd.

'Barmhartige Vader', zei Thomas, 'wij zijn vanochtend hier gekomen om U te aanbidden, zoals U ons bevolen heeft. We kunnen ons gebouw niet in. We missen een aantal van onze broeders en zusters. We worden geconfronteerd met vijandigheid en haat. Beschermt U ons vanochtend. Schenk uw glorie aan deze plek.'

Glorie, dacht ik. Oude woorden uit het gebedenboek fladderden door mijn hoofd. 'Almachtige God, die uw Kerk gebouwd hebt op de fundamenten van de apostelen en profeten en waarvan Jezus zelf de hoeksteen is. Almachtige God, die uw uitverkorenen hebt samengebracht in het lichaam van uw Zoon.' Ik dacht aan de kerk als het leger van God, stralend en ontzagwekkend als een menigte met banieren; toen keek ik naar het verwilderde groepje mensen dat met hun voeten in de modder stond te schuifelen.

'Laten we achterom lopen', zei Thomas.

We liepen, met opgetrokken schouders vanwege de kou en de regen, naar de ontmoetingsruimte. We zongen a capella een gezang, met weifelende stemmen, en Thomas preekte. Ik zat op de tweede rij om me heen te kijken; de mensen luisterden echt naar Thomas, hun gezichten stonden geconcentreerd. De kleine, oude organist knikte langzaam. De havenbaas zat aantekeningen te maken in de kantlijn van zijn bijbel. Tammy Watts bleef stil zitten, de tranen stroomden over haar wangen en de peuters hielden haar stevig vast. Ik dacht weer: de kerk van God, ontzagwekkend als een leger met banieren, en deze keer scheen de gedachte me niet meer zo dwaas toe.

Het zou fijn zijn als ik kon zeggen dat de dienst in de ontmoetingsruimte glorieus was geëindigd, dat we allemaal vervuld waren van de kracht van God en de aanwezigheid van de Heilige Geest. Maar we waren moe, lichamelijk en geestelijk; we waren moedeloos en ongerust. De ruimte was benauwd, het licht beroerd, wij hadden de afgelopen nacht nauwelijks twee uur geslapen en er kwam geen glorie uit de hemel over ons. Net toen Thomas bij de zegen was, flikkerden de lampen in de ruimte één, twee keer. In Little Croft betekende een derde flikkering onvermijdelijk dat er een draad gebroken was; en in het moment tussen de zegen en het 'amen' knipperden de lichten nog één keer en gingen toen uit.

Het was harder gaan regenen. Toen we in de deuropening stonden om de mensen een hand te geven, zag ik dat de kale takken van de esdoorns glinsterden: er zat een laagje ijs omheen. Thomas reed heel langzaam naar huis over het met ijs bedekte asfalt. Een jeep schoot ons voorbij; ijzel en water spoten hoog op en we gleden naar de rand van de sloot voordat Thomas ons weer op de weg kon manoeuvreren. De huizen, met grote tussenruimten langs Little Croft Road gezet, stonden grijs en stil aan het eind van de oprijlanen.

De ramen van het pachtershuis waren donker. Chelsea lag op de achterveranda met haar neus tegen de deur en toen Thomas de deur openduwde, schoot ze de gang door en stormde naar de haard. De verandatrap was puur ijs. Onze kamers waren schemerig vanwege de regen, de hoeken waren donker. Water dreunde op het zinken dak en vormde lange ijspegels aan de randen.

'Ik zal wat hout op het vuur leggen', zei Thomas. 'Pak jij de kaarsen?'

Hij liep naar de kamer met de haard en ik hoorde het geluid van een krant die verkreukeld werd toen hij het vuur overhaalde om weer tot leven te komen. Ik gooide mijn jas op een stoel en liep door naar de keuken. De kaarsen lagen op een van de bovenste planken, maar ik wist niet meer welke. Daarom trok ik een stoel bij en zocht op alle hoge planken. Ik vond de kaarsen tenslotte in het kastje boven de koelkast. Ik leunde wankelend op het randje van de stoel en tastte met mijn linkerhand naar de kaarsen toen boven de vloer kraakte.

'Thomas!' riep ik.

'Ja?' zei Thomas, vanuit de kamer met de open haard.

'Waar is Chelsea?'

'Hier.'

Ik hield mijn adem in en bleef stil op de wiebelige stoel staan. De planken van het plafond kraakten weer en toen was het stil.

'Thomas', zei ik, een beetje zachter, 'er is iemand boven.'

Ik hoorde dat Thomas voorzichtig naar de gang liep en daar bleef staan. We stonden allebei stil en wachtten. Boven ons ging een deur dicht; de zachte klik ging bijna verloren in het gekletter van de regen.

'Amanda', zei Thomas net niet hardop, 'kom eens hier.'

Ik klom van de stoel af en sloop naar hem toe. Hij stond nog steeds in de gang, met zijn hoofd achterover. Hij vormde met zijn lippen het woord 'Wie?' Ik schudde mijn hoofd. Oma's angstaanjagende woorden klonken luid in mijn oren: 'Hij ziet jullie niet meer als familie. Jullie versperren hem de weg en hij wil erlangs.'

'Waar is het pistool?' vroeg Thomas geluidloos.

Ik wees naar onze slaapkamer.

'Zaklantaarn?'

'Batterijen zijn leeg.'

'Daar hebben we dus niet veel aan.'

'Ik zal een kaars pakken', fluisterde ik terug. De overloop was donker. Ik ging zachtjes terug naar de keuken, stak een kaars aan en liep terug.

Thomas pakte de kaars uit mijn hand. 'Ik ga eerst.'

'Wacht!' Ik sloop naar de kamer met de open haard en pakte de pook. Chelsea lag heerlijk lui uitgestrekt voor de vlammen. Ik maande haar fluisterend dat ze moest opstaan en ons beschermen, maar ze geeuwde met haar bek wijdopen en rolde op haar rug.

Thomas nam de kachelpook in zijn rechterhand en de kaars in zijn linker. Weer kraakte boven een plank. Ik ging Thomas geruisloos achterna, de trap op. Boven aan de trap bleven we stilstaan, tot er een ritselend geluid klonk achter Eddies gesloten deur.

'Hij is daar binnen', fluisterde Thomas. 'Duw jij de deur open.'

'Wie is daar binnen?' vroeg ik geluidloos.

'Geen idee. Doe de deur open.' Hij hief de pook een eindje op. In zijn ogen zag ik flauw, maar onmiskenbaar een gloed; eindelijk had hij een echte en ondubbelzinnige vijand om tegen te vechten. Ik dacht: zelfs oom Attaway zou de dominee niet op zijn eigen trap neerknallen. Ik duwde de deur open.

Eddie Winn stoof bij het kaarslicht vandaan. Hij was nat van de regen, zijn haar hing in sliertjes langs zijn hoofd en ik kon hem horen hijgen. Thomas liet de pook zakken.

'Wat kom jij hier doen?'

'Niks', zei Eddie zwakjes. Hij kroop weg achter de deur. Iets hards en metaalachtigs viel op de vloer en rolde weg, het kletterde hard op de kale planken. Chelsea begon te blaffen beneden ons.

'Te laat!' riep Thomas naar beneden. 'Koest!'

Ze jankte en schuifelde over de vloer. Eddie zat op zijn knieën met bevende handen zijn schatten te verzamelen. Ik knielde naast hem en duwde zijn armen weg; hij was bezig kogels die uit hun voddige kartonnen doosje waren gevallen, op te rapen. Ik veegde ze bij hem vandaan.

'Waar is het pistool?' vroeg ik dwingend.

'In mijn zak.'

'Geef hier.'

Ik trok aan zijn jack. Ik was doodsbenauwd dat hij ineens gewelddadig zou worden, maar hij leek verdoofd en gedwee. Ik voelde het gladde, koude metaal en trok het wapen met een ruk uit zijn zak. De kamers waren leeg.

Hij deed zijn hoofd omhoog en keek met toegeknepen ogen naar Thomas. Die had nog steeds de kachelpook in zijn hand. Hij doemde donker en groot op achter de vlam van de kaars en zijn nacht met Joe had de woede in zijn stem een scherp tintje gegeven.

'Waar is Jenny?'

'In Richmond. In een hotel.'

'Ik kan niet geloven dat je hier teruggekomen bent. Nadat je Amanda probeerde te versieren –'

'Dat heb ik niet gedaan. En u mag me niet veroordelen. Volgens de bijbel moet je de zondaars liefhebben.'

'O, ja? Nou, de apostel Paulus heeft anders een keer een hele groep zondaren weggestuurd en –'

'Kom, we gaan naar beneden', zei ik resoluut, 'daar kunnen we verder praten. Eddie, kom je ook of moeten we je naar beneden slepen?'

Hij kwam houterig het kamertje uit. Hij was ergens doodsbang voor; hij protesteerde niet en vroeg zelfs het pistool niet terug.

'Ben je bij Joe geweest?' vroeg Thomas, toen we aan de keukentafel zaten. Hij had de pook nog steeds in zijn hand; Chelsea kwam aanlopen, rook eraan en ging languit onder de tafel liggen.

'Nee', mompelde Eddie.

'Wat doe je hier eigenlijk?'

'Mijn pistool ophalen. Ik was niet van plan om er met haar vandoor te gaan, dominee Clement. Echt niet. Ik ging alleen maar even bij haar op bezoek. Ik wist dat Amanda tegen u zou zeggen… Nou, ja, van het één kwam het ander, en toen zei ze dat ze onmiddellijk weg wilde en ik had m'n pistool niet bij me, maar dat had ik wel nodig.' Zijn stem ging steeds wanhopiger klinken.

Ik verstevigde de greep van mijn vingers op het pistool en vroeg: 'Waarom?'

'Om mezelf te beschermen.'

'Tegen mijn oudoom?'

Eddie trok zijn schouders op. Het wit van zijn ogen stak sterk af tegen zijn donkere pupillen.

'We kunnen oom Attaway bellen en vragen of hij de leemtes in wil vullen.'

'Hij is hier al geweest', fluisterde Eddie. Hij slikte en zijn adamsappel bewoog op en neer in zijn magere hals. 'Ik kwam hier om mijn pistool te halen. Ik wist dat jullie weg zouden zijn en ik moest mijn pistool hebben. Ik dacht dat Attaway in Richmond was. Hij kwam hierheen toen ik boven was en hij bleef urenlang in die schuren hierachter rommelen. Eindelijk ging hij naar je oma, net toen jullie thuiskwamen. Ik kon geen kant op. Ik kon geen kant op.'

'Wat zoekt hij toch?'

'De fles.'

'Welke fles?'

'Gaan jullie me niet aangeven bij de sheriff?'

'Misschien kom je wel in de hel', zei Thomas, 'dus ik zou me maar niet zo druk maken over Jimmy White.'

290

'Thomas…'

'Oké', zei Thomas. 'Welke fles?'

'Die whiskyfles', zei Eddie. Het geheim dat dertig jaar weggestopt was, ontsnapte hem als een duveltje uit een doosje. Hij was zichtbaar opgelucht. 'De whiskyfles van Doris. Hij zei dat ik die aan hem moest geven en dat heb ik niet gedaan. Giddy snapte me namelijk en ik gooide de fles over de heuvel.'

'Wacht even', zei Thomas. 'Hij zei wat?'

'Hij zei dat ik naar binnen moest gaan en de fles pakken', zei Eddie gretig. 'Als Doris sliep. Ik deed wel vaker iets voor hem. Het enige zakgeld dat ik ooit heb gehad. Kijk, hij zei tegen me dat Doris te veel dronk als hij weg was en dat hij zich zorgen maakte omdat ze alleen was met de baby. Hij zei dat hij de hele nacht zou wegblijven en dat ik naar binnen moest gaan en de fles die nog behoorlijk vol was, moest pakken en er een bijna lege fles voor in de plaats zetten. Op die manier kon ze niet zo heel dronken worden als hij weg was.'

'En dat deed jij?'

'Zo gauw ik zag dat ze naar boven ging. Ze had al een heleboel op, volgens mij, want ze slingerde een beetje en de baby huilde. Het raam stond open, dus ik kon dat goed horen. Ik ging naar binnen en pakte de fles – die was halfvol – en zette de andere ervoor in de plaats. Daar zat nog maar een bodempje in. De halfvolle moest ik naar Attaway brengen.'

'En toen?'

'Toen ging ik weer naar buiten' zei Eddie handenwringend. 'Ik ging weer naar buiten en daar kwam Gideon Scarborough het pad op. Ik wou niet dat hij me zag. Attaway had tegen me gezegd dat niemand me met de fles mocht zien, dus gooide ik die over de heuvel. Maar toen ik Attaway later tegenkwam, schreeuwde hij tegen me omdat ik de fles niet had. Hij maakte me bang.' Zijn stem klonk kinderlijk. 'Zijn ogen puilden uit en hij schreeuwde zo, hij was echt ziedend, dus ik rende weg. En toen ze stierf, dacht ik dat ik te laat was geweest om haar ervan te weerhouden te veel te drinken… En Attaway, die deed weer aardig tegen me, gaf me af en toe werk, een heleboel geld –'

'Een heleboel geld om drank te kopen?'

'Ik drink niet, niet meer.'

'En heb je hier over nagedacht? Over Attaway en Doris?'

'Het is weer een beetje helder in mijn hoofd', fluisterde Eddie. 'Nadat u bij me was geweest, is het helderder geworden. Toen ik gestopt was met drinken. Ik had in geen jaren aan Doris Fowlerrand gedacht, totdat ik stopte met drinken, en toen... toen lag ik 's nachts wakker en maalde het in mijn hoofd.'

'Je bedacht', zei ik langzaam, 'dat mijn oudoom iets te maken had met de dood van zijn vrouw?'

'Hij was zo kwaad toen ik hem die fles niet kwam brengen. En toen dacht ik: nu ik niet meer drink, en iedereen weet dat, wat gebeurt er ... Wat gebeurt er –'

'Als hij weet dat je nuchter bent en erachter probeert te komen wat jij je herinnert?' vroeg Thomas.

Eddie knikte en keek uit het keukenraam. Door het donkere regengordijn zag ik oom Attaways pick-up voor oma's huis staan.

'Je hebt de fles over de heuvel gegooid', zei Thomas. Hij keek me aan.

'Dat is dertig jaar geleden', protesteerde ik.

'Hij kan ergens tussen de bodembedekkers terecht zijn gekomen –'

'Hij is niet gebroken', zei Eddie. 'Ik heb tegen Attaway gezegd dat 'ie stuk gegaan was, daar onder aan de heuvel. Toen geloofde hij me. Ik weet niet of hij dat nu nog gelooft. Maar de fles was niet gebroken. Hij viel zonder geluid in de struiken en bleef daar liggen.'

'Ben je niet op zoek gegaan naar de fles?'

'Ik ben nooit meer in de buurt van die heuvel geweest. Niet in de buurt van de heuvel en ook niet in de kamer waar ze stierf. Die plekken bezorgen me koude rillingen.'

Ik zei tegen Thomas: 'Je bent toch niet van plan in de regen op die heuvel te gaan zoeken?'

''t Is nu de beste tijd om dat te doen. In november zijn er geen slangen, in ieder geval niet met al dat ijs.' Hij ging staan en Eddie deinsde achteruit. Thomas zei, tamelijk vriendelijk: 'Rustig maar, jij schijtlaars, ik raak je heus niet aan. Je kunt hier blijven zitten tot we terug zijn.'

'Maar Attaway –'

'Attaway kan geen kant op met al dat ijs', zei Thomas. 'Hij zit daar bij oma omdat de wegen te glad zijn om te rijden. Hoe ben jij hier gekomen?'

'Ik ben over de oude weg door het bos gelopen', mompelde Eddie.

'Nou', zei Thomas, 'je kunt nu dezelfde weg terug nemen, zonder je pistool, of je blijft hier zitten wachten tot we bij de heuvel zijn geweest.'

Eddie kwam overeind. Chelsea hief haar kop op en keek hem strak aan. De haren in haar nek stonden recht overeind. Eddie wist niet hoe snel hij weer moest gaan zitten.

'Beter laat dan nooit', zei ik, terwijl ik opstond. 'Ik pak even mijn handschoenen en warme jas en dan ga ik met je mee. Het struikgewas is de afgelopen dertig jaar een stuk dichter geworden.'

Tweeëndertig

Meer dan eens dacht ik in de twee uren daarna: dit is belachelijk. Die fles is gebroken; hij is in de rivier gerold; hij ligt onder het slib en het zand; Eddie liegt en de fles heeft nooit bestaan. De helling naar de rivier was hier niet erg steil, ze was bedekt met scheefgegroeide bomen en klimop. Dertig jaar geleden waren dit waarschijnlijk jonge boompjes en had de klimop zich nog niet overal doorheen geslingerd.

We zochten systematisch de heuvel af terwijl de regen onze winterjassen doorweekte. Ik vond allerlei oude rommel onder de klimop. Die was bedekt met een dikke laag ijs en ik moest de bevroren bladeren met mijn handschoenen wegbreken voordat ik bij de bodem kon. Een berg vuilnis uit vroeger tijden, met een heleboel kapotte flessen, hield me ruim veertig minuten bezig. De klimop lag vol scherpe voorwerpen: roestige onderdelen van een kinderwagen, een oude metalen tractorzitting, een paar afgesleten tanden van een eg. Ik moest voorzichtig voelen en graven in de bovenste laag zand; op het laatst had ik geen gevoel meer in mijn vingers.

Ergens halverwege de helling, waar ik op mijn hurken zat te midden van klimplanten die zich om mijn enkels wikkelden en met zand aan mijn vingers, werd me opeens iets duidelijk; niet met een verblindend licht zoals bij Paulus, maar toch onmiskenbaar. Ook ik had een beeld van Christus gemaakt dat paste bij mijn eigen verlangens. Ik had de rotzooi met één haal willen wegvegen zodat God weer in het zicht zou komen en ik had me gericht op de Jezus die met een zweep door de tempel beende om er weer een ruimte van te maken waar God aanbeden werd. Maar ik vergat de gekruisigde Christus: die met Peggy gestorven was, die door Quintus' ogen Gods afgewende gelaat zag, die leed met Doris toen slechte mensen Hem ter dood brachten. Maar nu werd mijn blik niet op Jezus de genezer gericht, maar op de man die de zonden van mensen verdroeg en zei: 'Vader, vergeef het hun', voordat Hij stierf. Hij was hier, in deze puinhoop, waar ik op mijn hurken zat en groef naar een waarheid die sinds lang verborgen was.

Ik was al helemaal verkleumd toen ik weer onder de klimop tastte en de hals van een fles voelde: een gladde cilinder, voor driekwart onder de grond. Ik groef met beide handen het zand bij de fles vandaan en hield mijn adem in. Ik voelde met mijn handschoenen langs de fles, op zoek naar een barst of een scherpe rand.

'Thomas!'

Hij keek op vanaf zijn plek verder de helling af.

'Kom eens kijken.'

Samen veegden we het zand eraf. Het etiket was helemaal verdwenen, maar de dop zat nog stevig op de fles. Hij was voor een kwart gevuld met een troebele vloeistof. Thomas hield hem omhoog en tuurde er in het schemerlicht naar.

'Is dit hem?' vroeg hij.

'Hij heeft de goede vorm. Maar, Thomas...'

'Wat?'

'Er zal niks veranderen', zei ik langzaam. 'Zelfs als de vloeistof onderzocht kan worden – dat weet ik niet... Iedereen kan hem hier neergegooid hebben. Er zit geen etiket op, niets dat bewijst dat dit de fles is die Eddie weggegooid heeft. Ook al zou hij dat in de rechtszaal beweren.'

Thomas bekeek peinzend het stroperige spul in de fles. 'Nee', zei hij tenslotte. 'Ik weet het. Maar je oudoom en je oma zijn samen in haar huis en Eddie zit in ons huis en ik wil alle geheimen boven tafel hebben. Dan kunnen we, hopelijk, weer doorgaan met ons werk. Volgens mij voelen geheimen zich niet thuis in Gods koninkrijk, Amanda.'

Ik dacht aan mijn eigen geheimen, de familiegeheimen die ik achterhield uit mededogen, om het werk van mijn man te beschermen, om zijn gevoelens te sparen. En ik dacht aan de woorden van Matthew: 'O, ze is toch een Fowlerand? Ze zit boven op die geheimen, net als jullie allemaal, mooi weer te spelen. Aan de buitenkant ziet alles er keurig uit, maar van binnen is ze hartstikke verrot.'

'Goed dan', zei ik. 'Laten we naar oma gaan en met Attaway praten. We kunnen de rommel vast niet opruimen, maar we kunnen wel proberen de waarheid aan het licht te brengen.'

'Eddie moet ook mee.' Thomas beende vastberaden de heuvel op, zijn blonde haar was donker van de regen.

Ik liep achter hem aan terug naar de keuken. Chelsea lag te slapen op de keukendrempel. Eddie zat nog steeds in elkaar gedoken op zijn stoel naar haar te kijken.

'We gaan naar Cora Scarboroughs huis om hierover te praten', zei Thomas. 'En jij gaat met ons mee.'

Eddie bewoog als een slang die op zijn prooi af schiet. Zijn magere lijf vloog van de stoel af, over Chelsea heen en de deur uit. De achterdeur sloeg met een klap dicht. Voeten glibberden over ijs. Chelsea hield haar kop omhoog en spitste haar oren. Ik liep de gang in en tuurde door de achterdeur. Eddie spurtte over het spiegelgladde grasveld naar het overwoekerde pad dat achter 'Armoe troef' langsliep naar Winneck Road. Zijn voeten gleden weg en hij zwaaide wild met zijn armen.

'Ik heb zijn pistool nog steeds', merkte ik op.

'Nou', zei Thomas, 'laten we het maar houden. Zullen we gaan?'

We liepen voorzichtig over de zandweg naar oma's huis. Thomas deed zijn handschoen uit en pakte mijn hand en ik legde mijn vingers in zijn warme handpalm. Mijn keel was vreemd droog. In de regen om ons heen zag ik sneeuwvlokken en er vormde zich een wit laagje over het ijs onder onze voeten.

We gingen voorzichtig het trapje op en Thomas klopte op de deur.

'Kom verder', zei oma.

We stapten naar binnen. Het oude huis was bijna helemaal donker; kaarsen vormden lichtkringen in de keuken en zitkamer. Oma's oude olielamp stond op de zwijgende televisie en verspreidde geel licht in de kamer. Hond lag een beetje te doezelen op het kleedje. Aan de rand van het licht zat oma in haar leunstoel; tegenover haar zat Attaway op de oude, bruine bank. Ik dacht dat de rest van de kamer leeg was totdat Giddy ging verzitten in de groene pluchen stoel, buiten het bereik van het licht.

'Hebben jullie water nodig?' vroeg hij. 'Mama heeft me een paar kruiken laten vullen vlak voor het licht uitviel.'

'Nee', zei Thomas, 'bedankt.'

'William Adkins belde', zei Giddy, terwijl hij achterover leunde. 'Hij zei dat er een boom naar beneden gekomen is, precies op de telefoondraden aan het eind van de weg. 't Zal wel een tijdje duren voor ze hier zijn, met die slechte wegen.'

'Doet jullie telefoon het nog?' vroeg oma.

'Volgens mij wel', zei ik.

'Waarom lopen jullie dan buiten, met dit weer?' Ze leunde voorover om Thomas' gezicht te zien in het halfduister. 'Ik hoorde dat Eddie ervandoor is met de vrouw van iemand anders. Klopt dat?'

'Ja', zei Thomas resoluut, 'helaas wel. Ik heb me in Eddie vergist. Ik dacht dat hij zijn leven gebeterd had.'

'Die Winn heeft altijd zijn zorgen weggedronken', zei Attaway. 'Zonder zijn verzetjes kan hij het leven niet aan. Nu het de alcohol niet meer is, zijn het de vrouwen.'

Ik keek naar hem; hij zat op de bank, zijn schouders naar achteren en zijn voeten uit elkaar. De wandelstok had hij stevig tussen zijn voeten geplant, zijn handen over de knop gevouwen. Zijn handen lagen in het licht, maar zijn gezicht bevond zich in de schaduw.

'Meneer Fowlerand', zei Thomas, 'Eddie heeft ons iets verteld.'

Attaway staarde ons aan vanuit het halfduister. Ik zag vaag de glans van zijn ogen tussen de toegeknepen oogleden.

'Hij zei tegen ons dat u hem naar het pachtershuis hebt gestuurd, de nacht dat uw vrouw stierf. En dat hij de fles whisky die onder het aanrecht stond, moest pakken en aan u moest geven en er een andere fles voor in de plaats zetten. Hij was nog maar een kind en u rekende erop dat hij niet het hele verhaal te horen zou krijgen: dat Doris stierf omdat er slaappillen door haar alcohol gemengd waren. Maar voor de zekerheid betaalde u Eddie voor de moeite. Hij dronk dat geld op en zijn geheugen ging steeds verder achteruit.'

Giddy ging rechtop zitten. 'Wat?'

'Ach, Winn', zei Attaway langzaam en smalend. 'Geef die man een fles whisky en hij heeft meer visioenen dan een heilige.'

Ik keek naar oma. Haar oude handen waren om de leuningen geklemd en ze keek haar broer aandachtig aan.

'Hij zei tegen ons dat hij de fles over de heuvel had gegooid', zei Thomas.

Attaway zei niets.

'We hebben daarnet de helling afgezocht. We hebben de fles gevonden.' Hij haalde de zanderige fles onder zijn jas vandaan. 'Er zit nog een kwart in.'

Attaway verstijfde. Zijn handen werden wit en hij sperde zijn ogen wijdopen. Ze lichtten fletsblauw op in het schemerdonker.

'Nee!' zei hij schor.

'Attaway', fluisterde oma Cora.

'Hou je mond, Cora.'

'Attaway', zei oma weer. Haar stem was krachtiger. 'Attaway, ik wist wel dat je mijn pillen gepakt hebt, die dag dat je hier kwam en tekeerging over Doris en in mijn kamers rondsnuffelde. Je pakte die pillen en deed ze in haar whisky omdat je wist dat Quintus niet van jou was.'

'Mama!' zei Giddy ontsteld.

'Cora', zei Attaway dreigend. 'Hou je stil, Cora.' Hij beefde, maar hij had zijn stem weer onder controle.

Oma kromp ineen. Ik liep naar haar toe en pakte haar hand. Ze legde haar oude, droge vingers in de mijne. Ze zei: 'Amanda, ik heb niemand om me te beschermen.'

'Ik ben er toch', zei ik. 'Ik blijf bij u.' Ze bleef mijn hand stevig vasthouden en keek weer naar haar broer.

''t Is toch waar', zei ze. 'Ik dacht toen al dat het zo was, maar ik wilde het niet weten. Ik kende Nats gezicht en zag het terug in Quintus. Ik heb ooit een foto genomen van Nat en Quintus die dezelfde kant op kijken. Ze leken als twee druppels water op elkaar. Vraag Amanda maar. Zij heeft die foto thuis.' Ik hoorde aan haar stem dat het haar opluchtte dit te zeggen.

'Cora', zei Attaway.

'Het is echt waar. Denk je soms dat Doris de eerste vrouw was waar mijn man een avontuurtje mee had? Ik wist altijd wanneer hij vreemdging. Dan zag ik zijn ogen veranderen, die werden donker en ondoorgrondelijk. En wanneer wist jij het, Attaway? Toen ze voor het eerst begon te stralen, toen ze weer lichtjes in haar ogen kreeg, die jij had geprobeerd uit te doven? Toen ze tenslotte zwanger was? Toen Quintus geboren werd en jij zijn gezichtje zag?'

Attaway hief zijn stok op en liet hem met een klap op de vloerplanken neerkomen. Hond werd wakker en scharrelde weg, jankend van angst. Giddy was gaan staan en keek verbijsterd van zijn moeder naar zijn oom.

'Hij was me altijd de baas', gooide Attaway eruit. 'Altijd en overal. We waren allebei bezig land te kopen en hij was altijd de eerste. Hij kreeg altijd het beste stuk voor de beste prijs. Hij trouwde met jou en kreeg al dat land van pa. En toen kreeg hij vier kinderen om het bedrijf voort te zetten. Vier kinderen, Cora! En ik had er niet één. We wachtten en wachtten. Ik breidde mijn bezit steeds uit. Mijn toekomst bestond uit niets anders dan stof, Cora. De dominee heeft het altijd over een hemels koninkrijk, maar voor mij is er geen ander koninkrijk dan wat ik achterlaat met mijn naam erop. En ik had niemand die mijn naam droeg. Toen eindelijk mijn kind geboren werd, keek ik hem aan en ik zag Nat Scarborough die me nog één keer flink uitlachte.'

'U hebt haar vermoord!' zei Giddy. 'Oom Attaway, u hebt haar vermoord! Die fles die ik naar de sheriff –'

'Die fles die jullie daar hebben, is niets anders dan een van Doris' lege flessen. Die vrouw legde het met een ander aan en

299

daar werd ze ongelukkig van. Ze kon niet meer van de whisky afblijven; ze werd er naartoe getrokken als een mot naar de lamp.'
Hij had zijn handen om zijn stok geklemd. In het kaarslicht zag ik de aders in zijn gezicht en hals kloppen. Zijn lippen waren stijf toegeknepen.

'En Quintus?' vroeg ik.

'Hm', zei Attaway.

'En Quintus dan? U wilde graag dat hij doodging, hè?'

'Ik heb te veel politieseries gezien om jou te vertellen wat ik weet, Amanda.'

'En hoe zit het met Peggy?' vroeg oma. 'Jij was daar, vlak voordat ze stierf. Net als bij Doris. Heeft ze met jou gepraat?'

Attaway staarde over haar heen.

'Je wist dat ze zwanger was van Nats kleinkind, niet dan? Generatie op generatie met jouw naam en Nat Scarboroughs gezicht.'

'O, ze vertelde het me', zei Attaway. 'Niets geheimzinnigs aan. Ze straalde helemaal, net als Doris toen die het vertelde en ik al die tijd wachtte op de baby van een ander.'

'Wat heb je tegen haar gezegd?'

'Niks.' Attaway wierp een dreigende blik naar zijn zus.

Oma, die nog steeds mijn hand vasthield, riep: 'Jij hebt tegen haar gezegd dat je het land terug zou nemen, hè? Arme meid, helemaal blij omdat ze eindelijk een gezin en een boerderij kreeg en toen zei jij dat een kleinkind van Nat jouw land niet zou krijgen. Wat heb je haar verteld, Attaway? Waarom is ze van de weg af gereden?'

'Onnozel wicht', zei Attaway. 'Achterlijk.' Hij deed zijn mond weer dicht.

Ik vroeg: 'Hebt u tegen haar gezegd dat u het land van Quintus af zou pakken als zij een baby kreeg en dat u hem kapot zou maken?'

'Dat kan helemaal niet', protesteerde Giddy.

'Dat wist Peggy niet. En oom Attaway wist niet dat Quintus het testament vernietigd had. Wel dan?'

Attaway hees zichzelf overeind. Thomas en ik deden allebei

een stap achteruit. Zijn forse gestalte zag er in de schemering dreigend uit, monsterachtig, en zijn oude gezicht was donker.

'En, wat ben je nu van plan?' sneerde hij tegen Thomas. Zijn stem droop van weerzin. 'Die oude fles naar Jimmy White brengen? Hij lacht je in je gezicht uit. En Peggy's dood heeft niks met mij te maken. Ik kon er niks aan doen dat ze in een sombere bui van de weg af reed. Ze was altijd al een beetje afwezig. Ik kon er ook niks aan doen dat Quintus het op een drinken zette met Matt Humberston toen die achterdochtig was. Vraag Jimmy White maar, die zal je hetzelfde vertellen. D'r is geen rechtbank die me ter verantwoording kan roepen.'

'Jawel, hoor', zei oma, half fluisterend.

Attaway draaide zich om en keek haar aan. 'Jij bent een vrouw, Cora. Jij dacht altijd dat alles goed zou aflopen. Je bent nu toch oud genoeg om beter te weten?'

Hij deed een paar stappen naar voren. Toen hij de lichtkring binnenstapte, werd hij een stuk kleiner. De schaduwen verdwenen achter hem. Hij keek Thomas dreigend aan.

'Wat wil je eigenlijk?' vroeg hij. 'Het land? Jij en Winnie en Giddy en Matthew kunnen er over ruziën zoveel je wilt, maar uiteindelijk zal het allemaal weer bij mij terechtkomen. Ga jullie dure advocaten maar halen, dan zul je wel zien. Er is nog nooit iemand beter geworden van mij.'

'Het land interesseert me niet', zei Thomas.

'Jij vindt jezelf heel wat, hè. Ik heb iedereen het idee gegeven dat je mijn beschermeling bent. Ik kan ervoor zorgen dat de mensen denken dat je een dronkelap bent, of een dief of een rokkenjager. Waar ik maar zin in heb. Dat kan ik allemaal doen en dat zou ik maar goed in m'n oren knopen. Ik ga naar huis, Cora. Ik rij al zeventig jaar over deze wegen. Dat ijs doet me niks.'

Hij strompelde de kamer door, de trap af en de donker wordende avond in. Giddy bleef doodstil staan. Oma's hand lag nog steeds in de mijne. We keken zwijgend en roerloos toe toen de koplampen van Attaway's pick-up aansprongen. Sneeuw dwarrelde omlaag door de geelwitte lichtbundels. De auto reed voorzichtig om het huis. Het geluid van de motor stierf langzaam weg toen Attaway Poverty Ridge Road af reed.

'Hij zal van de weg raken', zei oma schor.

Giddy humde spottend. 'Vast niet. De duivel zorgt voor zijn vrienden.'

Thomas zette de whiskyfles op de tv. We staarden er allemaal naar, alsof het glas iets tegen ons zou zeggen.

'Amanda, lieverd', zei oma tenslotte, 'zou je vannacht hier willen slapen?'

'Ja, natuurlijk.'

'Ik blijf ook', zei Thomas. Niemand van ons wilde in het donker alleen zijn.

Thomas en ik sliepen die nacht niet veel. We lagen opgekruld in het smalle eenpersoonsbed dat in oma's logeerkamer stond. Af en toe klonk er een 'ping' van ijs op het dak.

'Misschien stort de hele boel deze week in elkaar', zei Thomas zacht.

'We kunnen niet weggaan, Thomas. Niet nu. Zelfs als je de kerk kwijtraakt. Oma heeft me nodig.'

'Ze is familie', zei Thomas. 'We blijven zolang ze ons nodig heeft. Zolang je wilt.'

'Ik wil hier blijven', zei ik. 'Dit is thuis.'

Drieëndertig

De lichten gingen vlak na zonsopgang weer aan. We lieten water door de sputterende leidingen stromen en controleerden of oma weer warm water had, deden de lampen aan en gingen slaperig terug naar het pachtershuis om te douchen. Thomas ging in de keuken zitten met zijn bijbel en schrijfblok voor zich, en staarde uit het raam. De kerk was nog steeds op slot en Little Croft Road was vrijwel onbegaanbaar. Er was vijftien centimeter sneeuw gevallen op zo'n vier centimeter ijs; een sneeuwstorm die alles lam legde. De wolken waren weggeblazen en de zon maakte oma's boerderij verblindend wit; ik kon nauwelijks uit het raam kijken.

John Whitworth kwam om een uur of elf over de zandweg aanrijden, in een oude pick-up die van de ene kant van de weg naar de andere gleed. Hij reed met een slakkengangetje de hoek om en zette de auto voor het huis stil. Thomas liep naar de voordeur om hem binnen te laten.

'Bedankt', zei John en stampte naar de veranda. 'Ik was bang dat ik de auto nooit meer los zou krijgen als ik hem in jullie achtertuin zette. Hebben jullie stroom?'

'Ja, en de haard is aan. Kom binnen, even iets warms drinken.'

'Goed dan', zei John. Hij deed bij de deur zijn kniehoge laarzen uit en legde zijn jas er behoedzaam overheen. 'Anders hebben jullie straks overal sneeuw. Dankjewel.' Hij nam de koffie van me aan en ging in de schommelstoel dicht bij het vuur zitten. Ik ging op de rand van de haard zitten en Thomas ging achter me staan, zijn handen gevouwen achter zijn rug.

John Whitworth nam een slok koffie. Zijn lange, zwaarmoedige gezicht was keurig geschoren en zijn overhemd gestreken. Zijn ogen waren vuurrood. Hij had een streepje baard vergeten, net onder zijn kin.

'Ik heb gehoord dat jullie allerlei stormen ontketend hebben', zei hij. 'Ik ben vanmorgen al bij Matthew geweest. Ik heb hem gevraagd waarom hij de sloten vervangen heeft. De man heeft ze niet allemaal op een rijtje, dominee Clement, en hij heeft een heleboel praatjes rondgestrooid.'

'Ik moet iets bekennen', zei Thomas.

'En dat is?'

'Ik heb een verklaring afgelegd in de rechtszaak, maar ik kan niet zeggen dat ik het met de juiste bedoelingen deed. Ik was kwaad op Matthew. Ik wilde niet met me laten sollen. Als ik niet kwaad was geweest... Ik weet niet wat ik dan gedaan had.'

'Hetzelfde misschien?'

'Mm, zou kunnen.'

John Whitworth wreef over zijn kin, zijn vingers ontdekten het ongeschoren streepje. Hij zei achteloos: 'Ik ben in Washington geweest. Op zoek naar mijn dochter. We hebben haar gevonden, wisten jullie dat?'

'Nee!' zei ik. 'Hoe is het met haar?'

John schudde zijn hoofd. 'Matthew Humberston heeft deze week zijn zoon verloren. Misschien verlies ik mijn dochter. De man met wie ze getrouwd was, heeft haar geslagen tot hij er genoeg van had en heeft haar toen in een steegje achtergelaten.' Zijn laconieke stem trilde ineens. Hij sloeg zijn handen voor zijn gezicht. 'Ze hebben haar naar het ziekenhuis hier gebracht. Ze ligt in coma. We weten niet of ze zal bijkomen. Amelia en ik hebben haar jongens mee naar huis genomen.'

'Kan ik iets voor je doen?' vroeg Thomas.

'Een keer bij Amy op bezoek gaan. In het ziekenhuis zeggen ze dat ze ons waarschijnlijk wel kan horen en het is belangrijk dat er tegen haar gepraat wordt. Ik ga zo vaak ik kan, maar ik moet werken om het ziekenhuis te betalen en Amelia zit met de jongens. Ze willen dat ze bij hen in de buurt blijft en het lijkt haar geen goed idee dat ze hun moeder zo zien.'

'Ik ga vandaag nog naar haar toe.'

'Dank u wel, dominee. Er zijn nog twee dingen die ik tegen u wil zeggen.'

Ik zag dat Thomas zich schrap zette.

'U hoeft niet te kijken als een hond die geslagen wordt, hoor.' John stem klonk mild. 'Ik heb Ambrose vanmorgen gebeld, in Florida. Matthew heeft gewacht tot wij allebei weg waren voordat hij die stunt met de sloten uithaalde. Hij wist wel dat wij nooit zouden goedkeuren wat hij heeft gedaan. Dominee, ik kan niet zeggen dat uw werk tot nu toe veel voor de kerk opgeleverd heeft. Maar voordat je nieuwe verf op een deur doet, moet je de oude er eerst afhalen en het hout schuren; anders bladdert de nieuwe verf af. We zijn bereid om u eerst het schuurwerk te laten afmaken voordat we het nieuwe schilderwerk gaan beoordelen. Begrijpt u wat ik bedoel?'

'Ja', zei Thomas.

'Het tweede is iets dat ik van Amelia tegen u moest zeggen. De politie is nog steeds op zoek naar Amy's man. Amelia zei dat ze hem met haar blote handen zou vermoorden als ze hem te pakken kreeg. Moet je nagaan.' Johns ene mondhoek vertrok in een soort grimas. 'Zo'n klein ding en altijd zo netjes. Maar toen ze Amy zo toegetakeld zag – nou, toen werd ze razend; zo heb ik haar nog nooit eerder gezien. Ik dacht even dat de dokter haar iets moest geven om haar wat rustiger te maken. Toen ik vanochtend wakker werd, zat ze in een stoel Jeremy te wiegen. Hij had liggen gillen. Ze zei: "Zeg maar tegen dominee Clement dat ik Matthew nu wel begrijp. Ik begrijp wat hij gedaan heeft, dat hij zijn jongen geleerd heeft om de Fowlerands te haten, net als hij zelf. Zeg maar tegen de dominee dat die man van binnen kapot is, nog erger dan ik. Mijn dochter wordt misschien weer beter, maar zijn zoon blijft voor de rest van zijn leven gehandicapt." Dat zei ze. Ik moest maar 'ns gaan.'

305

Hij zette zijn kopje voorzichtig op de haard en ging staan terwijl hij zich krakend uitrekte. 'Wat ben ik moe', zei hij. ''k Ben bijna twee dagen achtereen in touw geweest. Ik ga die sloten maar eens vervangen.'

'John', zei Thomas, 'wil jij met me meegaan?'

'Waarheen?'

'Naar Matthew. En naar Matt in de gevangenis, als die me wil zien.'

'Dat zou ik wel denken. Zo gauw de wegen weer begaanbaar zijn, gaan we erheen.' Hij bleef even staan bij de deur. 'Trouwens, naast ons is een stuk grond te koop. Groot genoeg voor een leuk huis. Een stukje bij de weg vandaan, dus kinderen kunnen er spelen zonder last te hebben van de auto's. Ik dacht dat jullie daar misschien een kijkje wilden nemen. Goed, ik ga maar eens.'

We stonden hem op de veranda na te kijken. Bij het oude huis hoorden we een deur hard dichtslaan. Giddy's stem zei: 'Donder en bliksem!'

'Wat is er aan de hand, oom Giddy?' brulde Thomas.

'Nog twee vossen', schreeuwde Giddy terug. 'Kijk, daar!'

Ik tuurde over het verblindend witte veld. Boven aan de heuvel strekten de kale takken van de boom zich uit over de grafstenen. Een donker figuurtje schoot tussen de stenen door en verdween.

'Die komt van de overkant van de weg!' brulde Giddy. 'Denkt dat ik de holen voor hen heb uitgerookt!'

De deur sloeg achter hem dicht en brak het geluid van zijn stem af.

'Hij krijgt die nesten nooit leeg.'

'Nee', stemde Thomas in. 'Dat wordt een oorlog zonder eind.' Hij strekte zijn armen boven zich. 'Goed', zei hij, 'zolang ik nergens naartoe kan, kan ik net zo goed aan mijn preek werken. En ik moet Joe nog een keer bellen en naar hem toe zo gauw het weer kan, en ik moet met Ida praten over haar programma voor Kerst. Deze week is het de eerste zondag van de adventstijd, wist je dat?'

'Ik ben de tel een beetje kwijtgeraakt', zei ik.

306

'Ik ook. Maar nu weet ik het weer. Ik ga preken over de menswording. God die onder de mensen komt wonen.'

Later bracht ik de fles naar Jimmy White en gooide het hele verhaal eruit. Terwijl hij zat te luisteren, trok hij zijn wenkbrauwen steeds verder op.

'Wel heb ik ooit!' zei hij, toen ik uitgesproken was.

'Wat kunt u doen?'

'Als ik dat eens wist', zei Jimmy White. 'Ik denk dat ik advies moet zien te krijgen. 't Kan wel een tijdje duren voordat we dit uitgezocht hebben.'

'Mocht u me nodig hebben om het verhaal nog een keer te doen, dan weet u me te vinden. We blijven hier voorlopig wel.'

'Goed gedaan, Amanda.'

'Ik heb de rommel niet opgeruimd.'

'Je bent hier, bij je oma', zei hij. 'Goed gedaan.'

De telefoon rinkelde vroeg, die eerste adventszondag. Ik was al op en was stuntelig bezig de adventskaarsen, die ik op een plank had vastgezet, te versieren met dennengroen. Creatief bezig zijn was niet mijn sterkste punt, maar Amelia had me gevraagd om de versieringen te verzorgen, nu zij voor Amy's jongens zorgde. Amy had haar ogen vrijdags opengedaan, niet lang, maar de dokters waren optimistisch.

Ik nam de telefoon op en zei: 'Ja?'

'Mandy?' zei oma's stem.

'Ja? Alles goed met u?'

Het was even stil. 'Ik wou wel met je meegaan naar de kerk, als je me tenminste wilt brengen.'

'Heel graag, oma.'

''t Zal wel niet veel zaaks zijn. Maar ik dacht: ik ben het dominee Clement al met al verplicht een keer naar hem te gaan luisteren.'

'Het zal u vast niet tegenvallen.'

'Wie weet. In ieder geval, zou je zo vriendelijk willen zijn een beetje vroeg te komen om mijn haar te doen?'

'Ik ben er over een halfuur.'

'Ik ben je zeer erkentelijk.'

Ze hing op; ik belde Thomas in de kerk om te zeggen dat hij me niet hoefde op te halen. Ik liep met de kaarsen in mijn hand naar het oude huis, zorgde ervoor dat oma er netjes uitzag, liep met haar het trapje af en hielp haar instappen.

'Bedankt', zei ze. Ze was stil tot we de bocht vlak voor de kerk omgingen; toen zei ze ineens: 'Ik heb Attaway niet meer gezien sinds die avond.'

'Nee. Wij ook niet.'

'Hij deed zijn werk altijd in het donker', zei oma. 'Ik ben bang dat hij jullie nog meer problemen zal bezorgen, Amanda. Hij heeft zijn tanden nog. Maar op de een of andere manier lijken ze bij daglicht niet zo scherp. Is dominee Clement al bij Matthew geweest?'

'Hij en John zijn samen gegaan.'

'En hoe ging dat?'

'Hij wilde ze niet zien. Hij kwam bij de deur en gooide die voor hun neus dicht. Toen gingen ze naar de gevangenis, maar Matt ging met de rug naar hen toe zitten en wilde zich niet omdraaien.'

Oma dacht hierover na terwijl ik de auto zorgvuldig op een droog plekje parkeerde. De sneeuw was nat en modderig geworden.

'Dominee Clement heeft er wat dat betreft een potje van gemaakt', zei ze tenslotte.

'Ik weet het niet. Het verhaal is nog niet uit.'

Ze stapte uit en kneep haar ogen tot spleetjes in het ochtendlicht. Ik hielp haar de trap op en een van de achterste banken in. Aandachtig nam ze de gemeenteleden op. Joe was er niet; zijn vader had hem dit weekend meegenomen naar Dinwiddie, maar Thomas zou maandag weer bij hem langsgaan. Amelia kwam binnen met de twee jongetjes die zich aan haar vastklampten; John liep achter haar. De jongens waren mager en zagen er moe uit, maar hun ogen stonden helder. Tammy Watts was er, haar kinderen sjokten achter haar aan en keken met wijdopen ogen naar de groene versieringen. Dertig mensen waren bij elkaar gekomen om de aankondiging van de geboorte van Christus te vieren.

'Jullie hebben nog heel wat werk voor de boeg', merkte oma op.

'We hebben alle tijd van de wereld', antwoordde ik.

Ze wierp me een snelle blik toe terwijl de organist begon te spelen. Om ons heen gingen de gemeenteleden staan en begonnen aarzelend te zingen: 'Zwijg, o mensen, stervelingen. Ga met vrees en beven staan. De hemelse herauten zijn u eertijds voorgegaan...'

'Amanda', fluisterde oma, 'help me liever op te staan.'

Ik bukte en ze hees zichzelf omhoog aan mijn arm.

'Dat is beter', zei ze.

We stonden samen te luisteren naar de prachtige laatste verzen van het gezang.

...om de doorgang te bereiden
voor de Heer, ons Licht, de Zon.
Hij die neerkwam uit de hemel
en het duister overwon.

Helse krachten, zij verdwenen,
duisternis is er niet meer.
Halleluja, halleluja,
ere aan der heren Heer.

Oma leunde zwaar op me en ik zette me schrap om haar gewicht te kunnen dragen. De laatste tonen klonken en vervlogen. Het licht kwam door de heldere ruiten en kleurde mijn adventskransjes goud en groen en scharlakenrood; de vlammetjes gingen op in de schitterende glans van de zon.

Ik had gedroomd van rivierbriesjes en uitgestrekte, rustige landerijen, voordat we hier kwamen wonen. De rest droomde ik er niet bij: de oude zonden en haat die zich met ons leven vervlochten,

Quintus Fowlerands bloedige dood en de verbittering die ons omringde. Ik zag de beelden, niet de werkelijkheid.

Maar nu hebben de beelden drie dimensies. Nu zie ik de schoonheid van Little Croft, de duistere werkelijkheid van het kwaad erachter, en de tegenwoordigheid van God. De drie kanten van mijn thuis, onscheidbaar tot er orde in alle dingen geschapen wordt.

Dankbetuiging

Ik bedank Marilyn Helms en John Wilson voor hun nuttige commentaar op eerdere versies van dit boek; Rod Morris, zijn geduld heeft uiteindelijk vrucht afgeworpen; en mijn agent Rich Henshaw die altijd mijn belangen in het oog hield. Als schrijver, moeder, docent en lid van een geloofsgemeenschap ben ik mij er altijd van bewust dat mijn werk het resultaat is van een gezamenlijke inspanning: ik ben mijn ouders, Jay en Jessie Wise, veel dank verschuldigd. Ze hebben opgepast, gebrainstormd, details gecontroleerd, gekookt, was opgevouwen en bovenal: ze hebben me laten zien wat het betekent om in Gods nabijheid te leven en – vaak – in zijn ogenschijnlijke afwezigheid.

Mijn grootste dank en al mijn liefde gaan uit naar mijn man, die het grootste deel van de verantwoordelijkheid voor ons gezin op zich heeft genomen en die de zwaarste baan van de wereld liefdevol en met wijsheid vervult.